Découvertes   Band 3

von

Gérard Alamargot, Reutlingen; Birgit Bruckmayer, München; Isabelle Darras, Pont-de-Vaux;
Léo Koesten, Versailles; Dieter Kunert, Toulouse; Inge Mühlmann, Recklinghausen;
Andreas Nieweler, Detmold; Sabine Prudent, Berlin

Weitere Mitarbeit

Gerd Bär, Ohlsbach; Kristin Bernstein, Halle/Saale; Ute Bobach, Barleben; Detlev Brenneisen,
Norderstedt; Regine Eiser-Müller, Limburg; Mag. Ulrike Hemedinger, Linz (A); Vera Hux, Stans (CH);
Hanns-Christoph Lenz, Leipzig; Lydia Lenz, München; Françoise Malz, Braunschweig;
Jeanne Nissen, Rostock; Mag. Elisabeth Partmann, Wien (A); Dr. Angelika Schenk, Wittenberg;
Prof. Dr. Ludger Schiffler, Berlin; Wolfgang Spengler, Solingen

Zusatzmaterialien für Schüler und Schülerinnen zu diesem Band

Cahier d'activités, *Klett-Nr. 523843*
Grammatisches Beiheft, *Klett-Nr. 523842*
Lernsoftware, CD-ROM, *Klett-Nr. 523713*
Vokabellernheft, *Klett-Nr. 523313*

1 CD für Schüler und Lehrer
mit Lektionstexten, Aussprache-
übungen, Gedichten, Liedern,
Klett-Nr. 523846

Trainingsbuch 3,
Klett-Nr. 929892

Bildquellen

Action Press, (Isopix), Hamburg: 84.10, 73.3; AKG, Berlin: Vorsatz 4; Avenue Images GmbH, (Corbis), Hamburg: 18.1,
90.4; Bildagentur-online (Visage), Burgkunstadt: 78.1, 83.1; Bruckmayer, Birgit: 22.2, 22.4, 22.5; Cinetext, Frankfurt:
64.2, 65.1, 67.2; Comstock, Luxemburg: 84.5, 84.10 – 12; Corbis, Düsseldorf: 27.1, 31.1, 43.1, 44.2, 64.1, 84.5, 84.11,
84.12, 85.2, 85.3, 86.1, 90.2, Vorsatz 3, 5, 8, 9; DARGAUD 2004 by Christin & Mézières: 54.4; Editions de Bourgogne:
29.1; Corel Corporation: Vorsatz 1, 7; Editions Glénat, 2002, Zap Collège Tome 2 by Tehem: 19.1 – 8; éditions Pocket
Jeunesse, département de Univers Poche: 54.3; f1 online digitale Bildagentur (Ange / Wallis), Frankfurt / Main:
77.2; Fotex, Hamburg: 60.3, 60.4; Getty Images, München: 84.4, 90.3; Klett-Archiv (Gilles Floret): 17.1; Klett-Archiv
(Friederike Maria Keck): 60.1; Klett-Archiv (Heiner Wittmann): 20.6; Klett-Archiv (Stefan Zörlein): 89.1; Marco Polo
Agence Photographique (Naudin), Paris: 6.1, 7.1 – 3, 10.1, 11.1, 12.1 – 5, 13.1 – 7, 14.1 – 8, 15.2, 20.1, 20.3, 20.4, 21.1,
21.2, 22.3, 23.1 – 4, 24.1 – 7, 26.1 – 6, 27.2, 27.4 – 5, 27.7, 28.1, 28.2, 30.2, 31.2, 32.1, 32.2, 33.1, 33.2, 34.1, 34.2, 35.7, 44.1,
45.1 – 4, 46.1, 47.1, 47.2, 48.1, 49.1, 50.1 – 3, 70.1, 70.3; 76.1; Mediacolor's (Teasy), Zürich: 77.1; Médium Paris: 54.2;
MEV, Augsburg: Vorsatz 2; Nice Matin: 46.1, 69.1; Anna und Peter Nordquist, Tellus Vision AB, Lund Sweden: 75.2;
Mauritius (SuperStock), Mittenwald: 75.1; OKAPI, Bayard Jeunesse, 2004: 53.1; PhotoDisc: Vorsatz 6; Picture-Alliance
(dpa), Frankfurt: 68.1; Sipa Press, Paris: 30.1, 68.3, 69.2, 70.2, 70.5, 73.1, 73.2, 73.5, 73.6, 84.6, 88.1, 88.2; Stockbyte,
Tralee, County Kerry: 84.6; Superbild, Unterhaching / München: 60.2; SYROS / SEJER, Paris: 54.1

1. Auflage

1   6 | 11

Alle Drucke dieser Auflage können im Unterricht nebeneinander benutzt werden, sie sind untereinander unverändert.
Die letzte Zahl bezeichnet das Jahr dieses Druckes. Das Werk und seine Teile sind urheberrechtlich geschützt.
Jede Nutzung in anderen als den gesetzlich zugelassenen Fällen bedarf der vorherigen schriftlichen Einwilligung des Verlages.
Hinweis zu § 52 a UrhG: Weder das Werk noch seine Teile dürfen ohne eine solche Einwilligung eingescannt
und in ein Netzwerk eingestellt werden. Dies gilt auch für Intranets von Schulen und sonstigen Bildungseinrichtungen.
Fotomechanische oder andere Wiedergabeverfahren nur mit Genehmigung des Verlages.
© Ernst Klett Verlag GmbH, Stuttgart 2006. Alle Rechte vorbehalten. Internetadresse: www.klett.de

Redaktion: Dr. Gilles Floret, Friederike Maria Keck

Gestaltung: Sven Thamphald
Layoutkonzeption: Christian Dekelver, Weinstadt
Umschlaggestaltung: Christian Dekelver, Weinstadt
Illustrationen: François Davot, Troyes; Christian Dekelver, Weinstadt; Helga Merkle, Albershausen
Satz: media office GmbH, Kornwestheim
Reproduktion: Meyle + Müller, Medienmanagement, Pforzheim
Druck: Firmengruppe APPL, aprinta druck, Wemding
Printed in Germany
ISBN 978-3-12-523841-1

Découvertes

für den schulischen
Französischunterricht

3

von
Gérard Alamargot
Birgit Bruckmayer
Isabelle Darras
Léo Koesten
Dieter Kunert
Inge Mühlmann
Andreas Nieweler
Sabine Prudent

Ernst Klett Schulbuchverlage
Stuttgart · Leipzig

INHALTSVERZEICHNIS

Die Angebote in *Découvertes* sind nicht obligatorisch abzuarbeiten. Die Auswahl der Texte und Übungen richtet sich nach den Schwerpunkten des schulinternen Curriculums.
Auf www.klett.de steht ein erweitertes Inhaltsverzeichnis entsprechend dem Kernlehrplan NRW.

Online-Link
523841-0010

Bayern / Hessen

quatre

4

cinq

5

Wegweiser

 Hier findest du Lektionstexte sowie Hörverstehenstexte.

 Hier findest du spezielle Hörverstehensaufgaben zur Vertiefung.

 Diese Übungen solltest du zur Festigung der Grammatik oder des Wortschatzes in dein Heft schreiben.

 Hier arbeitest du in der Regel mit deinem Sitznachbarn zusammen.

 Bei diesen Aufgaben arbeitest du im Team mit drei bis maximal fünf Klassenkameraden zusammen.

 Dieses Symbol bedeutet, dass die betreffende Einheit oder Übung behandelt werden kann, aber nicht muss.

 Dieses Symbol steht vor einer Übung, einer Lektion oder einem Modul, die nur in bestimmten Bundesländern/Ländern verlangt werden.

 Der Delfin weist auf einen speziellen Übungstyp hin, den du wiederfindest, wenn du dich auf die DELF-Prüfung vorbereitest.

 Hier ist eine kreative Projektarbeit gefragt.

 In Aufgaben mit diesem Symbol entstehen Produkte, die ihr in eurem Französisch-Dossier abheften könnt.

 Bei Übungen mit diesem Symbol ist ganz besonders dein „Forschergeist" gefragt.

 Bei diesem Symbol handelt es sich um spielerische Übungen.

 Hier triffst du meistens auf Suchaufgaben im Internet.

 Diese Aufgaben sind zur Wiederholung von bereits gelerntem Stoff gedacht: eine gute Möglichkeit, deine Kenntnisse zu testen.

 Bei diesen Übungen kannst du nur für dich alleine deinen Kenntnisstand überprüfen.

 * Dieses Zeichen weist Wörter aus, die im Pratique-Teil neu eingeführt werden und gelernt werden müssen.

 § Verweis auf das entsprechende Grammatikkapitel im Grammatischen Beiheft.

Unter der Klett-Internet-Adresse www.klett.de unter „Schüler" und dann „Französisch" (www.klett.de) findest du Zusatzmaterialien wie z. B. eine Zusammenstellung aller Lernstrategien ab Band 1 sowie zusätzliche Übungen und Texte u. a.

Alle Kompetenzen (Leseverstehen, Hörverstehen, Sprechen, Schreiben, Interagieren) und alle Strategien in Découvertes 3 erfüllen die Anforderungen des **Referenzrahmens** Niveau A2.

VORWORT

Chers élèves,

Peut-être que vous avez passé vos vacances en France, cette année. Vous avez peut-être parlé, écrit des e-mails, téléphoné, envoyé des SMS en français. Vous avez peut-être lu des informations, des livres et des BD en français. Vous avez peut-être aussi regardé la télé française ou bien écouté de la musique française. Vous avez sûrement compris beaucoup de choses. C'est normal, vous faites des découvertes depuis deux ans avec votre livre «Découvertes».

Cette année, vous allez entrer dans votre troisième année de français. Vous allez rencontrer des nouveaux amis à l'école mais nous sommes là aussi pour vous aider à lire, écrire, écouter, comprendre, parler, chanter, danser, jouer en français. En plus, vous trouvez d'autres textes et exercices sur Internet sous www.klett.de. A la fin de *Découvertes 3*, vous allez pouvoir communiquer en français sans problème. Le français, c'est comme un sport. Il ne faut pas avoir peur. Nous sommes là pour vous aider.

Cordialement

Votre équipe de *Découvertes 3*

(4) La salle des profs

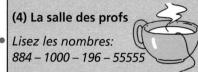

- *Lisez les nombres:*
  884 – 1000 – 196 – 55555 — 20 pts

- *Dites le contraire de:*
  nouveau ⟷ ~ / ici ⟷ ~ /
  avant ⟷ ~ — 15 pts

- *Les élèves français ont cours*
  toute la journée sauf le ~ . — 5 pts

  — 40 pts

La salle de permanence

Conjuguez un verbe au choix
au présent.

dormir – savoir – connaître –
venir – commencer – recevoir –
prendre – vivre – faire – aller –
devoir – plaire – préférer –
conduire – finir – courir –
envoyer – construire

je …, tu …, il/elle …,
nous …, vous …,
ils/elles … — 10 pts

(3) La salle des élèves

- *Ajoutez un pronom relatif. Emma*
  est une fille ~ tout le monde aime.
  Elle a quitté Paris ~ elle a beaucoup
  d'amis. Son père ~ a trouvé du
  travail à Toulouse part déjà. — 15 pts

- *Donnez 3 titres de livres français.* — 15 pts

- *On appelle Toulouse*
  «la ville …». — 10 pts

  — 40 pts

(2) Le bureau du principal

- *Racontez le dialogue dans la cour*
  au discours indirect. — 20 pts

- *Décrivez le chemin:* — 15 pts

- *Où vont les élèves quand*
  un prof est malade? — 5 pts

  — 40 pts

(5) La salle Edith Piaf

- *Posez des questions:*
  <u>*La chanson française*</u> *m'intéresse.*
  Je rencontre souvent <u>des copains</u>.
  Nous faisons aussi <u>de la musique</u>. — 15

- *Quel temps fait-il?* — 20

- *Chloro'fil, qu'est-ce que c'est?* — 5

30° — 40

La nouvelle prof s'appelle madame

<u>? ? ? ? ? ? ? ? ? ? ? s</u>.

Il y a une
nouvelle prof
au collège.
Tu la connais?

Cette année, on a
M. Davot en allemand.
Il est cool!

(1) La cantine

- *Mettez les phrases au passé composé:*
  Emma et Cécile entrent à la cantine.
  Elles accompagnent Grégory. — 10 pts

- *Donnez trois noms de boissons.* — 15 pts

- *Dans un menu français,*
  il y a une …, un … et un … — 15 pts

  — 40 pts

Vous trouverez les règles du jeu pages 159–160.

Le CDI

Mettez «de» ou «à» si nécessaire: *Magalie aime ~ chanter. Elle rêve ~ être chanteuse. Quand elle commence ~ faire ses devoirs, elle pense ~ la musique. Mais elle réussit ~ être bonne élève.*

20 pts

Décrivez Fabien:
*Il est …   Il a …   Il est …
A Toulouse, on construit l'avion …*

15 pts

5 pts

40 pts

---

* C'est la rentrée au collège Guillaumet. Dans la cour, on discute beaucoup. Tout à coup, Grégory découvre une nouvelle prof. Qui est-ce?

* Pour trouver la réponse, visitez les salles du collège et répondez aux questions.

* Jouez à deux: Le joueur A pose les questions. Le joueur B répond. Changez de rôle après chaque salle. Celui qui a reçu le plus de points a gagné.

---

(7) La salle Charles Baudelaire

* Complétez:
*Cécile aide sa copine?
Oui, elle ~ aide. Elle écrit à ses parents?
Non, elle ne ~ écrit pas.*

20 pts

* *Ils sont chez le médecin. Pourquoi?*

15 pts

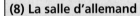

* *Le 21 juin,
c'est la fête de …*

5 pts

40 pts

---

(8) La salle d'allemand

* Traduisez en français: *dieses Hotel – diese Kirche – diese Mädchen – dieser Junge – diese Katzen*

15 pts

* *Qu'est-ce que vous dites en français et en allemand quand … quelqu'un a son anniversaire, tu reçois quelqu'un dans ta ville.*

10 pts

* *A Toulouse, il y a … (3 choses).*

15 pts

40 pts

---

(10) La salle de théâtre

molière

* *Pour faire une tarte, il faut:*

25 pts

* *A la fin d'une lettre officielle, on écrit: …*

10 pts

* *Où est la Géode?*

5 pts

40 pts

---

(9) La salle de géographie

* *Expliquez la différence entre:
le beau français
le beau Français*

15 pts

* *Donnez 3 noms de villes allemandes en français.*

15 pts

* *La … traverse Toulouse.*

10 pts

40 pts

globe

01 🔊 ## Un été en Normandie

Sur la plage de Fécamp

Charlotte et Elodie sont en train
de regarder des garçons qui jouent
au volley:

Charlotte: Regarde les deux garçons,
5 à droite. Ils sont plus sportifs que
les deux autres, tu ne trouves pas?
Elodie: Oui, c'est vrai. Surtout le mec
avec le t-shirt blanc. C'est le plus fort
du groupe et en plus, il est canon!
10 *Charlotte:* Bon d'accord, il n'est pas
mal. Mais moi, je préfère l'autre avec
le t-shirt rouge et les lunettes de soleil
les plus branchées. Il est peut-être
moins beau que le premier mais il est
15 aussi sportif que lui et il a l'air très
gentil.
Elodie: Bof! Dis-moi, qu'est-ce que
tu penses des deux autres garçons?
Charlotte: Alors, le garçon aux cheveux
20 courts avec le short jaune, pour moi,
c'est le plus beau mec. Je le trouve
un peu timide mais très mignon.
C'est vrai qu'il est le garçon le moins
baraqué de l'équipe mais c'est le plus
25 cool du groupe!
Elodie: Ah, c'est déjà le coup de foudre
ou quoi?
Charlotte: Attention, le ballon!
Laurent: Salut, les filles …

2. Sucht aus dem Text Satzteile heraus,
die vergleichenden Charakter haben,
und ordnet sie den Symbolen
+ / = / − bzw. ++ / − − zu.

Komparativ/ Gleichheit	Superlativ
+	+ +
=	
−	− −

1. Adjektive können gesteigert werden.
Man nennt die Steigerungsformen
Komparativ und Superlativ.
Elodie und Charlotte benutzen im
Gespräch solche Formen.
Was können sie mit diesen Formen
ausdrücken?

3. Wie setzen sich
a) der Komparativ und
b) der Superlativ zusammen?
Wie ist die Stellung des Adjektivs
c) beim Komparativ und
d) beim Superlativ?

A vous.

a *Comparez Elodie, Laurent et Charlotte, page 10.*

b *Comparez des acteurs ou des chanteurs que vous connaissez.
Utilisez les adjectifs «petit, grand, beau, baraqué, canon, sportif,
fort, branché, mignon, timide, cool, …».*

onze

03 ## Une bonne leçon

1. C'était au mois d'août
et Charlotte et moi, nous
étions en vacances
à Fécamp avec nos parents,
enfin, avec les parents de
Charlotte et ma mère.
Tous les jours, nous allions
à la plage où nous retrouvions
des copains.

> Alors, on va se baigner tout de suite?

> Il fait encore plus chaud qu'hier, c'est dingue!

> Salut, les filles. David, je te présente Elodie et Charlotte, les plus belles filles de Fécamp. Elles étaient sur la plage hier.

> Bonjour! On vous propose de faire un tour en bateau avec nous.

> Ouais, pas mal, le mec!

> Tu le trouves comment, ce Laurent?

> Sympa, et toi?

2. Un jour, sur le port, nous avons rencontré David et Laurent. Ils faisaient un stage de voile à Fécamp.

3. Je savais que Laurent plaisait aussi à Charlotte, pourtant elle ne voulait pas l'avouer.

> Je comprends maintenant pourquoi elle n'a pas mis son jean comme moi!

> Zut! Les garçons qui me plaisent flashent toujours sur Charlotte! Est-ce que je suis moins belle qu'elle?

4. Deux jours plus tard, c'était l'anniversaire de David …

5. Laurent et Charlotte ont dansé ensemble pendant toute la soirée.

douze

Non, je préfère rester encore un peu.
Laurent va me conduire à la maison.

Tu ne viens
pas, Charlotte?
Ma mère nous
attend.

6. A minuit, ma mère est arrivée.
Donc, je devais rentrer.

7. …

Non, ce n'est pas vrai. Je te trouve hyper cool.
Depuis que je te connais, je pense souvent
à toi. On se balade un peu sur la plage?

Quel baratineur,
ce mec!

Nous n'avons
pas dansé
ensemble hier,
toi et moi.
Dommage.

Tu te moques de moi?

8. Le lendemain, sur la plage. Je lisais un livre
pendant que Charlotte et les autres jouaient
au volley. Laurent s'est allongé à côté de moi.

9. …

Quelle nouille! Ou
bien tu ne veux pas
voir ou bien tu ne veux
pas comprendre.

Moi, je suis sûre
qu'il m'aime!

18 h, café
de la plage?
Bises.
Laurent

Laurent me drague,
crois-moi! Ce mec
n'est pas aussi
gentil que tu penses,
ma petite Charlotte.

Tu dis cela parce que
tu es jalouse. Je ne
veux plus te voir!

10. Plus tard …

11. Deux jours après, je lui ai alors
montré un SMS de Laurent.

12. …

treize

13. …

14. Alors, nous sommes allées ensemble au rendez-vous. Charlotte s'est cachée. J'ai mis mon portable sur la table. Comme ça, elle pouvait tout entendre.

15. Laurent est arrivé et il m'a fait la bise.

16. …

17. …

18. Tout à coup, Charlotte est arrivée.

19. …

1 A propos du texte

a *Quelle phrase résume* le texte? Expliquez pourquoi les deux autres ne le résument pas.*

1. Elodie et Charlotte restent amies après une dispute* pour un garçon qui les drague.
2. Laurent est amoureux d'Elodie et il la drague à l'anniversaire de David.
3. Laurent drague Elodie mais elle ne raconte rien à Charlotte.

b *Laurent raconte son histoire à Radio Ados. Qu'est-ce qu'il dit?*

2 Les vacances d'Elodie (§§ 2,3)

Sur la plage de Fécamp, Radio Ados fait un reportage sur les vacances des jeunes. Elodie raconte …

	Imparfait	
– Beschreibung		– Zustand (Wetter, Zeit, Gefühle)
– Gewohnheit		
– Wiederholung		– zeitlich unbegrenzte Handlung

a *Mettez les verbes à l'imparfait.*

1. «L'année dernière, mes vacances à Paris, c'(être) la catastrophe! 2. Tous les jours, je (dormir) jusqu'à dix heures. 3. D'abord, je (se lever) et je (prendre) mon petit-déjeuner. 4. Ensuite, à onze heures, j'(aller) dans la salle de bains, puis je (téléphoner) toujours à Charlotte. 5. A une heure, j'(aider) ma mère à préparer le repas, puis je (manger) avec elle. 6. Quand il (faire) chaud, maman et moi, nous (partir) à la piscine. 7. Et quand il (pleuvoir), nous (regarder) la télévision. 8. Le soir, ma mère (inviter) souvent des amis, alors nous (ne pas manger) avant dix heures. Mais, cette année à Fécamp, c'est super!»

b A vous. *Quand vous étiez petit(e), vous aviez un très bon copain/une très bonne copine. Qu'est-ce que vous faisiez souvent ensemble? Ecrivez un texte de 5 à 6 phrases à l'imparfait.*

3 Pauvre Loïc*! (§ 4)

Un jour, Loïc rencontre une fille sur la plage. Le lendemain, il raconte son aventure à son ami Arnaud*:

15 h …	⚽
16 h …	🏖
17 h …	

Passé composé
– einmalige Handlung
– aufeinander folgende Handlung
– abgeschlossene Handlung

a *Imparfait ou passé composé? Choisissez la bonne forme pour les verbes soulignés*.*

1. «Hier, il a fait / faisait très chaud sur la plage de Fécamp. 2. Cinq ou six jeunes ont joué / jouaient au foot. 3. Tout à coup, j'ai vu / je voyais une très belle fille. 4. Elle a été / était seule. 5. Alors, je me suis allongé / m'allongeais à côté d'elle. 6. Ensuite, je lui ai donné / donnais un coca. 7. Alors, elle m'a regardé / me regardait. 8. Puis, elle m'a dit / me disait: «Non, merci. Je déteste le coca» avec un petit accent allemand. 9. Enfin, je lui ai proposé / proposais de se baigner avec moi. 10. Elle n'a rien dit / ne disait rien mais elle a pris / prenait son portable et elle a téléphoné / téléphonait à quelqu'un. 11. Dix minutes plus tard, un mec est arrivé / arrivait. 12. Il a été / était très sportif.»

b A vous. *Imaginez la fin de cette histoire.*

quinze

4   **Comment est-ce que tu trouves ...?**   (§ 1)

a *Charlotte montre des photos de ses copains de Fécamp à sa corres. Elle les compare.*

Exemple: Charlotte / Elodie (= beau) → Charlotte est aussi belle qu'Elodie.

1. Elodie / les autres copines (+ sympa)
2. Elodie / Samira (– timide)
3. Samira et Elodie / Charlotte (= jaloux)
4. Léa / Samira (+ gentil)

5. Samira / Léa (= mignon)
6. Laurent / Arnaud (+ sportif)
7. Loïc / Arnaud (– cool)
8. Laurent et David / Loïc (+ intéressant)

 b *Posez des questions à votre voisin / voisine. Utilisez le superlatif. Attention à l'accord et à la place de l'adjectif. Trouvez aussi des réponses.*

Exemple: Quel / groupe / cool (– –):
   – Quel est le groupe le moins cool, à ton avis?
   – A mon avis, / je trouve / je pense que le groupe le moins cool, c'est ...

1. Quelle / musique / beau (++)
2. Quelles / BD / intéressant (++)
3. Quel / chanteur / beau (– –)

4. Quelle / actrice / bon (– –)
5. Quels / films / bon (++)
6. Quelles / équipes de foot / branché (++)

 5   **Jeu de mots: Etre jeune**

a *A quoi est-ce que vous pensez quand vous entendez «être jeune»? Complétez le filet à mots*.*

 b *Choisissez un de ces huit sujets* et préparez un filet à mots. Ecrivez avec ses mots un texte pour le journal de votre collège.*

 a *Répondez après la première écoute.*

1. La dame entre dans le magasin. Pourquoi?
2. Quelle est la réaction du jeune homme?

b *Répondez après la deuxième / troisième écoute. Prenez des notes pendant l'écoute.*

1. Quelle est la stratégie du jeune homme?
2. Quelle est la fin de l'histoire?

 7   **Jeu de rôle: sketchs***

Choisissez une des situations suivantes et écrivez un sketch. Après, jouez votre sketch.

| 1. Un an après, Elodie veut revoir Fécamp et ses amis. Sa mère travaille et n'a pas d'argent pour aller en vacances. Elodie a une idée. | 2. Laurent doit payer 300 euros pour son portable. Il a trop téléphoné à ses copines. Il n'a pas d'argent de poche*. Ses parents sont en colère. | 3. Charlotte trouve une robe belle mais chère. Comme elle n'a pas assez d'argent, elle demande à sa mère qui dit non. |

8 **Ecouter: C'est quoi, ton problème?**

a *A la première écoute:*
Répondez aux questions.

1. Combien de personnes parlent?
2. Qui sont ces personnes?

b *A la deuxième/troisième écoute: Complétez les phrases et écrivez-les dans votre cahier.*

1. Amélie n'a pas envie de …
2. Sa mère a arrêté de …
3. Amélie doit apprendre à …

4. … personne n'invite Luc.
5. … on ne lui parle pas.
6. … où il est meilleur que les autres.

c *Donnez votre avis sur les conseils* que Christelle Boulay donne aux jeunes.*

9 **Discuter ensemble**

on dit …

Demander une explication*:
Est-ce que tu peux / vous pouvez me dire /
m'expliquer pourquoi …?
Je ne comprends pas pourquoi …
Quel conseil est-ce que tu me donnes?

Donner son avis/Donner des conseils:
Moi, je trouve / je crois / je pense que …
Je te / vous comprends mais …
A mon avis, il faut (faire) …
Je te / vous donne un bon conseil: …

Ne pas être d'accord:
Tu te moques /Vous vous moquez de moi!
Je ne suis pas d'accord! / Je suis contre!
Je t'interdis / Je vous interdis de* …
Ce n'est pas vrai!

S'excuser*:
Je m'excuse! / Excuse-moi! / Excusez-moi!
J'ai été bête! / J'ai été nul(le)!
Pardon! / Je te / vous demande pardon!
Je suis désolé(e)!

A vous.

*Un garçon téléphone à sa copine qui est jalouse parce qu'il est allé au cinéma
avec cette autre fille. Quelle est la réaction de la copine au téléphone?
Prenez des notes, puis écrivez le dialogue. Si vous voulez, jouez la scène.*

10 **Ecouter: La langue des jeunes**

a *Ecoutez ces dix phrases. Copiez le tableau dans votre cahier et complétez-le.*

	1	2	3	4	5	6	7	8	9	10
Français standard*	X									
Langue des jeunes										

b *Faites une liste des mots de la langue des jeunes dans ce dialogue.*

c *Complétez cette liste avec d'autres mots (5–10). Demandez aussi à votre correspondant(e).*

11   **Allô la mer**   (§§ 1, 2, 3)

Radio Ados a fait une interview sur les vacances à Fécamp. Un jeune raconte:
«Tous les étés, quand j'étais petit, mes parents et moi, nous …»

Racontez l'histoire à l'imparfait et mettez les adjectifs au superlatif:

«Mes parents et moi …»

«Mes parents et moi, nous allons en vacances à Fécamp.
Là, nous habitons dans un **bon** camping de la région. Le matin,
mes parents dorment jusqu'à onze heures. En plus, ils n'ont pas
une minute pour moi. Ils téléphonent tout le temps à leurs **bons**
amis. L'après-midi, quand nous allons à la plage, je ne téléphone
pas. Je n'ai pas de portable. Je suis le **petit** garçon de la famille.
Alors, tous les jours, je fais des trous dans le sable*. Je cherche
un gros coquillage*, je le mets près de mon oreille* et là, j'entends
la mer. C'est un **beau** jour de vacances.»

12   **Kreatives Schreiben: Perspektivenwechsel**

Stratégie

Texte können unterschiedliche Perspektiven darstellen. Zum Beispiel Briefe geben meistens
die Sichtweise einer Person wieder. Man kann aber bei jedem Text die Perspektive wechseln.
Dabei ist es wichtig, sich in die Rolle der zu beschreibenden Person hineinzuversetzen:

Form:

– Erzählperspektive
  (Ich-Form, 3. Pers., Dialog)
– Sprachstil (Standard, offiziell, ugs.)

Inhalt:

– Erzählabsicht (Problem, Wunsch)
– Stimmung (komisch, traurig, sachlich)
– Identität (Alter, Beruf, Herkunft)

 A vous.

Céline a un problème. Elle écrit une lettre à Marc, le journaliste d'Ados-Journal.

a *Lisez d'abord sa lettre. Imaginez la lettre
de réponse de Marc. Quels conseils
est-ce qu'il donne à Céline?*

b *Choisissez entre ces deux sujets:
Imaginez et écrivez les scènes.*

1. Loïc explique à Céline dans un e-mail
pourquoi il fume. Qu'est-ce qu'il lui écrit?

2. Les parents savent que leur fils fume parce
qu'ils ont trouvé des cigarettes dans
la poche de son pantalon.
Quelle est leur réaction?

> Salut Marc,
>
> Je suis amoureuse d'un garçon hyper sympa.
> Il s'appelle Loïc et il a 15 ans. On sort ensemble
> depuis un an. Il m'aime et moi, je l'aime. Mais hier,
> il m'a proposé une cigarette*! Quelle horreur!
> Je ne fume* pas! Je n'ai pas pu lui dire. Il fume
> surtout quand il sort avec ses copains. Moi,
> je déteste ça. Je lui dis toujours que c'est très
> dangereux. Mais lui, il continue à fumer.
> J'ai peur pour sa santé et je ne veux pas le perdre.
> Qu'est-ce que je peux faire? Parler à ses parents,
> à son meilleur ami?
>
> Céline (14 ans)

Les garçons et les filles

Comment les garçons voient quatre situations …

… et comment les filles voient les mêmes situations.

1

2

Allez, Eddy! Du style¹, de la classe²! Toutes les filles te regardent!

C'est le moment de montrer ce qu³'est un homme!

3

4

5

Du Calme! Il faut leur montrer qu'on sait être patients!

6

Je sors avec la fille la plus canon du collège! Génial!

Tous les gars⁴ sont jaloux!

7

Ils vont nous coller encore longtemps⁵!

Je nous donne encore deux magasins, et on utilise le plan B: …

… la fuite⁶ en courant⁷!

8

© Editions Glénat, 2002
Zap *Collège Tome 2* by Tehem

■ Savoir faire

→ Stratégie, page 18.

 a *Regardez la BD et imaginez un texte pour les bulles vides (leere Sprechblasen). Les garçons imaginent les bulles pour les filles et les filles pour les garçons. Ecrivez les phrases dans votre cahier.*

 b *Imaginez d'autres situations dans la vie où les garçons ne pensent pas comme les filles et les filles ne pensent pas comme les garçons.*

---

1 du style [dystil] mit Stil – **2 de la classe** [dəlaklas] mit Klasse – **3 ce que** was – **4 un gars** *(fam.)* [ɛ̃ga] ein Kerl – **5 longtemps** [lõtɑ̃] lange – **6 la fuite** [lafɥit] die Flucht – **7 en courant** (< courir) durch Weglaufen

LEÇON 2

09

Découvrir la Bourgogne

Nord

Ouest · Est

Sud

**1. L'Yonne
et son vin blanc**

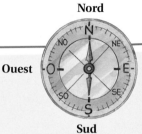

**2. La Côte-d'Or
son cassis et sa moutarde**

**3. La Nièvre
et son canal**

**4. La Saône-et-Loire
et ses escargots**

**La Bourgogne et
ses églises: Chapaize**

1. Regardez la carte de
France dans votre livre:
la Bourgogne se trouve
au sud de Paris.
Et à l'est de ..., au nord
de ..., à l'ouest de ...?
Complétez dans votre
cahier.

2. Quelles informations est-ce que
les photos vous donnent
sur la Bourgogne?

3. Quelle image va avec quelle
scène du CD?

Le journal de bord

Julia   Thomas   Isabelle

Je suis Barbara Fritz, professeur de français au lycée Gutenberg de Mayence.
Au mois d'octobre, j'ai organisé un voyage en Bourgogne avec mes élèves de la 8ᵉ B.
Ils ont écrit ensemble un journal de bord que vous allez découvrir
sur les pages suivantes …

5   J'étais déjà venue en Bourgogne quand j'étais élève. Nous avions pris le car à Mayence
et nous étions partis à la découverte de la région. Nous avions dormi à l'auberge
de jeunesse de Dijon. Avec des copines, on avait préparé une belle surprise à la prof:
On avait mis de la moutarde dans sa crêpe! Mais je peux vous dire que cette année,
la surprise de mes élèves «a chanté» pendant tout le voyage entre Dijon et Mayence …

1. Im Text findet ihr eine weitere Zeit der Vergangenheit: das ***Plus-que-parfait***.
   Sucht die Beispiele heraus und erklärt, wie es gebildet wird.
2. Wann verwendet man das *Plus-que-parfait*?
3. Welcher Zeit entspricht es im Deutschen?

A vous.   *Racontez le premier voyage de madame Fritz en France au plus-que-parfait.*

A l'âge de 14 ans, madame Fritz (partir), elle aussi, pour la première fois en France et
elle (faire) la même chose que ses élèves. Elle (préparer, répéter et apprendre) par cœur
des phrases en français. Le premier jour, elle (avoir) peur de parler mais après
une semaine, sa copine française lui (dire): «Tu vas voir, si tu continues, tu vas être
prof de français!»

vingt et un

10 🔊 **Les surprises du voyage**

1.

Dijon, le 10 octobre

Première journée de notre excursion et première nuit à l'auberge de jeunesse:
Là, on n'a pas beaucoup dormi! Le soir, l'hôtel de ville de Dijon avait invité notre groupe
à un repas, et au menu, il y avait des escargots! Moi, j'en ai trop mangé et j'ai eu
mal au ventre toute la nuit! Le lendemain, on voulait aller au centre-ville. Alors,
5   on a pris le bus jusqu'à la place Darcy. De là, on a continué à pied pour visiter
les vieilles maisons et le Palais des Ducs. Quels beaux toits avec toutes ces
couleurs! Avant d'arriver à l'église Notre-Dame pour caresser la chouette, nous
étions passés par l'office de tourisme. Là, nous avions reçu un plan de la ville
et une petite liste de questions. Madame Fritz nous avait dit qu'il fallait bien
10   regarder le plan et les photos avant de répondre aux questions, ce que nous
avons trouvé chouette. On pouvait même gagner une BD sur la Bourgogne!

Isabelle

2.

A Je suis un petit animal qui vit la nuit près
de l'église. Une rue porte mon nom. Beaucoup
de gens me caressent parce que je suis un porte-
bonheur. Je suis …

B Je suis de Dijon.
Je suis souvent jaune.
On me trouve dans toutes
les cuisines. Je peux être
forte et monter dans le nez.
Je suis …

C De ma tour, on peut voir Dijon. On m'a construit
au XVIe siècle et l'hôtel de ville est sous mon toit.
Quel est mon nom?

D Je suis né à Dijon en 1832. J'ai construit ce qui
est le symbole de Paris. Je m'appelle …

A vous. *Et vous? Vous connaissez déjà les réponses?*

3.

Beaune, le 11 octobre

Après avoir quitté Dijon, le car a pris l'autoroute pour aller à Beaune. Deux kilomètres plus loin,
on a déjà dû s'arrêter: encore un péage! Le conducteur a pris un ticket et on a continué.
Dans le car, on chantait, on rigolait, on se racontait tout ce qu'on avait fait hier et …
5 pendant la nuit! Une demi-heure après, on a encore fait une halte dans une station-service
dans laquelle nous avons acheté des cartes postales, de la moutarde, du pain d'épice et
des bonbons au cassis sans lesquels on ne peut pas quitter la Bourgogne. Comme on n'avait
rien mangé depuis des siècles, on a acheté des baguettes, du fromage et du jambon pour faire
des sandwichs. Il était midi quand nous sommes arrivés à Beaune!

10 *Julia*

A vous. *A votre avis, qu'est-ce que les élèves de Mayence ont fait pendant la nuit?*

4.

Après avoir mangé nos sandwichs au
fromage et au jambon, nous avons visité
un vieil hôpital du Moyen Age à Beaune:
l'Hôtel-Dieu. C'est drôle, au Moyen Age,
15 les lits étaient tout petits. Les malades
dormaient à deux dans le même lit, ce qui
devait poser des problèmes. Quelle horreur!
Pour Thomas, dont on avait perdu la trace,
ça n'avait pas posé de problème. Le pauvre
20 n'a rien vu et rien entendu de la visite.
Notre guide l'a trouvé dans un des lits.
Il était encore en train de rêver de Laure!
Mais il a bien dormi pendant une heure.
Au petit-déjeuner, il avait sûrement mangé
25 des escargots auxquels il a dû ajouter
quelque chose en plus …

Isabelle

Après une heure d'autoroute, j'en avais marre!
En plus, j'étais hyper fatigué après les escargots
et la nuit blanche à l'auberge de jeunesse. Mais 30
à Beaune, c'était génial! On a visité un hôpital
dont les lits étaient très pratiques pour moi.

Après avoir fait une petite sieste, j'ai retrouvé le
groupe qui était en train de visiter la pharmacie
dont les étagères étaient pleines d'herbes et 35
d'épices comme dans la cuisine de ma grand-
mère!

Thomas

5.

40 En 1452, le chancelier du Duc de Bour-
gogne a construit l'Hôtel-Dieu. On l'avait
construit surtout pour soigner les gens
pauvres qui étaient malades. On voit le
toit en couleurs quand on est dans la cour.
Mais quand on est dans la rue, le toit est
45 gris. Pourquoi? Pour ne pas faire envie aux
voleurs.

A vous. *Comparez les trois textes sur l'Hôtel-Dieu (lignes 11–46). Quelles sont les différences?*

6.

Un lourd programme, le 12 octobre

Après avoir passé une nuit blanche à l'auberge de jeunesse de Dijon, on est allé
à Chalon-sur-Saône. Notre petit Thomas a une correspondante dans cette ville.
50   Tiens, tiens! Moi, par contre, je commençais à avoir mal aux pieds! Mais le musée
de la photographie, ça, c'était «le pied»! Là, on apprend que Nicéphore Niepce (quel
drôle de nom!) a fait la première photo du monde en 1816! Cette visite, pendant
laquelle nous avons vu les premiers appareils photo, nous a beaucoup plu. Avant,
Thomas avait téléphoné à Laure, sa corres. Elle l'a accompagné au musée. Tiens,
55   tiens, c'est la raison pour laquelle Thomas avait pris son bel appareil numérique …

Christian

7. Louhans et «la surprise qui chante», 13 octobre

1 — C'est drôle! En France, les poulets et les coqs font «cocorico»!

2 — 15 euros, c'est pas cher!

«Cocorico» – la surprise qui chante et «kikeriki» – la prof qui crie!

3 — Chut, Coco! Silence!

4

1 A propos du texte

Vrai ou faux? Si c'est faux, corrigez.

1. Les élèves ont reçu • une liste de questions. ⊙ un plan de Mayence.	2. Le groupe s'arrête à la station • pour acheter des crêpes. ⊙ pour manger des sandwichs.	3. L'Hôtel-Dieu était ⊙ un hôpital. • une auberge.
4. A Chalon-sur-Saône, ⊙ la classe visite un musée. • les élèves font des photos.	5. Le musée Niepce, c'est ⊙ un musée de photos. • un musée de voitures.	6. A Louhans, les élèves ⊙ achètent un poulet. • mangent du poulet.

2 Ecrire: Le journal de bord de Lisa (§ 5)

Lisa a pris des notes pour écrire un article dans le journal du lycée Gutenberg de Mayence.

*Ecrivez son article au **passé composé** ⬚ et au **plus-que-parfait** ⬚.*

8 h 00: Patrick <u>tomber malade</u> au petit-déjeuner	14 h 30: Nous <u>prendre</u> le bus pour aller à Marsannay*	Le matin, nous <u>avons découvert</u> Dijon. Patrick n'<u>est pas venu</u> avec nous. Il **était tombé malade** au petit-déjeuner.
9 h 00: Nous <u>découvrir</u> Dijon Patrick <u>ne pas venir</u>	15 h 00: Nous <u>visiter</u> une cave sur la route* des vins	
11 h 30: cuisinier de l'auberge <u>préparer</u> sandwichs	18 h 30: Mme Fritz <u>acheter</u> du pain d'épice et du cassis	A midi, … A 13 h 30, … A 15 h 00, …
12 h 00: Nous <u>faire</u> un pique-nique au jardin Darcy	20 h 00: Nous <u>faire</u> la fête à l'auberge de jeunesse	A 20 h 00, … A minuit, …
13 h 00: Julia <u>perdre</u> son sac avec tous ses papiers	22 h 00: Marco <u>boire</u> trop de cassis et <u>manger</u> trop d'escargots	
13 h 30: Mme Fritz <u>aller</u> avec Julia à la police	00 h 00: Mme Fritz <u>devoir</u> appeler un médecin	

3 En français: A l'office de tourisme

Vous faites une halte à Dijon. Tu es le/la seul/e à parler le français. A l'office de tourisme …
La dame: Bonjour. Vous désirez?
Toi: Bonjour. Nous cherchons l'auberge de jeunesse …
La dame: Elle se trouve près d'ici mais malheureusement*, il n'y a plus de place libre.
Groupe: Was sagt sie? *Toi:* …
Groupe: Frag bitte nach einem günstigen Hotel in der Innenstadt und nach dem Preis für ein Zimmer? *Toi:* …

La dame: Je vous propose d'aller à l'hôtel «L'escargot» qui n'est pas très cher. Une chambre pour deux personnes, c'est 28 euros plus 5 euros pour le petit-déjeuner.
Groupe: Vielleicht kann sie uns auch gleich Infos über die Stadt geben … *Toi:* …
La dame: A Dijon, il faut surtout visiter l'église Notre-Dame et, bien sûr, avant, il faut caresser la chouette. Visitez aussi le musée de la moutarde. Voici le plan.
Toi: …

4 **Bon appétit, place Darcy!** (§ 8)

a *Complétez les publicités avec **une préposition** + «lequel, laquelle, lesquels, lesquelles».*

Mangez les bonbons au cassis de Dijon …	Achetez un poulet …	? vous ne dites pas non!	? vous perdez la tête!
Mangez nos escargots …	Le pain d'épice en fête …	? votre repas de Noël va être plus beau!	? pensent les petits garçons!
C'est la moutarde de Dijon …	Pour faire un kir*: le cassis de la photo …	? on ajoute du vin blanc ou de l'eau!	? votre repas n'est pas français!

b *Faites-en un memory et jouez à deux.*

5 **La Bourgogne, je connais!** (§§ 6, 7, 8)

Cherchez les questions auxquelles les élèves ont dû répondre à l'office de tourisme.
*Utilisez **une préposition** + «lequel, laquelle, lesquels, lesquelles» ou «dont, ce qui, ce que».*
Votre voisin(e) répond à la question. Puis, changez de rôle.

1. Quels sont les 4 départements* …   … on pense quand on dit «Bourgogne»?
2. Connais-tu la personne …   … on sait qu'elle a fait la 1ère photo du monde?
3. Connais-tu le nom de la rue …   … se trouve la chouette?
4. Est-ce que tu sais …   … l'Hôtel-Dieu était au XVe siècle?
5. Quelle est la boisson …   … on fait le Kir?
6. Est-ce que tu peux expliquer …   … est jaune, fort et monte au nez?
7. Comment s'appelle le canal …   … on peut faire du bateau?
8. Quelle est la ville …   … tout le monde connaît le marché aux poulets?
9. Est-ce que tu peux dire …   … on peut visiter à Chalon-sur-Saône?
10. Quel est le nom du Palais   … on a fait plus tard l'hôtel de ville?

6 Jeu de mots: Voyage, voyage ...

a *Cherchez le mot ou l'expression* qui correspond aux définitions*.*

1. C'est comme un hôtel pour des jeunes.
2. C'est là où on peut conduire vite.
3. Ce qu'on achète en Bourgogne.
4. Ce qu'on écrit pendant une excursion.

5. C'est là où on paie l'autoroute en France.
6. Ce qu'on voit de loin au centre des villes.
7. C'est là où on va pour avoir des informations sur une ville.

b *Jouez en classe. Trouvez d'autres définitions.*

7 Ecouter: T'es fort, Nicéphore!

a *Ecoutez le dialogue deux fois. Puis trouvez les phrases correctes.*

b *Ecoutez encore une fois le dialogue. Prenez des notes. Vrai ou faux? Corrigez.*

1. La dame qui fait l'interview s'appelle
   • Sylvie • Marie • Sophie*.
2. Nicéphore Niepce est né à
   • Dijon • Beaune • Chalon-sur-Saône.
3. Nicéphore Niepce a inventé*
   • la photo • les affiches • le cinéma.
4. Niepce est mort*
   • en 1823 • en 1833 • en 1843.

1. Nicéphore Niepce est né en 1765.
2. Il a été professeur de maths en Italie.
3. Il a inventé d'abord le premier train.
4. Niepce a fait sa première photo en 1916.
5. «Nicéphore» veut dire «gentil et fort».

8 Attention!

on dit ...

Verbot:
Il est interdit de ...!
Il n'est pas possible de ...
Attention! Ne pas ...!
Ici, on ne peut pas ...!
Il ne faut pas ...!

Erlaubnis:
Ici, on peut ...
Il est possible de ...
Il faut ...

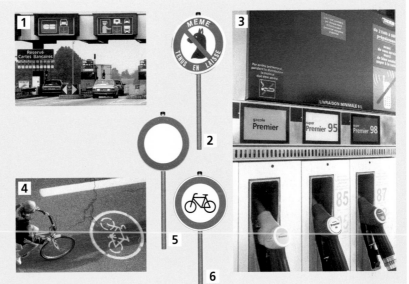

A vous. *Regardez les photos et trouvez les phrases qui vont avec.*

9   **L'e-mail à Laure**

Thomas écrit un e-mail à Laure, mais très tard la nuit, après le voyage. Il y a encore quatorze fautes.

Trouvez-les. Attention aux temps.

Chère Laure,

Nous avons passer encore deux jours super en Bourgogne. Nous sommes bien rentrer
à Mayence. Quelle voyage! Plus de 15 heures de route! Dans le car, tout le monde dormait,
quand, tout à coup, Florian* criait: «Mon sac de voyage avec toutes mes notes pour le journal
de bord! Il est encore à l'auberge!» Comme toujours, il avait arrivé en retard. Dans la panique
du départ, personne n'a fait attention. C'est la raison pourquoi nous avions devoir faire
demi-tour. Tout le monde avait été en colère. Avant à partir, nous avons déjà téléphoné à
nos parents pour dire quand nous pensions arriver!
Je t'envoie aussi un petit souvenir avec ce mail. Le 12 octobre, j'avais prendu cette photo
devant la musée de Chalon. Elle est …, enfin, c'est belle, non?

Bises et à très bientôt! :-)   Thomas

---

   10   **Einen Reisebericht schreiben (écrire un journal de bord)**

Stratégie

Wenn ihr eine Klassenfahrt nach Frankreich unternehmt, könnt ihr euch Notizen zu euren
Eindrücken machen. Später wird daraus ein Reisebericht. Eure Reise kann auch «virtuell»
stattfinden, z. B. mit einem Buch oder im Internet. Bei der Erstellung eines *Journal de bord*
müsst ihr folgende Punkte berücksichtigen:
1. Eure Darstellung soll informativ, aber auch anschaulich und unterhaltsam sein.
   Verwendet verschiedene Textsorten (Fragebogen, Interviews, Prospekte). Beschreibt
   möglichst auch ein besonderes Erlebnis. Es lässt euren Bericht lebendiger wirken.
2. Überprüft die zeitliche Abfolge.
3. Schreibt in der Ich- oder Wir-Form.
4. Ein *Journal de bord* sollte auch optisch ansprechend sein: Schreibt sauber und gut lesbar,
   fügt Bilder hinzu und präsentiert alles möglichst übersichtlich.
5. Korrigiert eure Reisetagebücher sorgfältig und bittet eure Lehrer um Rat (→ L4, ex. 11.)
6. Bei einem mündlichen Vortrag eures Tagebuchs: → www.klett.de: stratégie SB 2 / L4.
7. Über das Internet und in Reisebüros könnt ihr euch umfassend Informationen
   zu eurer Reise beschaffen (→ www.klett.de: stratégie SB2 / L7).

A vous.

a *Formez des groupes et écrivez un journal de bord
sur un voyage virtuel dans une région française. Présentez-le.*

Groupe 1: visite des ruines* romaines* à Autun*.
Groupe 2: Midi-Pyrénées – visite de Toulouse.

b *Ecrivez un journal de bord sur votre dernière excursion.*

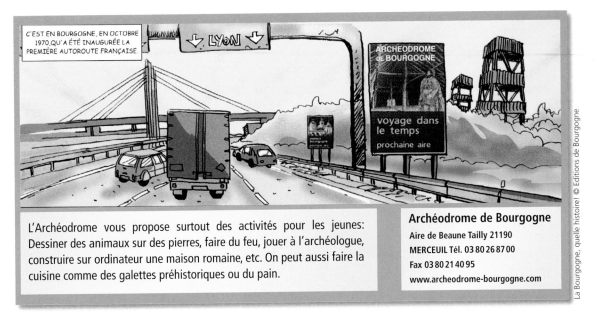

C'EST EN BOURGOGNE, EN OCTOBRE 1970, QU'A ÉTÉ INAUGURÉE LA PREMIÈRE AUTOROUTE FRANÇAISE.

LYON

ARCHEODROME DE BOURGOGNE

voyage dans le temps

prochaine aire

La Bourgogne, quelle histoire! © Editions de Bourgogne

L'Archéodrome vous propose surtout des activités pour les jeunes: Dessiner des animaux sur des pierres, faire du feu, jouer à l'archéologue, construire sur ordinateur une maison romaine, etc. On peut aussi faire la cuisine comme des galettes préhistoriques ou du pain.

Archéodrome de Bourgogne
Aire de Beaune Tailly 21190
MERCEUIL Tél. 03 80 26 87 00
Fax 03 80 21 40 95
www.archeodrome-bourgogne.com

Recette de la galette[1] au sarrasin[2]:

Ingrédients[3]: 250 g de farine de sarrasin,
2 œufs, 1 cuillère[4] à soupe d'huile, ½ cuillère
à café de sel, 50 cl d'eau / de lait, 40 g de beurre

Préparation[5] de la pâte[6]:
Mettre la farine dans un saladier.
Faire un trou au centre.
Ajouter l'huile[7], les œufs battus[8] et le sel.
Mélanger[9] le tout avec de l'eau.
Battre la pâte pendant 3 minutes.
Laisser reposer[10] la pâte pendant 2 heures.
Verser la pâte dans une poêle[11].

A vous.

Quelle activité est-ce que vous aimeriez faire à l'Archéodrome? Pourquoi?

 ■ **Savoir faire**

→ Stratégie, page 28.

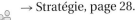

a *Visitez le site Internet de l'Archéodrome de Beaune.*
b *Faites un dépliant (Werbeprospekt) sur l'Archéodrome pour votre collège.*
c *Cherchez des informations sur une région française de votre choix et faites un dépliant.*

---

1 une galette [yngalɛt] ein Pfannkuchen – **2 le sarrasin** [ləsaʀazɛ̃] Buchweizen – **3 les ingrédients**
[lezɛ̃gʀedjɑ̃] die Zutaten – **4 une cuillère** [ynkɥijɛʀ] ein Löffel – **5 la préparation** → préparer –
6 la pâte [lapat] der Teig – **7 l'huile** [lɥil] das Öl – **8 battu** → **battu,e** [baty] schlagen – **9 mélanger** [melɑ̃ʒe]
mischen – **10 reposer** [ʀəpoze] ruhen – **11 une poêle** [ynpwal] eine Pfanne

vingt-neuf

LEÇON 3

Un clown au collège

1. Une classe à Lyon en 1950 ...

2. La classe de Nathan aujourd'hui ...

1. *Décrivez les différences entre les deux photos: les vêtements, les élèves, la salle de classe ...*
2. *Comparez la photo numéro 2 avec votre classe.*

Quel cirque!

Nathan, 14 ans, est un enfant du cirque et
il est heureux. Il fait beaucoup de voyages
dans toute l'Europe. Quelle chance!
Il travaille comme clown au cirque Franconi
5 qui est à Lyon cet hiver. Mais Nathan est aussi
un garçon un peu seul car il n'est pas comme
les autres.

Le matin, il doit se lever à 6 h 30 pour aller
au collège. L'après-midi et le soir, il travaille
10 au cirque. Heureusement, ses copains du
collège sont là pour l'aider. Pour faire ses
devoirs, il a seulement une heure le soir après
son numéro de cirque. C'est difficile pour lui
d'avoir des bonnes notes. Au printemps, il va
15 **sûrement** aller à l'école dans une autre ville.
Nathan peut difficilement avoir des amis. La
vie au cirque est plus drôle, c'est **sûr**, mais le
collège, quel cirque!

A vous.   *Comment trouvez-vous la vie de Nathan?*

1. In diesem Text findet ihr Wörter, die sich ähneln wie z. B. «sûr»
    und «sûrement». «Sûr» ist ein Adjektiv und «sûrement» eine neue Wortart.
    Wisst ihr, wie sie heißt?
2. Aus welchen Teilen setzt sich «sûrement» zusammen?
    Von welcher Wortart wird es abgeleitet? Welche Endungen
    benutzt man, um die neue Wortart regelmäßig zu bilden?
3. Was beschreiben Adjektive im Satz näher, was Adverbien?
    Vergleicht auch das Deutsche mit dem Englischen und Französischen.
4. Ergänzt die Tabelle in eurem Heft und findet zwei weitere Beispiele.

seul	seule	
sûr	...	sûrement
...	difficile	...

A vous.   *Formez les adverbes.*
Complétez les formes dans le tableau.

Nathan rentre du collège à 16 h 30, mais il n'a pas encore fini
la journée! Maintenant, il doit encore travailler (**long**) son numéro
de cirque. Après, il y a les devoirs qu'il faut faire très (**correct**)
pour plaire aux profs. Mais les profs et les autres élèves parlent
toujours (**cordial**) à Nathan. Lui, il rigole (**drôle**) au cirque
mais pas à l'école! Là, il pleure (**facile**)! Ses copains vont (**sûr**)
l'aider à faire ses devoirs mais Nathan sait qu'il va
quitter (**prochain**) Lyon.

trente et un

24 🔊 **Rebelle N°10**

1. L'équipe de *Rebelle*, le journal du collège St-Exupéry de Lyon, vous présente trois élèves de la classe 3ᵉ A: Nathan, Nouria et Babaka, notre copain du Sénégal qui a vécu
5 une aventure pas drôle du tout …

2. Nathan, enfant du voyage, 3ᵉ A

Rebelle: Nathan, tu viens du monde du cirque. Comment vois-tu la vie dans notre collège?

Nathan: Et ben moi, j'aime mieux mon travail
10 de clown que la vie au collège. En plus, au cirque, on a vraiment besoin de moi. Je dois m'occuper des animaux. Pendant mon temps libre, je m'entraîne avec mon singe Bodo pour notre numéro du soir: Il vole les sacs et les
15 parapluies des gens. Malheureusement, depuis la rentrée, je n'ai plus assez de temps pour moi et je ne sais pas encore si je vais m'habituer à cette nouvelle vie.

Rebelle: Pourquoi?
20 *Nathan:* Ecoute, je ne suis pas seulement au collège toute la journée mais aussi le samedi matin! En plus, il faut courir partout, changer de salle toutes les heures! Il y a beaucoup de matières: l'SVT, l'histoire-géo et je ne sais pas
25 quoi encore. Je suis entre deux chaises.

Rebelle: Alors, tu ne peux vraiment rien nous raconter de sympa sur la vie à l'école?

Nathan: Ah, ah! Si, bien sûr! L'autre jour, en cours, je me suis endormi. Tout à coup, la prof
30 m'a réveillé et elle m'a dit: «Nathan, il y a des lits à l'infirmerie. Normalement, c'est pour les malades mais tu peux aussi bien dormir là-bas qu'ici …» Toute la classe a rigolé. Moi, j'étais tout rouge …
35 *Rebelle:* Merci beaucoup, Nathan, et bonne chance!

3. Nouria, jeune beur, 3ᵉ A

Rebelle: Nouria, peux-tu nous expliquer ce que c'est un «beur» pour toi? Pourquoi vous appelle-t-on les «beurs»?   40

Nouria: Bon, alors, le mot «beur», c'est du verlan et ça veut dire «a-ra-be». Mes grands-parents, par exemple, ils sont nés en Algérie et ils sont venus en France pour travailler il y a très longtemps. Mais mes parents, eux, sont 45 nés ici. Moi et mes frères aussi. Alors, on est tous français comme le beurre de Normandie! Nous, on n'est pas des étrangers!

Rebelle: Mais, te sens-tu complètement française?   50

Nouria: Complètement, à moitié ou un quart ou un dixième? Moi, je m'en fous! A la maison, on parle moins souvent l'arabe que le français. Et en plus, moi je parle vraiment mal l'arabe. Alors, tu vois, je me suis habituée à 100% 55 à la France.

Rebelle: Alors, merci Nouria!

4. Babaka raconte pour *Rebelle* …

Babaka: Voilà, j'étais dans le bus mercredi après-
60 midi. Je voulais aller me promener. A un arrêt, un
contrôleur est monté mais il n'a même pas regardé
mon ticket. Il m'a seulement regardé d'un air
bizarre. Quand je suis arrivé au centre-ville,
il m'a interdit de descendre et il m'a demandé
65 mon ticket, mais seulement à moi.
C'est vraiment bizarre, non?
Rebelle: Qu'est-ce qu'il t'a demandé exactement?
Babaka: Il m'a dit: «Eh, toi, fais voir ton ticket!»
Je l'ai montré, il l'a bien regardé et j'ai pu partir!
70 *Rebelle:* A ton avis, pourquoi a-t-il regardé
seulement ton ticket? Pourquoi pas les autres?
Babaka: Ben, c'est parce que je suis noir!
Et puis, les gens se sont regardés mais personne
n'a rien dit. Depuis que je vis à Lyon, on m'a
75 déjà contrôlé dans le bus un million de fois
sans problème. Ou bien on contrôle tout le
monde, ou bien personne!
Rebelle: C'est vraiment pas cool. Mais voyons
la suite de ton histoire …

80 **5. La suite par Babaka**

Trois semaines plus
tard, j'étais dans le bus
avec Nouria, Nathan et
son singe Bodo. Nathan
85 avait expliqué à Bodo
qu'il devait rester le plus
tranquillement possible
à sa place parce que ce
n'est pas tous les jours
90 qu'on se promène avec
un singe dans le bus. On
avait même acheté un
ticket pour Bodo.
Tout à coup, Nathan m'a

95 montré un homme. Il n'a pas eu besoin de me dire qui c'était, je l'ai reconnu tout
de suite: C'était «mon» contrôleur! Nathan a dit quelque chose à l'oreille de Bodo
et lui a montré le contrôleur. Quand il est arrivé pour me contrôler, Bodo a volé
son bloc de tickets. Le contrôleur m'a demandé mon ticket. Alors, Nathan lui a
dit calmement: «Excusez-moi, Monsieur, mais vous savez, nous, les étrangers, on
100 voyage toujours au noir!» Le contrôleur était rouge de colère. Alors, il a cherché
son bloc pour me donner un P.-V., puis il a vu Bodo et il a rapidement compris.
Après, je lui ai montré mon ticket avec un grand sourire. C'était une bonne leçon
pour tout le monde! Et Bodo s'est bien entraîné pour son numéro du soir!

1 **A propos du texte**

a *Dites tout ce que vous savez sur les trois élèves. Utilisez les mots-clés.*

1. Nathan	2. Nouria	3. Babaka
voyage	beur	famille
cirque	famille	aventure
collège	étrangère / française	contrôleur
…	…	…

b *Répondez aux questions sur la suite de l'histoire de Babaka.*

1. Qui est dans le bus?
2. Qui est l'homme que Babaka reconnaît?
3. Que dit Nathan à Bodo de faire?
4. L'homme est en colère. Pourquoi?

c *Quelles sont les différences entre le «Gymnasium» en Allemagne et le collège en France?*
(l'emploi du temps*, les matières, les salles, les professeurs, le CDI, …)

2 **Communiquer: Plus intéressant ou moins bête?**   (§ 1)

a *Posez des questions et comparez.*

Exemple:

la musique rock / la musique pop (+ intéressant)
– Est-ce que la musique rock est **plus** intéressante **que** la musique pop?
– Oui, à mon avis … / Non, à mon avis …

> + plus … que
> – moins … que
> = aussi … que

1. la cuisine française / la cuisine allemande (– bon)
2. Carla Bruni / Audrey Tautou (= beau)
3. les vacances à la mer / les vacances à la montagne (+ sympa)
4. la musique anglaise* / la chanson française (+ branché)
5. les bonnes notes à l'école / les copains de classe (– important)

b *Vous faites un sondage* en classe.*

Exemple:

– Quelles sont les chaînes de télévision
  les plus intéressant**es**?
– A mon avis, ce sont …

1. le chanteur de rock / ++ bon
2. le film / ++ bête
3. le sport / ++ difficile
4. les problèmes des jeunes / ++ important
5. les villes d'Europe / ++ joli

…

3 **Scènes de la vie**   (§ 9–12)

a *Regardez et décrivez les six images. Faites des phrases et formez les adverbes (Adverbien). Faites attention à la place de l'adverbe dans la phrase.*

1. Nathan   **2.** Nouria   **3.** Babaka

dormir *(présent)* / tranquille   comprendre *(présent)* / facile   saluer *(p. c.)* / froid

4. Le prof de maths   **5.** Les enfants   **6.** Bodo

expliquer qc à qn *(prés.)* / calme   rire *(p. c.)* / drôle   marcher *(p. c.)* / bizarre

b *Chaque élève invente deux phrases avec d'autres adverbes, d'autres situations et d'autres personnages. Utilisez aussi le comparatif et le superlatif de l'adverbe.*

Exemples: 1. Les conducteurs de bus conduisent plus rapidement à Paris qu'à Lyon.
            2. Notre prof de français parle moins bien l'anglais* que notre prof d'anglais.

4 **L'interview de Babaka**   (§ 14)

Mettez les verbes à la bonne forme.

Rebelle: Est-ce que tu (s'habituer, *p. c.*) à la France?

Babaka: Non, je (ne…pas s'habituer, *p. c.*) à la vie française. Pas encore. Mais ça va venir.

Rebelle: Pourquoi as-tu quitté le Sénégal avec ta famille? Qu'est-ce qui (se passer, *p. c.*)?

Babaka: Il y a deux ans, ma mère (s'occuper, *imp.*) d'un groupe de jazz à Dakar.
Un jour, elle a lu une annonce dans un journal français: A Lyon, on cherchait une chanteuse dans un groupe de jazz. Elle (s'entraîner, *p. c.*) pour avoir ce travail. Ça lui plaît toujours.

Rebelle: Mais toi, tu (s'éloigner, *p. c.*) de ton pays. C'est dur, non? Et maintenant, tu (s'habituer, *p. c.*) à l'école en France?

Babaka: Il y a des jours où je (se réveiller, *p. c.*) à 6 heures du matin et je (s'endormir, *p. c.*) après minuit. Mes frères et moi, nous (se sentir, *imp.*) souvent fatigués.

Rebelle: Nous pensons que tu (s'amuser, *futur*) bientôt mieux en France. Merci beaucoup, Babaka, pour cette interview. Bonne chance!

5 **Ecrire: Une aventure**   (§ 14)

 *Ecrivez une petite histoire sur une aventure
à l'école ou pendant une excursion.
Utilisez les verbes suivants:*

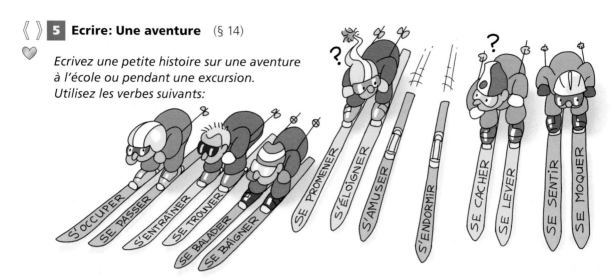

S'OCCUPER · SE PASSER · S'ENTRAÎNER · SE TROUVER · SE BALADER · SE BAIGNER · SE PROMENER · S'ÉLOIGNER · S'AMUSER · S'ENDORMIR · SE CACHER · SE LEVER · SE SENTIR · SE MOQUER

6 **L'emploi du temps de Nathan en 3ᵉ A**   (§ 13)

	Lundi	Mardi	Mercredi	Jeudi	Vendredi	Samedi
08h15 09h10	sport *Gymnase*	musique *108*	histoire-géo *207*	anglais *205*	espagnol *114*	permanence
09h15 10h10	sport *Gymnase*	maths *113*	technologie *208*	maths *113*	maths *113*	SVT *109*
10h20 11h15	français *105*	espagnol *114*	permanence	maths *113*	maths *113*	permanence
11h20 12h15	français *105*	SVT *laboratoire**	dessin *111*	espagnol *114*	anglais *205*	SVT *laboratoire*
Cantine						
14h00 14h55	histoire-géo *207*	anglais *205*		permanence	musique *108*	
15h05 16h00	maths *113*	français *105*		technologie *208*	français *105*	
16h05 17h00	anglais *205*	technologie* *208*		sport *Gymnase*	français *105*	

 a *Posez six questions sur l'emploi du temps
de Nathan et ses copains. Utilisez l'inversion.
Votre voisin(e) donne la réponse.*

> **combien de ... / de quelle heure
> à quelle heure ... / dans quelle salle ...**

Exemples:

– Combien d'heures de sport a-t-il par semaine?
– De quelle heure à quelle heure mange-t-il à la cantine?
– Dans quelle salle vont-ils pour le cours d'espagnol?

– Nathan a trois heures de sport.
– Il mange à la cantine de 12h15 à 14h.
– Ils vont dans la salle 114.

b *Comparez l'emploi du temps de Nathan avec votre emploi du temps.
Décrivez les différences (les horaires, combien de cours par semaine,
les cours de l'après-midi, ...)*

7 **Prendre position***

on dit ...		
Ablehnung (pas cool!)	**Zustimmung (cool!)**	**Unsicherheit und Zweifel**
Je ne suis pas d'accord!	Je suis d'accord!	Il n'y a vraiment rien à faire?
Ça ne m'intéresse pas!	Ça m'intéresse!	Je ne sais plus quoi faire.
C'est complètement bête!	Je suis de ton avis.	Je ne sais pas si ...
Je suis vraiment en colère!	Tu as / Vous avez raison.	Je ne suis pas sûr(e).
Plus jamais ça!	Je propose de ...	Normalement oui mais là, ...
Je m'en fous!		C'est dommage, mais ...

A vous. *Choisissez une des deux situations et prenez position.*

1. Vous êtes dans le bus avec un(e) ami(e) noir(e). Le contrôleur ne contrôle que lui / qu'elle. Jouez la scène entre le contrôleur et vous. Prenez position pour votre ami(e).

2. Vous êtes dans un magasin avec un(e) ami(e) noir(e). Quand vous sortez, la police interdit à votre ami(e) de passer. Jouez la scène. Prenez position pour votre ami(e).

8 **Projet: Un sondage dans la classe** (§ 15)

a *Faites un sondage en classe sur **la vie à l'école**. Formez 4 groupes et posez une question par groupe. Utilisez l'inversion avec des questions dont la réponse est «oui» ou «non».*

1. Faut-il interdire les portables à l'école?
2. Etes-vous contents des activités qu'on propose à l'école?
3. A votre avis, avez-vous trop de cours?
4. Voulez-vous une cantine dans votre école?

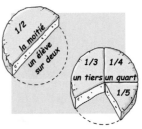

Exemple: La moitié de la classe/ un élève sur deux* pense que ...

b *Présentez les résultats sur des transparents (Folien) et utilisez les fractions (Bruchzahlen).*

05 **9** **Ecouter: Un jeune clown au collège**

a *Après la première écoute, choisissez **la** ou **les** bonne(s) réponse(s):*

1. Nathan et sa famille vivent dans un camping-car / un appartement.
2. Ils vivent dans deux / cinq pièces.
3. Nathan travaille avec sa mère / son père.
4. Il fait un numéro avec des assiettes / des animaux / des livres / des ballons / des vélos.
5. Le cirque, c'est tous les mercredis / tous les jours sauf le mercredi.

b *A la deuxième écoute, répondez aux questions suivantes:*

1. Est-ce que c'est un problème pour Nathan de voyager beaucoup?
2. Qu'est-ce qui est dur pour lui?
3. Comment se passe la journée de Nathan?
4. Qu'est-ce qu'il veut faire plus tard comme métier?

10 **Nouria écrit une lettre à Amélie.** (§§ 9–12, 14)

Conjuguez les verbes entre parenthèses et transformez les adjectifs en adverbes.
Attention aux temps.

Chère Amélie,   Lyon, le 1ᵉʳ novembre 2006

Je suis super en colère, voilà pourquoi …
1. Hier, Wahid* et moi, nous (se disputer) parce que je (se balader) avec Nathan en ville.
2. Là, on (voir) mon frère Wahid. Alors, Nathan et moi, on (se cacher).
3. On (se sentir) mal. (Normal), Wahid n'est pas (vrai) gentil avec moi.
4. (Malheureux), le soir, mon frère (raconter) tout ce qui (se passer) à mes parents.
5. (Heureux), papa et maman (se moquer) un peu de tout ça.
6. Dans d'autres familles arabes, c'est (sûr) plus difficile.
7. Mais moi, je veux pouvoir sortir (tranquille) sans problème.
8. Mon frère est (complet) fou! Il vit (exact) comme mes grands-parents en Algérie.
9. Depuis la rentrée, je (s'habituer) à Nathan et je comprends (facile) ses problèmes!

Grosses bises   Nouria

11 **Ein Resümee schreiben (faire un résumé)**

Stratégie

Einen Text zusammenzufassen hat den Vorteil, sich die wichtigsten Argumente bewusst zu machen und sie in Kurzform vorliegen zu haben. Dabei sind folgende Schritte zu beachten:

1. Findet den Hauptgedanken heraus, benennt den Autor und leitet damit euer Resümee ein.
2. Schreibt in der 3. Person, benutzt nur das Präsens und vermeidet die direkte Rede.
3. Schreibt einfache Sätze mit euren eigenen Worten in einem neutralen Stil.
4. Verbindet eure Sätze mit „*d'abord, puis, c'est pourquoi, car, mais, en plus, …*".
5. Sucht in jedem Textabschnitt die wesentlichen Informationen heraus und bringt eure Notizen in eine bestimmte Reihenfolge. Folgende Leitfragen helfen euch dabei:

§	Quoi?	Qui?	Où?	Quand?	Pourquoi?
1.	3 interviews avec 3 élèves de la 3ᵉ A	Journal Rebelle	au collège St-Exupéry à Lyon	aujourd'hui	pour présenter 3 élèves de la 3ᵉ A
2. a 2. b	la vie au cirque / la vie à l'école	Nathan: cirque	à Lyon / chez Franconi / au collège St-Exupéry	depuis la rentrée	pour passer l'hiver à Lyon
3.	les beurs	Nouria: beur	à Lyon / en France	aujourd'hui	beurs = étrangers?
4.	l'aventure dans le bus	Babaka: Sénégal	dans un bus à Lyon	mercredi après-midi	un contrôleur bizarre
5.	la suite: l'idée géniale	Babaka / les amis	dans un bus à Lyon	3 semaines plus tard	une bonne leçon

 A vous. *Erstellt ein Resümee des 4. und 5. Abschnitts des Lektionstextes.*

Quand on n'aime pas l'école

Grégoire n'aime pas du tout l'école. Il parle de ses problèmes au collège.
«Maintenant, j'ai treize ans et je suis en sixième. Oui, je sais, il y a quelque
chose qui ne va pas. Je vous explique tout de suite, ce n'est pas la peine[1] de
compter sur vos doigts[2]. J'ai redoublé[3] deux fois: le CE2[4] et la sixième.
5 L'école, c'est toujours le drame à la maison, vous pouvez imaginer … Ma
mère pleure et mon père me dispute ou alors, c'est le contraire mais là,
mon père ne dit rien. Moi, je suis très malheureux de les voir comme ça,
mais qu'est-ce que je peux faire? Rien. Je ne peux rien dire parce que si
j'ouvre la bouche[5], c'est encore pire[6]. Mes parents, ils répètent tout le temps:
10 «Travaille!» «Travaille!» «Travaille!» «Travaille!» «Travaille!»

D'abord, j'ai compris. Je ne suis pas complètement bête, quand même[7]. Je
voudrais bien travailler; mais le problème, c'est que je n'y arrive pas. Tout ce
qui se passe à l'école, c'est comme si c'était du chinois pour moi. J'écoute
mais j'oublie tout tout de suite. J'ai été voir presque[8] mille docteurs, pour les
15 yeux, pour les oreilles et même pour la tête. Et le résultat de tout ce temps
perdu, c'est que j'ai un problème de concentration. Tu parles! Moi je sais
très bien ce que j'ai. Je n'ai pas de problème. C'est juste que l'école, ça ne
m'intéresse pas.
Ça ne m'intéresse pas. C'est simple.
20 J'ai été une seule année heureux à l'école, c'était en maternelle[9] avec une
maîtresse[10] qui s'appelait Marie. Je ne l'oublierai jamais. (…)
Le matin, j'ouvre les yeux une heure avant l'école. Et pendant une heure,
je sens mon ventre qui gonfle[11], qui gonfle … Et après, j'ai mal au cœur. Je
ne peux rien manger pour le petit-déjeuner mais comme j'ai ma mère qui
25 m'énerve, je mange quand même une biscotte[12]. Dans le bus, je commence à
avoir mal au ventre. Si je rencontre des copains et qu'on parle de *Zelda*[13], par
exemple, ça va un peu mieux, mais si je suis seul, je me sens très mal. Mais
ce qui est fou, c'est quand j'arrive dans la cour. C'est l'odeur[14] de la cour qui
me rend malade[15]. Une odeur de craie[16] et de vieilles baskets[17].»

D'après *Anna Gavalda*, 35 kilos d'espoir, © Bayard Editions jeunesse,
Paris, 2002, p. 11–19

■ **Savoir faire**

→ Stratégie, page 38.

a *Ecrivez un résumé du texte.*
b *Discutez en classe: Cherchez des solutions aux problèmes de Grégoire.*

---

1 la peine [lapɛn] die Mühe – **2 le doigt** [lədwa] der Finger – **3 redoubler** [rəduble] sitzenbleiben – **4 CE2** [seədø]
cycle élémentaire 2ᵉᵐᵉ année 3. Schuljahr in der Grundschule – **5 la bouche** [labuʃ] der Mund – **6 pire** [pir]
schlimmer – **7 quand même** [kãmɛm] trotzdem – **8 presque** [prɛskə] fast – **9 la maternelle** [lamatɛrnɛl] der
Kindergarten – **10 une maîtresse** [ynmɛtrɛs] eine Erzieherin – **11 gonfler** [gõfle] aufblähen – **12 une biscotte**
[ynbiskɔt] ein Zwieback – **13 Zelda** [zɛlda] *Nintendo-Spiel* – **14 l'odeur** (f.) [lodœr] der Geruch – **15 rendre
malade** [rãdrəmalad] krank machen – **16 la craie** [lakrɛ] die Kreide – **17 des baskets** (f.) [debaskɛt] Sportschuhe

Ma sœur en noir et blanc

Depuis que Marie-Lys sort avec Vincent, elle porte des vêtements noirs et ne parle plus à personne. Sa petite sœur Aurore découvre alors que Vincent et ses copains obligent[1] Marie-Lys à voler dans le supermarché et qu'elle doit aujourd'hui faire quelque chose de très grave. Aurore sait que sa sœur aime Vincent et qu'elle va faire
5   tout ce qu'il lui demande. Pour la sauver[2], Aurore décide[3] de téléphoner à la police …

– Allô? La police? Ecoutez, ma grande sœur a des ennuis[4]. Des jeunes veulent lui faire faire[5] une bêtise et à cause d'eux[6], elle va se retrouver en prison[7]! …

10   Le policier s'est énervé.

– Hé, les gamins[8], vous arrêtez un peu? Les blagues téléphoniques, faites-les ailleurs[9]! *Bip … bip … bip … bip …*

Mes parents travaillaient. Marie-Lys était dans
15   la nature. La police ne me croyait pas. J'étais complètement seule dans l'univers.

Aurore décide alors de voler un CD pour se faire arrêter par la police.

Le CD dépassait[10] un peu de ma poche.
20   C'était voulu. J'ai fait cinq mètres et deux surveillants[11] m'ont barré le chemin:

– Ne te sauve[12] pas comme ça, on a deux mots à te dire …

Je ne voulais surtout pas m'échapper[13].

25   – Je ne t'ai jamais vue, toi. Les petits voleurs d'ici, on les connaît tous.
– Et tu voles à ton âge … Bon, est-ce que tu as de quoi payer?

Non. Je n'avais pas envie de tout leur expliquer. Je n'attendais qu'une chose.   30

– Alors, tes parents iront te chercher au commissariat. Ça te fera une leçon.

Ils n'ont pas compris pourquoi j'ai souri.

Au commissariat, le policier écoute enfin Aurore …   35

– Ils sont trois, il y en a un qui s'appelle Vincent et un autre a un tatouage d'araignée.
– Vincent, tu dis? Attends … ce ne serait pas[14] Vincent Martinez? Et le type à l'araignée,   40 Frédéric Horsain?
– Pour leurs noms, je ne sais pas.
– On les connaît bien, mais on n'a aucune preuve[15] contre eux. Alors, fais attention à ce que tu dis, si tu me racontes n'importe   45 quoi[16], c'est très grave, tu comprends?
– Et pour ma sœur, c'est *encore plus* grave! Ils vont peut-être l'obliger à tuer[17] quelqu'un. Il faut la trouver, elle, d'abord!

Stéphane Méliade, Ma sœur en noir et blanc,   50
© Casterman, 2004 (texte abrégé)

♡ **A vous.**

a *Lisez le texte.*

b *Que fait Aurore pour aider sa sœur? Trouvez d'autres moyens pour l'aider.*

c *Imaginez la fin de cette histoire.*

---

1 obliger à … zwingen zu … – **2 sauver** retten – **3 décider** beschließen – **4 avoir des ennuis** *(m.)* Schwierigkeiten haben – **5 faire faire qc à qn** jdn etwas machen lassen – **6 à cause d'eux** ihretwegen – **7 une prison** ein Gefängnis – **8 un gamin** *(fam.)* Lausbub – **9 ailleurs** anderswo – **10 dépasser** herausragen – **11 un surveillant** *hier:* ein Kaufhausdetektiv – **12 Ne te sauve pas.** *hier:* Bleib stehen. – **13 s'échapper** fliehen – **14 ce ne serait pas** könnte es nicht sein – **15 une preuve** ein Beweis – **16 n'importe quoi** *hier:* Quatsch – **17 tuer** töten

1 **Souvenirs de Fécamp** (§§ 2–5)

*Mettez les verbes entre parenthèses au présent, passé composé,
plus-que-parfait, à l'imparfait ou au futur composé.*

1. Le lendemain de l'anniversaire de David, Charlotte (rester) à la maison avec ses parents. 2. Les histoires de garçons , elle (en avoir) marre! 3. A onze heures, elle (prendre) un verre sur la terrasse puis elle (aller) à la cuisine où sa mère (préparer) le poisson qu'elle (acheter) le matin sur le port. 4. A midi, quand son père (voir) le poisson, il (raconter) une histoire drôle de son grand-père: 5. «Quand grand-père (aller) à la pêche, il (dormir) très mal et nous aussi. 6. A quatre heures du matin, il (préparer) son petit-déjeuner, (chercher) ses affaires et (écouter) la radio. 7. A cinq heures, il (être) enfin prêt. 8. Il nous (embrasser) puis il (quitter) la maison. 9. Normalement, il ne (prendre) jamais rien. 10. Mais un jour, il (dire) : 11. «Aujourd'hui, c'est le grand jour. 12. Je (prendre) le poisson de mes rêves». 13. Ensuite il (monter) sur son vélo et il (partir) . 14. A midi, il (rentrer) . 15. Il (être) très content parce qu'il (prendre) un très gros poisson. 16. Il (me demander) de le prendre en photo avec son poisson parce qu'il (vouloir) le montrer à ses copains. 17. Alors, je (demander) à mon grand-père: 18. «Où est-ce que tu (le prendre) , ce beau poisson?» 19. Il (ne pas avoir) le temps de trouver une réponse à ma question parce que ma grand-mère (répondre) tout de suite: 20. «Moi, je sais très bien où il (aller) . 21. Ce matin, quand je (faire) les courses, je (voir) son vélo à côté du marchand de poissons.» 22. Charlotte (beaucoup rire) à la fin de l'histoire. 23. Pendant quelques minutes, elle (oublier) son problème avec David et Elodie.

2 **En français: Dans le chat**

Complétez le texte. Remplacez ? *par la traduction des expressions allemandes.*

! □ ▽ 0 de	
Miriam: Salut à tous, vous avez combien d'argent de poche? Moi, ? , j'ai 3€ ? . Je trouve que ce n'est pas assez. ? , je voudrais me promener ? ville avec mes copains, aller ? … Mais ? , je n'ai plus d'argent. Qu'en pensez-vous? P. S. J'ai 14 ans.	zum Beispiel; in der Woche; am nächsten Samstag; in; ins Kino; seit gestern;
Sylvie: Il faut parler ? . ? un an encore, je n'avais pas d'argent de poche. Je devais toujours en demander ? quand j'en avais besoin. Souvent, elle disait non. Alors, mes copines sortaient ? . ? une grande dispute ? mon anniversaire, elle a été d'accord ? me donner 25€ ? .	mit deinen Eltern; vor; meine Mutter; ohne mich; nach; vor; um; im Monat;
Patrick: Salut! J'ai encore une idée ? : il faut travailler! Moi, j'habite ? . Comme mes parents n'ont pas beaucoup d'argent, je n'ai que 15€ ? pour mes CD et mon portable. Ce n'est rien. Mais, ? , j'ai réussi ? trouver du travail: mon oncle est cuisinier. Il a un petit restaurant. Le samedi, ? , je vais l'aider dans la cuisine.	genialer; auf dem Land; im Monat; vor zwei Tagen; zu; von 10 bis 14 Uhr

A vous. *Racontez pourquoi vous êtes contents ou pas de votre argent de poche (→ p: 17, ex. 9).*

quarante et un

41

3 **Ecouter, lire et jouer: J'suis pas un imbécile!**

1 J'en ai ras le bol!   2 On ne mange plus   3 Fous le camp!   4 Je ne suis pas
Je m'en vais!   de pain!   un imbécile!
                                                          Je suis douanier!

a *Ecoutez le texte deux fois et mettez les images dans le bon ordre.*

b *Que signifient en allemand les mots ou les phrases qui se trouvent en bas des images?
Réfléchissez à deux puis comparez vos résultats avec d'autres groupes.*

c *Lisez le sketch à la page 162. Comment est-ce que le douanier et les autres
habitants du village montrent aux étrangers qu'ils ne les aiment pas?*

d *Expliquez la chute (die Pointe) de ce sketch en quelques phrases.*

e *Jouez le sketch en classe.*

4 **En français: Qu'est-ce qu'il y a, Thomas?**   (§§ 6, 13)

Thomas est triste. Ses copains lui posent des questions. Traduisez.

que	qu'est-ce que	ce qui
	ce que	qu'est-ce qui
à qui	quelque chose	de quoi
	à quoi	quoi

1. Was ist passiert?
2. Willst du uns nicht sagen, was passiert ist?
3. An was denkst du?
4. Mit wem hast du telefoniert?
5. Was willst du machen?

6. Was brauchst du?
7. Weißt du nicht, was Laure macht?
8. Was? Sie ist umgezogen?
9. Was schreibt sie?
10. Schreibst du ihr was?

A vous.   *Mettez-vous à la place de Thomas, inventez une situation et répondez aux questions.*

32 **Le plus beau du quartier**

Regardez-moi
Je suis le plus beau du quartier
J'suis l'bien aimé
Dès qu'[1] on me voit
5 On se sent tout comme envoûté[2]
Comme charmé, hum
Lorsque j'arrive
Les femmes elles me frôlent[3] de leurs
Regards penchés[4]
10 Bien malgré moi[5], hé
Je suis le plus beau du quartier, hum, hum,
hum
Est-ce mon visage[6]
Ma peau[7] si finement grainée[8]
15 Mon air suave[9]
Est-ce mon allure
Est-ce la grâce[10] anglo-saxonne
De ma cambrure[11]
Est-ce mon sourire
20 Ou bien l'élégance distinguée
De mes cachemires
Quoi qu'il en soit[12]
C'est moi le plus beau du quartier, hum, mais

Mais prenez garde à ma beauté
25 A mon exquise ambiguïté[13]
Je suis le roi
Du désirable
Et je suis l'indéshabillable[14]
Observez-moi, hum, hum, hum
30 Observez-moi de haut en bas
Vous n'en verrez pas deux comme ça
J'suis l'favori
Le bel ami
De toutes ces dames
35 Et d'leurs maris
Regardez-moi

Regardez-moi, hum, hum
Je suis le plus beau du quartier
J'suis l'préféré
Mes belles victimes[15]   40
Voudraient se pendre à mes lacets[16]
Ça les abîme[17]
Les bons messieurs, eux
Voudraient tellement m'déshabiller
Ça les obstine[18]   45
Bien malgré moi, oui bien malgré moi
Je suis le plus beau du quartier, mais
Mais prenez garde à ma beauté
A mon exquise ambiguïté
Je suis le roi   50
Du désirable
Et je suis l'indéshabillable
Observez-moi, hum, hum, hum
Observez-moi de haut en bas
Vous n'en verrez pas deux comme ça   55
J'suis l'favori
Le p'tit chéri
De toutes ces dames
Et d'leurs maris
Aussi, oui   60

Le plus du quartier Text: Carla Bruni
Tedeschi © Editions et productions free de
Peermusic (Germany) GmbH, Hamburg

A vous. *Décrivez le plus beau/la plus belle de votre quartier.*
Utilisez les mots de la chanson.

1 dès que [dɛkə] sobald – **2 envoûté(e)** [ãvute] verzaubert – **3 frôler** [fʀole] leicht berühren – **4 penché(e)** [pãʃe] geneigt – **5 malgré moi** [malgʀemwa] ohne es zu wollen – **6 le visage** [ləvizaʒ] das Gesicht – **7 la peau** [lapo] die Haut – **8 finement grainé(e)** [finmãgʀɛne] feinporig – **9 suave** [syav] sanft – **10 la grâce** [lagʀas] die Anmut, die Schönheit – **11 la cambrure** [lakãbʀyʀ] der wohlgeformte Rücken – **12 quoi qu'il en soit** [kwakilãswa] wie auch immer – **13 l'exquise ambiguïté** [lɛkskizãbigɥite] die ausgesuchte Mehrdeutigkeit – **14 → habiller** [abije] anziehen – **15 une victime** [ynviktim] ein Opfer – **16 un lacet** [ɛ̃lasɛ] ein Schnür-senkel – **17 abîmer** [abime] ruinieren – **18 obstiner** [obstine] hartnäckig machen

les noms   les verbes   le matériel

les activités

les instruments*

la musique   les personnes

le studio

1. Regardez sur la carte de France. Où se trouve Nice? Que peut-on faire à Nice et dans la région?

les soirées et l'ambiance

2. Décrivez les personnes sur la photo. Complétez et utilisez le filet à mots.

les musiques

3. Et vous? Jouez-vous d'un instrument? Dans un groupe?

34 **«Les Nice & Forts»**

Victor a découvert sur Internet un groupe génial. Est-ce qu'ils ont déjà fait un CD?

 J'ai 15 ans et je suis en 3ᵉ dans un collège de Nice. Je joue du saxophone dans un groupe. On m'appelle «Saxo» mais en fait, je suis Samira. Je m'occupe aussi de la page Internet des «Nice & Forts». Vous ne devinerez jamais quel est mon métier de rêve: jouer dans un groupe de jazz! Dans trois ans, je passerai mon bac!   5
Après, je prendrai des cours dans une école de jazz.

 Moi, je m'appelle Elodie et j'ai 17 ans. J'ai toujours aimé chanter. Aujourd'hui, je suis la chanteuse des «Nice & Forts». Quand j'aurai mon bac, l'année prochaine, j'arrêterai l'école et j'entrerai   10
à la «Star-Académie». Un jour, je chanterai le premier rôle dans une comédie musicale!

 J'ai connu Elo à l'école de musique où j'ai appris la guitare. Je m'appelle Bruno. J'ai 18 ans. Cet été, nous commencerons notre premier CD qui sortira dans un an. Vous l'aimerez sûrement! …   15
Enfin peut-être. Moi, j'y crois! J'attendrai d'avoir assez d'argent pour m'occuper des affaires de notre groupe.

Moi, c'est Jérémie. J'ai 16 ans. Je suis le batteur du groupe «Nice & Forts». Vous vous demandez peut-être: Pourquoi ce nom? Eh bien, c'est parce que nous habitons tous à Nice et parce que nous   20
sommes très forts! Un jour, je serai aussi fort dans mon sport préféré. Je ne jouerai pas seulement dans les «Nice & Forts» mais aussi dans l'équipe de «Nice-Rugby»!

1. Die vier Bandmitglieder verwenden Verbformen, die ihr noch nicht kennt.
   Sucht sie heraus und überlegt mithilfe der Zeitangaben im Text,
   um welche Zeit es sich handelt.

2. Übertragt die folgende Tabelle in euer Heft und ergänzt sie mithilfe der Beispiele im Text.

Infinitiv		-er	-re	-ir	avoir	être
	je / j'					
	tu	chanteras				
	…					
	ils / elles	chanteront				

3. Wie wird diese Zeitform gebildet?

A vous. *Ecrivez un e-mail à votre correspondant(e) français(e) et racontez-lui vos projets pour l'avenir. Utilisez 5 verbes au futur simple: «Après le bac, je/j' … ».*

35 Une histoire de «oufs»!

1.

nice-matin

LE PREMIER QUOTIDIEN D'INFORMATIONS DU SUD-EST ET DE LA CORSE

Ils sont quatre: Elodie, Bruno, Jérémie et
Samira. Quatre fous de musique. L'histoire
des «Nice & Forts» a commencé au lycée.
Elodie et Bruno ont souvent joué ensemble

5   quand il y avait des fêtes au lycée ou chez
les copains. Et ils ont toujours eu beaucoup
de succès. Puis, un jour, ils ont eu envie de
former un groupe. Alors, ils ont cherché un
batteur et un saxophoniste. Et c'est Jérémie

10   et Samira qui sont venus nous voir et qui
nous ont suivis … Ils nous ont plu et voilà
l'histoire de notre groupe.

Notre journal a fait une interview avec
Samira, la plus jeune du groupe:

15   *nice-matin:* Pourquoi ce nom?
Samira: C'est un jeu de mots. En plus, nous
     sommes nés à Nice et comme ça, le nom
     du groupe restera plus facilement dans les
     têtes!

20   *nice-matin:* Vous passerez bientôt à la télé,
     je crois?
Samira: Oui. C'est une histoire de oufs! …

enfin, je veux dire de fous. J'ai écrit un
e-mail au directeur de «France 3» pour lui
expliquer notre projet. Quelques jours plus   25
tard, il a envoyé une équipe qui a filmé une
répète, euh … une répétition. Ça passera
mercredi prochain.
nice-matin: A 14 h 00.
Samira: Oui, ce sera notre première télé et   30
     j'aurai sûrement le trac.

A vous. *Et vous, vous voulez aussi passer à la télé? Pourquoi?*

2.

! ◻ ▽ 𝟎 de

Bonjour Samira,

J'ai bien reçu la vidéo du reportage sur France 3. J'ai regardé. J'ai écouté. Bravo!
Les «Nice & Forts» sont vraiment forts, c'est vrai, mais moi, je pense que vous

35   n'avez pas encore le niveau. Mais j'espère que vous l'aurez bientôt … Qui sait?
Samira, si j'ai bien compris, c'est toi, la plus jeune des «Nice & Forts», qui as eu l'idée
de m'envoyer ce petit paquet. Tu as eu raison! Je ne peux pas encore vous proposer
un contrat mais je viendrai vous écouter à la plage à Nice le 14 juillet.

Bien cordialement,

40   Marc Carrère
Directeur de Nice Music

3.

Jérémie: Salut, Saxo, ça va?

Samira: Ecoute, Jérémie, assieds-toi d'abord! Je viens de recevoir un e-mail de Marc Carrère.

45 *Jérémie:* De Nice Music?

Samira: Ouais. Le type à qui on avait envoyé la vidéo du reportage.

Jérémie: Et il a répondu?

Samira: Ouais. Il trouve notre musique

50 hyper cool. Il veut nous voir. C'est trop!

Jérémie: C'est complètement ouf!

Samira: Faut en parler aux potes et aux parents! Et on appelle tout de suite Elo et Bruno pour leur raconter ça.

Jérémie: Tu parles! Ils vont halluciner! Tu imagines, on pourra bientôt vivre de notre zique.

55 *Samira:* D'acc, mais il y a un blème: on n'a pas encore de studio pour enregistrer!

Jérémie: Ça viendra! J'ai quelque chose à te montrer: pendant le cours d'anglais, j'ai écrit le texte d'une chanson …

A vous. *Vous devez écrire une chanson pour un chanteur français. Quel sujet est-ce que vous choisissez?*

4.

Nice & Forts

Ils disent qu'à Nice tout est zarbi

60 Y'a des gens riches, le soleil rit

Y'a des gens pauvres près des poubelles

Moi, j'ai pas de fric, je suis rebelle!

Et c'est pour ça que nous chantons,

Que nous t'offrons cette chanson

65 Toi qui meurs de faim près de la plage

Pour te donner notre courage

Entre la montagne et la mer

Je suis né là, merci ma mère

Entre le rap et le rock fort

70 Il y a nous, les «Nice & Forts»

Ils disent qu'à Nice tout est zarbi

Y'a des nanas en bikini

Y'a des mecs en voiture de sport

J'ai pas d'belles fringues, souvent j'dors

75 dehors

Et c'est pour ça que nous chantons,

Que nous t'offrons cette chanson

Toi qui meurs de froid dans un garage

Pour te donner notre courage

Entre la montagne et la mer

Je suis né là, merci ma mère

Entre le rap et le rock fort

Il y a nous, les «Nice & Forts»

80

A vous. *Vos parents veulent déménager à Nice. Qu'est-ce que vous leur dites sur cette ville?*

5. Quelques mois plus tard …

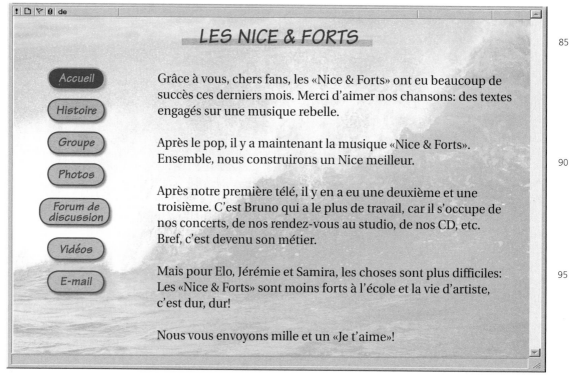

LES NICE & FORTS

Accueil

Histoire

Groupe

Photos

Forum de discussion

Vidéos

E-mail

Grâce à vous, chers fans, les «Nice & Forts» ont eu beaucoup de succès ces derniers mois. Merci d'aimer nos chansons: des textes engagés sur une musique rebelle.

Après le pop, il y a maintenant la musique «Nice & Forts». Ensemble, nous construirons un Nice meilleur.

Après notre première télé, il y en a eu une deuxième et une troisième. C'est Bruno qui a le plus de travail, car il s'occupe de nos concerts, de nos rendez-vous au studio, de nos CD, etc. Bref, c'est devenu son métier.

Mais pour Elo, Jérémie et Samira, les choses sont plus difficiles: Les «Nice & Forts» sont moins forts à l'école et la vie d'artiste, c'est dur, dur!

Nous vous envoyons mille et un «Je t'aime»!

85

90

95

6.

Découvrez les «Nice & Forts» en direct!
Et suivez-nous!
Cet été, nous donnerons des concerts sur la plage:

- le 14 juillet à Nice,
- le 17 juillet à Antibes,
- le 20 juillet à Cannes.

- Le 25 juillet, nous jouerons devant les enfants malades à l'hôpital de Nice!

100

105

1 A propos du texte

Remplacez chaque pronom par le mot ou l'expression qui correspond.

1. Elo et Bruno ont eu l'envie de **le** former.
2. *nice-matin* a fait une interview avec **elle**.
3. Samira **l'**a envoyée à Marc Carrère.
4. Marc Carrère **en** est le directeur.
5. Jérémie et Samira veulent tout de suite **leur** parler du projet.
6. Jérémie **l'**a écrit pendant le cours d'anglais.
7. Les «Nice & Forts» veulent **en** construire **un**.
8. Sur la page Internet des «Nice & Forts», on **en** apprend les dates.

2 Futuroscope* (§ 16)

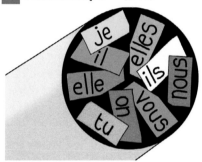

Travaillez à deux: L'élève A annonce la couleur, l'élève B dit une lettre* de A à U.
*L'élève A forme **le futur simple** et invente une phrase avec cette forme. Changez de rôle.*

Exemple: Elève A: – jaune   Elève B: – la lettre A → Elève A: Je m'excuserai pour le retard.

3 L'e-mail de Julien (§§ 16, 17)

Complétez l'e-mail avec les verbes au présent ou au futur simple. Utilisez tous les verbes.

> avoir (2x) recevoir trouver prendre être (2x) espérer
> envoyer découvrir habiter pouvoir (2x) sortir faire voir

Bonjour, les «Nice & Forts»,

1. Je ? maintenant votre page Internet et je la ? géniale! 2. Dites-moi: Quand est-ce qu'on ? acheter votre CD? 3. J' ? qu'il ? bientôt et qu'il ne ? pas trop cher. 4. Car je ne ? pas beaucoup d'argent! 5. Le 20 juillet, je ? bien sûr à votre concert sur la plage de Cannes. 6. Vous ? , vous ? sûrement du succès! 7. Comme je n' ? pas très loin de la plage, je ? une fête. 8. Après votre concert, vous ? aussi venir chez moi. Je pense qu'il y ? beaucoup de monde! A bientôt! Julien (un VRAI fan!)

PS: Le 20 juillet, je ? une photo du concert et je vous l' ? par e-mail.

---

4 Jeu de rôle: J'sais pas, moi! (§ 18)

a Lisez encore une fois les textes de la leçon. Imaginez les réponses et choisissez:
«moi, toi, lui, elle, nous, vous, eux, elles».

1. – J'aimerais former un groupe, pas toi?

2. – Vous jouerez à l'hôpital de Nice le 17 juillet?

...

...

...

3. – Grâce à Jérémie et à Samira, ça flashe, non?

b A vous. Tu es à un concert de rock avec un copain. Vous parlez de musique.

Utilisez «c'(ce n')est (pas) … qui/que …».   *Exemple:* – Tu aimes cette chanteuse?
– Oui, **c'est** elle **qui** passe souvent à la radio.
– Non, **ce n'est pas** elle **que** je préfère. C'est Carla Bruni.

1. Tu aimes quelle musique? Le rock?
2. Tu adores la guitare électrique, toi?
3. Tu connais ce groupe de rock?
4. Tu regardes le musicien avec le jean branché?

5 Situations (§§ 19–21)

Complétez les dialogues avec «mourir, (s')asseoir, suivre» et trouvez des titres aux situations.

Jérémie: J'ai le trac! Pas toi?
Samira: Si, moi aussi, je ~ de peur!

Journaliste: ~ -toi!
Samira: Non merci, je ne veux pas ~ . Au collège, je suis toujours ~ .

Bruno: C'est à ~ de rire!
Jérémie: Quoi?! Je ne te ~ pas! Explique.

Marc Carrère: A partir de demain, je ~ votre vie d'artiste!
Elo: Génial! Merci, monsieur.

6 Comme disent les jeunes …

on dit …

N'utilisez ces expressions qu'avec les jeunes!

Begeisterung / Gefallen ausdrücken
– C' / Il / Elle est super / cool / génial(e) / canon / dingue / fou (ouf) / folle!
– C'est trop beau / bien / cool …!
– C' / Il / Elle est hyper / super / ultra / archi / méga/giga branché(e)!
– J'hallucine!

Verärgerung / Erregung ausdrücken
– C' / Il / Elle est nul / nulle / pas sympa!
– Quelle nouille!
– Quel baratineur! / Quelle baratineuse!
– Je m'en fous! / J'en ai rien à foutre!
– J'en ai marre!
– Là, on a vraiment un blème!
– Ça (ne) te regarde pas!

A vous. *Choisissez une situation et écrivez un petit dialogue. Après, présentez-le.*

1. Tu vas au concert avec un copain/une copine que tu aimes vraiment bien …

2. Tu veux passer une soirée avec des amis. Mais chacun* propose quelque chose d'autre …

7 **Jeu de mots: C'est zarbi!**

Regardez la scène: Qui dit quoi? Comment dit-on en français standard?

a. Faut y aller ou j'vais avoir un blème avec mes vieux!
b. Pas mal, le mec!
c. R'garde: Elle a des fringues ultra branchées!
d. Pourquoi t'arrêtes pas d'écouter de la zique au casque? T'es ouf!
e. Il est pas là, Julien, c'est zarbi!

06 **8** **Ecouter: J'aime pas les interviews!**

a *Qu'est-ce que c'est, la télé-réalité*? Qu'est-ce qui (ne) vous plaît (pas) dans ces reportages?*

b *Ecoutez le dialogue et répondez aux questions.*

1. Qui parle?
2. Pourquoi est-ce que le jeune homme déteste passer à la télévision?
3. Et sa copine, est-ce qu'elle aime la télévision?
4. Que pensent les deux jeunes des interviews?
5. Pourquoi est-ce que la fille regarde la télé-réalité?

c *Ecoutez encore deux fois le texte. Puis, cherchez les expressions des jeunes qui correspondent aux phrases en français standard.*

1. Ils sont venus filmer la répétition.
2. Il y a souvent des beaux garçons.
3. Cette histoire est complètement folle.
4. Ne cherche pas de problèmes.
5. On veut faire passer un message avec notre musique.
6. Quand j'y pense, je rêve!

9 Communiquer: Le SMS de Jérémie

a *Lisez le SMS d'abord à haute voix (laut). Après, traduisez-le en français standard et écrivez-le dans votre cahier.*

b **A vous.** *Ecrivez un SMS à un copain / une copine et utilisez le plus d'expressions SMS possibles (→ Dico SMS, p. 163).*

> Elo, T ou??? Carrère è dak -
> il a MÉ la vidéo et il veut nous
> voir!!!! KestuX? C super, non?
> Je le saV!! Mais now, G1 pb avec
> mÉ parents
> et avec l'école! :-(
> RVSTP   A+ Biz Jérémie

10 Un 14 juillet vraiment «nice» à Nice! (§§ 16 – 18)

[ ] *Mettez les mots soulignés en relief et les verbes aux temps corrects.*

Hier, le jour du 14 juillet, les «Nice & Forts» (donner) un concert à la plage de Nice à partir de 19 heures. Depuis quelques mois, ce groupe de quatre musiciens (ne pas arrêter) de faire les titres des journaux! Donc, dans quelques semaines, vous (pouvoir) les découvrir en direct. Le groupe vous (présenter) sa musique. «Nous (rêver) d'un Nice meilleur», souligne

Samira, 15 ans, la saxophoniste, «et avec nos textes engagés et notre musique rebelle nous (vouloir) y arriver. A l'avenir, il (falloir) construire tous ensemble un Nice meilleur. Un jour, vous (comprendre) ce message et nous (passer) tous une soirée ultra cool ensemble»! (Suivre) nos informations sur le 14 juillet!

11 Fehlervermeidung in eigenen Texten (La chasse aux fautes) → S. 163 / 164

> **Stratégie**
>
> Gewöhnt euch an, eure eigenen Texte immer auf folgende Fehler zu überprüfen:
>
> - **Rechtschreibung:** un example / ~~Gi~~tarre
> - **Wortstellung:** Je ~~te~~ veux dire merci / Nous n'avons ~~personne~~ vu.
> - **Vokabular:** un ~~film~~ pour ma ~~caméra~~, s. v. p.!
> - **Flüchtigkeitsfehler:** Elle habite **a** Paris.
> - **Grammatik:**
>   1. Stimmen Numerus und Genus? → Ils av**ait** dansé / des ~~bons~~ notes
>   2. Stimmt die Mengenangabe mit *de*? → beaucoup ~~des~~ fans
>   3. Sind die Verben richtig konjugiert? → Elle **est** étée / Il **est** 15 ans. → Elle s'**a** couché
>   4. Stimmen die Objekt- und Relativpronomen? → Je **la** demande ~~pour~~ un bonbon.
>   5. Stimmen die Possessivbegleiter? → Vous prenez ~~son~~ voiture?
>   6. Hast du die richtige Zeitform angewendet? → Tout à coup, il ~~quittait~~ la maison.
>
> Legt ein Fehlerprotokoll an und wertet aus, welche Fehler ihr am häufigsten macht. → S. 163 / 164

A vous. *Laura, une jeune Allemande, a écrit un article pour le journal du collège. Il y a encore des fautes. Cherchez-les (25) et décrivez-les. Puis écrivez le texte correct.*

> **Un success fou!**
> Au 14e juillet, les «Nice & Forts» ont donner un concert à le plage de Nice. Plus des 2000 jeunes étaient veni pour rencontrer cette groupe nouvelle. Ils ont chantés et faits la fête avec les quatres musicien jusque une heure du matin. Une soirée qui personne n'oublieront. Une bonne nouvelle pour tout ses Fans: Les «Nice & Forts» donnerons encore deux autre concerts et leurs premiére CD sortira dans le septembre, le 15e !

Vous le saviez?

© Luc Cornillon, Okapi, Bayard

Salut Okapi et ses lecteurs[1]: j'adore écouter la musique hyper fort, car on ressent[2] mieux le son[3]. Mais mes amis disent que cela rend sourd[4]. Est-ce vrai?

                                    Une lectrice
5

Oui, oui, oui, et encore oui! La musique hyper forte est très dangereuse et elle rend sourd car elle abîme[5] les oreilles. Si tu pousses[6] sur les décibels[7], ton oreille ne pourra plus «traduire» certains[8] sons – surtout les sons aigus[9].
10
Le problème est que c'est pour toujours mais que tu ne verras ça que dans 10 ou 20 ans. Pas de risque avec un baladeur[10]: Si tu l'as acheté en France, il est bridé[11]. Les casques[12] pour chaîne stéréo[13], eux, ne le sont pas. Alors là, il faut faire
15
très attention! Sans parler[14] des méga enceintes[15] de concerts ou de discothèques!

Claude-Henri Chouard,
professeur et auteur de l'oreille musicienne
© Editions Gallimard

1. Quel problème est-ce que la lectrice décrit dans sa lettre?

2. Quelle musique est-ce que vous écoutez?
Comment l'écoutez-vous? Discutez en classe.

■ Savoir faire

→ Stratégie, page 52.

1. Tu écoutes la musique trop fort et les voisins sonnent à la porte.	2. Après un concert, tu n'entends plus très bien et tu vas chez le médecin.	3. Ton copain / Ta copine t'a offert pour ton anniversaire un CD que tu n'aimes pas. Quelle est ta réaction?

a *Choisissez une situation et préparez un dialogue. Jouez-le.*

b *Prenez la situation 3. Le groupe A écrit une lettre à un magazine pour jeunes (Jugendzeitschrift), le groupe B la réponse.*
Corrigez vos textes en groupe.
Utilisez les stratégies pour éviter les fautes.
Présentez vos textes dans la classe.

---

1 un lecteur / une lectrice ein Leser / eine Leserin – **2 ressentir** spüren – **3 un son** ein Laut, ein Ton – **4 rendre sourd** taub machen – **5 abîmer** schädigen – **6 pousser** *hier:* laut aufdrehen – **7 un décibel** *Messeinheit von Lautstärke* – **8 certain(e)** bestimmte(r/s) – **9 aigu(ë)** *hier:* hoch – **10 le baladeur** der Walkman – **11 bridé** *hier:* gedrosselt – **12 le casque** *hier:* Kopfhörer – **13 la chaîne** *hier:* Anlage – **14 sans parler de** ganz zu schweigen von – **15 une enceinte** ein Lautsprecher

Au pays des livres

Claire Mazard

1

«Je t'ai consolée. Comme j'ai pu.

Avec mes mots d'enfant. Mon monde d'enfant.»

L'absente

SYROS
jeunesse

2

Malika Ferdjoukh

Quatre sœurs

ENID

médium

«– Il est vieux. Il a quinze ans.»

VALÉRIAN AGENT SPATIO-TEMPOREL **4**

AU BORD DU
GRAND RIEN

NOUVEAU
CYCLE

MÉZIÈRES   CHRISTIN

«Voyons, Valérian, il y a peut-être

des choses à apprendre d'eux, tu sais.»

DARGAUD

Claude Gutman **3**

Pistolet-souvenir

«Elle m'a regardé droit dans les yeux puis elle

a ouvert le tiroir de son bureau. La photo et

le pistolet. Ils étaient là,

sur la table. »

POCKET jeunesse

© 2002, éditions Pocket jeunesse; Illustration de Pef

Au bord du grand rien © DARGAUD 2004 by Christin & Mézières

1. Imaginez que vous trouvez ces livres dans une librairie.
   Quels livres vous plaisent?
2. Vous lisez les citations (Zitate). De quoi parlent-elles?
3. Pourquoi (n') avez-vous (pas) envie de lire ces livres?

Super nouvelle!

Mme Bonin: Papa et moi, nous avons
    une bonne nouvelle pour toi.
M. Bonin: Oui, Antonin, demain, nous voulons
    fermer notre magasin à midi. On va partir
5   tous les trois pour le week-end.
    …
Antonin: **Comment?** Où est-ce qu'on va?
Mme Bonin: Je ne peux pas le dire. C'est une
    surprise. Tu es content?
10 *Antonin:* Bof. Je voulais jouer au foot avec
    Nicolas. Il a déjà tout organisé.

Info F

Mme Bonin: Ecoutez ça. C'est très
    intéressant ce qu'on écrit sur la Bretagne:
    A Carnac, près de la côte, on peut visiter
    les menhirs. A Lorient, on peut prendre
    un bateau pour aller sur l'île de Groix. On
    peut y passer des vacances au calme toute
    l'année dans les petits hôtels de l'île. On
    peut ramasser des coquillages sur le sable
    de la plage de Locmaria ou bien regarder
    les bateaux de pêche pleins de thons qui
    rentrent dans les petits ports de l'île.

A vous. *Qu'est-ce que vous
apprenez sur la Bretagne?
Faites une affiche
sur cette région.*

43 **s**

L'île aux lutins

1. Antonin roulait depuis longtemps sur son vélo. Dans le vent et sous la pluie, il ne voyait plus rien derrière ses lunettes. Il oubliait tout, il était enfin libre, pour une fois sans ses parents!
5 Ce week-end avec eux, c'était l'horreur! Evidemment, ses parents avaient choisi l'île de Groix, une petite île de Bretagne, un petit point dans l'Atlantique avec une crêperie, trois cafés et une librairie! Ils appelaient ça «découvrir le
10 monde». Heureusement, Antonin avait pris son vélo avec lui!

2. Tout à coup, après un virage, Antonin a vu un gros livre qui était là, sur la route, près de la plage, mais c'était trop tard. Antonin a roulé sur
15 le livre, a quitté la route et est tombé par terre. Il avait très mal à la tête. Il se demandait vraiment ce qui lui était arrivé, pourquoi il était tombé et ce que ce livre faisait là.

3. Alors, des voix sont sorties du livre …
– C'est lui! C'est le garçon! La fée nous avait 20 toujours parlé de lui!
– Hé, toi, fais attention! Regarde où tu vas! Nous sommes plus petits que toi, voyons!

Bizarre, bizarre … Antonin a regardé à droite et à gauche. Il cherchait ces gens qui parlaient 25 bas avec un drôle d'accent. Pourtant, il ne les trouvait pas. Alors, il a ouvert le gros livre. Il y avait deux lutins devant lui. Ils avaient l'air un peu méchants avec leurs grandes oreilles. Antonin voulait partir mais il ne pouvait pas. Il 30 avait peur, il voulait crier mais, impossible! Les lutins lui ont dit: – Ne pars pas! Pour nous, c'est une question de vie ou de mort! Aide-nous! Antonin avait mal partout, il ne pouvait pas ouvrir les yeux, il n'était plus vraiment là, peut- 35 être dans un autre monde …

4. D'une seconde à l'autre, Antonin s'est trouvé dans une pièce sans fenêtre. Quelqu'un avait éteint la lampe. Tout était noir et calme. Il craignait énormément ce silence.
40 Tout à coup, une lumière blanche est entrée.
C'était une fée.

– Où suis-je? Je ne vois plus rien!
– Bonjour, je suis Morgane, la fée de l'île. N'aie pas peur!
  Reste ici. Nous t'attendions. Nous avons besoin de
45 toi parce que le Grand Thon de la mer nous attaque.
  Il a déclaré la guerre à notre île.
– D'abord, j'ai soif, moi! Et en plus, qui es-tu et
  de quelle guerre est-ce que tu parles?
– D'abord, sur cette île, on ne se plaint pas surtout
50 quand on est le chevalier Antonin. Puis …
– Quoi?

5. Au début, Antonin n'avait rien compris à cette histoire de la jolie fée. Mais Morgane lui a expliqué que le Grand Thon voulait avoir
55 toute l'île seulement pour lui et ses petits thons. Alors la guerre a commencé sur la plage de Locmaria.
A gauche, le chevalier Antonin avait un air sérieux sur son cheval. La fée avait peint son visage en rouge. Les lutins étaient à côté 60 de lui, prêts à mourir pour leur île. A droite, dans la mer, le Grand Thon avec son casque bleu et derrière lui, ses petits thons blancs regardaient méchamment les lutins en face. Sous une pluie noire et sous les éclairs, le 65 chevalier Antonin a finalement battu tous les petits thons blancs.
Après six heures de guerre, il a crié ces mots magiques sans réfléchir:
EXTHONANTUR GROIXI! 70
Comme par magie, le Grand Thon a laissé son casque sur la plage et est reparti dans la mer avec la marée. Les lutins et la fée Morgane ont applaudi. Le chevalier Antonin était très fatigué. Il s'est couché sur le sable … 75

6. Antonin s'est réveillé au bord de la route avec son vélo. Il avait mal … L'air de la mer sentait bon. Comme pour la première fois, Antonin avait dans ses mains le gros livre, il l'a ouvert et il a lu une histoire de guerre sur une île … Une demi-heure plus tard, il est arrivé à 80 la maison. Sa mère était en train de lire un livre sur la Bretagne: «La pêche est très importante sur l'île de Groix. Aujourd'hui encore, c'est un thon qui se trouve en haut de l'église à la place du coq!» Antonin a beaucoup ri. Il a pensé que 85 le Grand Thon avait peut-être pris la place du coq sur le toit de l'église …

A vous. D'après vous, comment est-ce que le Grand Thon a pris la place du coq?

1   A propos du texte

Regardez les dessins. Mettez-vous à la place d'Antonin et racontez l'histoire au passé (passé composé ou imparfait).

L'île de Groix – rouler longtemps – être libre

Tout à coup – virage – livre – rouler sur – tomber

Alors – voix – chercher – ne pas trouver – ouvrir – livre – deux lutins – vouloir partir

D'une seconde à l'autre – pièce – noire – craindre – lumière – fée – guerre

Au début – fée – expliquer – Grand Thon – vouloir – île – chevalier – battre – thons

se réveiller – vélo – ouvrir – livre – maison – mère – lire – histoire – Antonin – rire

2   Savoir éteindre   (§ 22)

Ecrivez le texte dans votre cahier et complétez-le avec la bonne forme des verbes «éteindre, craindre, se plaindre, peindre».

Fabien ~ souvent. Il n'aime pas quand sa sœur fume.
– Alors tu ~ ta cigarette, Cécile!
– Je ne ~ rien et je fume quand je veux, Fabien!
– Regarde, Cécile, hier, j'ai ~ cette affiche.
– D'accord. Bon, alors j'~ ma cigarette …
– Tu l'~ aujourd'hui, mais pas demain, je ~ !

3 **Une interview**

Yan* prépare un reportage pour le journal du collège …

poser la question	trouver
demander dire	
penser	raconter
proposer	avouer
vouloir savoir	expliquer
répondre	ajouter

1. *Yan:* Qu'est-ce que tu
aimes lire?
Arnaud: Mes livres préférés
sont des romans d'aventure
et des BD. L'année dernière,
j'étais en Bretagne avec mes
parents et j'ai découvert le
pays des lutins et des fées.
C'était génial!

2. *Yan:* Est-ce que tu passes
beaucoup de temps à lire?
Louise: Moi, je n'aime pas lire
du tout. Ça ne me plaît pas.
Je préfère aller au cinéma ou
regarder des DVD. On perd
trop de temps avec un livre.

3. *Yan:* Tu aimes lire?
Samira: Je lis beaucoup et
je lis tout. Je savais déjà lire
avant d'aller à l'école parce
que mon grand frère m'avait
appris à lire. Les romans
policiers* m'intéressent
beaucoup. Mais j'ai horreur
des romans d'amour!

Au club du journal, Yan raconte: «Je demande à Arnaud … Il me répond …»

Continuez. Utilisez les verbes (voir plus haut).

 4 **Jeu de mots: Dis-moi le contraire!**

Pour apprendre des mots nouveaux, il y a des stratégies comme par exemple
apprendre un mot et son contraire (antonyme*).

Exemple: 1. **un homme** ╪ une femme (nom = ♥)   3. **grand** ╪ petit (adjectif = ▲)

2. **chercher** ╪ trouver (verbe = ■)

 a *Trouvez à tour de rôle (abwechselnd) les expressions et leurs antonymes:*

b *Chacun choisit une image (avec l'expression et son antonyme)
et fait une phrase. Changez de rôle.*

*Exemple: Je suis né **en ville** mais je préfère vivre **à la campagne.***

5 **S'il te plaît, raconte-moi une histoire …**

on dit …

Ça commence comme ça:	Ça continue comme ça:	Ça finit comme ça:
Il était une fois …	Au début, …	A la fin, …
C'était …	D'abord, …	Finalement, …
Un jour, …	Ensuite, puis, alors, avant,	Pour finir, …
Il y a très longtemps, …	après, pendant, maintenant	
L'histoire commence par* …	car, parce que, mais, pourtant,	L'histoire finit par* …
C'est l'histoire de …	quand, comme	C'est la fin de l'histoire.
L'histoire se passe …		

 a A vous. *Chaque groupe choisit un des personnages suivants et raconte son histoire. Utilisez les mots du tableau. Le premier élève commence l'histoire en deux phrases. Le deuxième raconte la suite, etc. Cherchez ensemble un titre et écrivez une fin.*

 b A vous. *Inventez un conte de fée (Märchen) sur l'origine* de votre ville / votre village.*

 6 **Ecouter: Un livre, un jour**

a *Ecoutez. Vrai ou faux?*
07 *Répondez et corrigez.*

1. A la radio, on parle des jeux des jeunes.
2. 5 % des adolescents détestent les livres.
3. Aujourd'hui, Amélie a quatorze ans.
4. C'est sa mère qui lui a demandé de lire.
5. Dans «l'Absente», Anne est la grand-mère de Léa.

b *Ecoutez encore une fois et répondez:*

1. Amélie n'aimait pas les livres. Pourquoi?
2. Est-ce qu'Amélie était la seule de sa classe à détester les livres?
3. De qui parle «l'Absente»?
4. Que demande Mathilde à ses élèves?
5. Pourquoi est-ce qu'Amélie a aimé «l'Absente»?

c A vous.
Vous aimez lire, oui ou non? Pourquoi?
Si oui, quel est votre livre préféré?
Présentez-le en quelques phrases à votre classe.

7 **Lire: Petit-Pierre**

Pierre est petit et bizarre. Il a toujours des mauvaises notes. Tout le monde se moque de «Petit-Pierre». Un jour, il arrive au collège avec des bleus partout. Les autres veulent savoir
5　qui l'a frappé, mais il ne dit rien. Julien et Frédéric* décident de l'aider …
A la sortie, Petit-Pierre a fait une drôle de tête. Frédé et moi, nous voulions l'accompagner à la maison et travailler avec lui.
10　– Tu sais, on va t'aider. Tu vas avoir des bonnes notes, et les autres vont être jaloux … Mais on avait presque fini de parler que Petit-Pierre s'est mis à courir et avant de piger la situation, il avait bien trente mètres d'avance.
15　On hurlait:
– Mais qu'est-ce qui te prend? On est tes copains.

Mais il ne voulait rien entendre.
Tous les dix mètres, il se retournait pour voir si on était encore derrière lui. Je ne savais pas 20
que pour ne pas bosser on pouvait courir si vite. Il était déjà arrivé dans sa cité. Vite, vite, il fallait le rattraper*. Je suis arrivé devant sa porte au moment où Petit-Pierre allait la refermer. – Allez, Petit-Pierre, qu'est-ce qui 25
t'a pris? – Laisse-moi. Tu n'as rien à faire ici. C'est chez moi. Tu n'as pas le droit d'entrer. Personne n'a le droit d'entrer.

Petit-Pierre devenait de plus en plus 30
mystérieux. Ce n'étaient pas les devoirs qui lui faisaient peur. C'était notre arrivée chez lui. Finalement, Petit-Pierre a cédé:
– D'accord, mais pas Frédé. J'ai confiance seulement en toi.

D'après *Claude Gutman,* Pistolet-souvenir, © Pocket jeunesse, 1995, p. 45–50

a *Qu'est-ce qu'on apprend sur Petit-Pierre?*

b *Cherchez le sens (den Sinn) des mots en bleu sans utiliser le dictionnaire.*

c *Cherchez la bonne traduction des mots en jaune dans le dictionnaire français-allemand.*

d *Cherchez dans le dictionnaire les mots en gris et remplacez-les par des synonymes*.*

e *Prenez le rôle de Julien. Racontez la suite de l'histoire.*

　8 **Quel charabia*!** (§§ 9–12, 24)

Lisa n'a pas encore appris qu'en français, il y a des adjectifs et des adverbes.

a *Corrigez-la.*

Salut Cécile! Ecoute, je suis complet fatiguée. Nous sommes rentrés hier soir de Bretagne. Heureux, il n'y a pas d'école aujourd'hui. J'ai pu dormir plus long ce matin. Pendant les vacances, je suis tombée total* amoureuse d'un garçon. Hm, il est beau et il sent bon. Il s'appelle Yan. Il est un peu fou, mais final, il est bien sympa. Il parle parfait* français et breton*, mais quand il parle, il parle très fort!

b *La conversation (Gespräch) continue …*

Ses parents m'ont reçue gentil chez eux. Evident, je n'ai pas tout compris. Ils parlent français différent. Ils m'ont montré énorme de choses. Mais pourquoi tu me regardes méchant, Cécile? Il vient de Rennes* comme toi. Tu le connais peut-être? Il est aussi dans ton école?

soixante et un

61

9 **Regeln zur Wortbildung**

Stratégie

Mit diesen Wortbildungsregeln könnt ihr unbekanntes Vokabular leichter erschließen:

1. Präfixe (Vorsilben)
- **«re- / r-»** bei Verben
→ Sie drücken die Wiederholung aus.
Exemple: **re**faire – **re**lire – **r**attraper
- **«im- / in-»** bei Adjektiven
→ Sie drücken Gegenteil und
   Umkehrung aus.
Exemple: **im**possible – **in**correct – **in**juste

2. Suffixe (Wortendungen und Nachsilben)
Die folgenden Wortendungen deuten auf Nomen hin, die von Verben abgeleitet sind:
- **«-(t)ion»** = Diese Nomen werden meistens von Verben abgeleitet. Sie sind weiblich!

Exemple: réparer – la répara**tion**/réagir – la réac**tion**/discuter – la discus**sion**

- **«-ment»** = Diese Nomen sind immer männlich!

Exemple: accompagner – un accompagne**ment**/amuser – un amuse**ment**

3. Zusammengesetzte Wörter
Bei zusammengesetzten Nomen gibt es verschiedene Möglichkeiten:

Nomen +	de/ d'	+ Nomen		Nomen +	à/au aux	+ Nomen/ + Verb		Nomen (-) Nomen: un centre-ville
une salle	de	classe		une tarte machine	aux à	pommes écrire		Verb (-) Nomen: un porte-monnaie Präp. (-) Nomen: un sous-marin Adj. (-) Nomen: un petit-déjeuner

 A vous.

a *Formez ces verbes avec le préfixe «re- / r-» et traduisez-les:* «venir, voir, appeler, entrer».

b *Traduisez en allemand:* «incompréhensible – inoubliable – inégal – inattaquable».

c *Voilà des noms en «-tion» et en «-ment». Indiquez le verbe de la même famille et essayez (versucht) de trouver une bonne traduction pour ces noms:*

nom français		verbe français	nom allemand
1. une arrestation 2. un applaudissement 3. une indication 4. une construction 5. une explication	6. une description 7. un changement 8. une réception 9. une salutation 10. un sentiment	?	?

d *Essayez de comprendre les mots suivants et traduisez-les en allemand:*
un ouvre-bouteille – une agence de voyages – un petit pain – un croissant au chocolat –
un sous-titre – un cinéclub – un café-restaurant – un coucher de soleil – une machine à laver

Une belle histoire

Depuis la mort de sa ⟨mère⟩, ⟨Anne⟩ a beaucoup changé. ⟨Léa⟩, sa fille de 17 ans, cherche une explication dans ses souvenirs d'enfance. Elle connaît pourtant le secret de sa mère.

mère   Anne   Léa

5   Je me souviens, ce jour-là, quand j'avais six ans, de son regard triste. *«Aucune ressemblance!»*[1] avais-je dit avec surprise. Elle m'avait prise sur ses genoux[2], elle m'avait parlé doucement[3], si doucement.

10 – *Tu sais, Léa, je vais te dire quelque chose, tu es ma fille que j'adore et je ne veux rien te cacher.*
    Moi, j'écoutais avec attention. Elle a continué:
    – *Grany et Papy m'ont adoptée.*
15 – *Adoptée, Maman, cela veut dire quoi …? Qu'ils ne sont pas tes vrais parents?*
    – *Oui, ils ne sont pas mes vrais parents mais ils m'aiment.*
    – *Et tes vrais parents … ils … sont morts?*
20 Je me souviens, Maman, ce jour-là, tu m'as serrée[4] dans tes bras. Très fort. Et tu as pleuré. Je t'ai consolée. Comme j'ai pu. Avec mes mots d'enfant. Mon monde d'enfant.
    – *Je suis là, moi, Maman, et puis, être adoptée,*
25 *en fait[5], c'est une belle histoire.*
    Tu m'as souri à travers[6] tes larmes[7].

– *Oui, ma chérie, c'est une belle histoire.*
Je t'ai fait plein de bisous puis, soudain[8] inquiète[9], je me suis écriée[10]:
– *Toi, Maman, tu es ma vraie maman,* 30
au moins[11]. […]
Je voudrais lire, je n'y arrive pas, perdue dans mes souvenirs d'enfance […].
Et si les vrais parents de Maman n'étaient pas morts? Elle ne m'a jamais dit: «Ils sont morts.» 35
S'ils étaient vivants? Mes grands-parents.

Claire Mazard, *L'absente*
© Syros/Sejer (Paris, France) 2005

A vous. *Choisissez un personnage: Anne ou Léa. Faites son portrait. Puis, racontez:*
• *Le début de l'histoire: Anne est différente depuis la mort de sa mère. Pourquoi?*
• *La suite de l'histoire: Qu'est-ce que Léa va faire?*

■ **Savoir faire**

→ Stratégie, page 62.

a *Vous ne connaissez pas les mots suivants mais vous les comprenez. Dites pourquoi.*
un secret – une enfance – se souvenir de – un regard – adopter – sourire – être vivant

b *Comment dit-on si on répète ces actions? Cherchez les verbes:* trouver – faire – lire

c *Trouvez le contraire des mots suivants:* pleurer – adorer – la vie – perdre

---

1 **aucune ressemblance** *(f.)* keine Ähnlichkeit – 2 **sur ses genoux** *(m. pl.)* auf ihren Schoß – 3 **doucement** *(adv.)* sanft – 4 **serrer** drücken – 5 **en fait** ehrlich gesagt – 6 **à travers** durch … hindurch – 7 **une larme** eine Träne – 8 **soudain** plötzlich – 9 **inquiet/inquiète** besorgt – 10 **s'écrier** aufschreien – 11 **au moins** wenigstens

A la rencontre de Molière

1. Les élèves jouent «A la rencontre de Molière».
Abdel, un jeune acteur, joue le rôle principal[1] …
Molière, scène 1:

Molière: Je vous salue, ô honorable[2] classe.
5   *(rires)*
Sophie: Monsieur Molière, vous êtes né quand?
Molière: Je suis né le 13 ou le 14 janvier 1622, ce
n'est hélas[3] pas très clair[4] …
Marc: Vous avez écrit combien de pièces de
10 théâtre[5]?
Molière: Dieu, quelle question! Je ne sais
y répondre. Laissez-moi réfléchir: 22, 23 …
Vraiment, je ne sais.
Marie: Vous écrivez des pièces drôles, non?
15 *Molière:* Oui, comme *Le Malade imaginaire*[6],
…
Marie: On raconte que vous avez bien connu le
roi Louis XIV. C'était un type sympa?
Molière: Un «type sympa»? Qu'est-ce[7]?
20 *Marie:* Bon, ben … un homme gentil, quoi!
Molière: Ah! Le roi-soleil était fort[8] beau
et il adorait danser. Il y avait des fêtes
magnifiques[9] au château de Versailles[10]. J'avais
l'honneur[11] d'écrire pour lui des comédies-
25 ballets parce qu'il aimait danser. Mais nous
avons eu des disputes. J'ai critiqué le roi dans
mes pièces et il n'a pas vraiment aimé …
Julien: Dites-moi, monsieur Molière, une
comédie-ballet, c'est comme une comédie
30 musicale[12]! C'est plus à la mode, ces trucs-là!
Molière: Point[13] du tout! Regardez … *(Il danse.)*
Emilie: Ben, nous, on préfère le rap!
Olivier: Moi, je trouve ça canon, les comédies
musicales!
35 *Molière:* Un canon[14]? Où ça? Il y a la guerre?
Sarah: Mais non, «canon», ça veut dire …
euh … super, magnifique. Mais, dites-moi,
monsieur Molière, vous avez même joué dans
vos pièces?
40 *Molière:* Je suis aussi acteur de théâtre, ma
fille. Ecrire, c'est bien mais jouer, c'est mieux!
Avec ma troupe[15], «l'Illustre Théâtre», on
est allé partout. Ma foi[16], je jouais tous les
personnages: *Dom Juan, Tartuffe, l'Avare, le*
45 *Malade imaginaire* … Où êtes-vous, mes amis?

Le roi-soleil Louis XIV

Jean-Baptiste Poquelin alias Molière

2. Molière, scène 2

Benjamin: Pardon, monsieur Molière, mais quand je vous regarde, avec vos fringues[17] et votre perruque, c'est pas génial!
50

Molière: Mes … «fringues»? Qu'est-ce?

Benjamin (tout bas): Ben, dis donc, c'est grave! *(Tout fort)* Ben, vos vêtements, quoi!
55

Molière: Mais, ma garde-robe[18] est plus belle que ce que vous portez, vous … Mon Dieu, on voit vos bras! Et cette chose que vous portez, cela n'a pas de forme, et ces couleurs, quelle horreur!

60 **3.** Molière, scène 3

Benjamin: Quoi? J'hallucine, c'est ouf de se balader avec ce truc sur la tête. C'est nul, moi, je voudrais pas porter ça! C'est la honte[19]! En plus, on a trop chaud!

Sophie: Mais il n'y avait pas de télé au XVIIe siècle, qu'est-ce qu'ils faisaient, les gens, le soir?

65 *Molière:* Les gens allaient au théâtre. Ils entraient, sortaient, parlaient pendant le spectacle. Ça bougeait! Ce n'était pas toujours très drôle, mais le théâtre, c'était ma vie. Pardon, … vous avez dit «télé». Qu'est-ce?

Myriam: C'est du théâtre, mais dans une boîte[20].

Molière: Mon Dieu, mais on est mort quand on vous met dans une boîte!

70 Moi, je suis mort sur scène: Je jouais ma dernière pièce «Le Malade imaginaire» quand je suis tombé, comme ça! Paf! … *(Il meurt.)*

La prof: Et voilà, c'était le 17 février 1673. C'est bon pour aujourd'hui. Bravo, Abdel! Tu as vraiment bien interprété le style, les gestes et la langue de ton personnage. Tu es vraiment devenu Molière! Et nous, on a appris
75 beaucoup de choses sur lui.

A vous.

a *Qu'est-ce que vous avez appris sur Molière? Notez toutes les informations.*

b *Un élève imite un personnage célèbre. La classe lui pose des questions dont la réponse est «oui» ou «non». Le premier qui trouve le personnage a gagné.*

---

1 le rôle principal die Hauptrolle – **2 ô honorable** O ehrenvolle – **3 hélas** leider – **4 clair(e)** klar – **5 une pièce de théâtre** ein Theaterstück – **6 Le malade imaginaire** *Der eingebildete Kranke* – **7 Qu'est-ce?** Was ist das? – **8 fort** sehr *(alt)* – **9 magnifique** glanzvoll – **10 le château de Versailles** *Schloss in der Nähe von Paris* – **11 avoir l'honneur de faire qc** *(m.)* die Ehre haben, etw. zu tun – **12 une comédie musicale** ein Musical – **13 point** nicht *(alt)* – **14 un canon** eine Kanone – **15 une troupe** ein Ensemble – **16 ma foi** *(alt)* aber ja – **17 les fringues** *(ugs., f. pl.)* die Klamotten – **18 la garde-robe** die Kleider – **19 C'est la honte!** Das ist peinlich! – **20 une boîte** eine Kiste

1 **Lire: Je n'oublierai jamais ces moments-là!** (§§ 16, 17)

«J'ai grandi. Je me sens vieille. Je jure¹ que je n'oublierai jamais mes quinze ans. Je resterai toujours pareille², toujours. Jamais je ne me trahirai³. (…) Je ne ferai pas comme ces adultes qui ne savent plus qu'un jour, ils ont été comme moi. Je serai triste, parfois⁴. Révoltée⁵, toujours. (…) Je serai heureuse. Très. Même si je continue à me réfugier⁶ sous ma couette⁷ … Je pleurerai encore, et c'est tant mieux. Je serai très heureuse. Je jure que je ne ferai pas comme eux.»

© Syros Jeunesse, *Je n'oublierai jamais ces moments-là* de Danielle Laufer

a *Faites une liste avec les verbes au futur simple, avec l'infinitif et la traduction allemande.*

b *Ecrivez ensuite un petit texte sur vos 13/14 ans et utilisez des verbes au futur simple.*

2 **Jeu de rôle: Le club de théâtre**

Jérémie et Stéphanie jouent «La Cantatrice chauve»⁸.
Finissez les phrases et jouez le sketch.

   La prof: Alors, vous avez compris la scène? M. et Mme Martin sont assis
     l'un en face de l'autre. Ils découvrent qu'ils sont mari et femme. C'est un jeu de rôle.
5 *Jérémie:* Mais ce n'est pas drôle comme situation!
   La prof: Je n'ai pas dit «drôle», j'ai dit «de rôle»!
   Jérémie: Mais madame, je pense que je ne vous ai jamais rencontrée …
   La prof: Mais, Jérémie! Pourquoi est-ce que tu dis que […]
   Jérémie: Mais c'est dans le texte, madame !
10 *La prof:* Bon, continuez. A toi, Stéphanie.
   Stéphanie: Moi, je suis née à Rochester.
   La prof: Oh, là, là! Mais non! Tu dois dire que […] à «Man-ches-ter»! Pas «Rochester»!
   Stéphanie: Oh, Rochester ou Manchester, c'est la même chose! Bon, continue Jérémie.
   Jérémie: Tiens? Moi aussi je suis né à Manchester. J'ai quitté la ville il y a trois semaines.
15 *La prof:* Non! Cinq semaines, Jérémie, cinq semaines! Pourquoi tu dis que […] ?
   Jérémie: Ah, zut! Je continue: J'ai pris le train de dix heures du matin
     qui arrive à Londres à cinq heures.
   La prof: Non, non et encore non! Pas dix, mais huit! Tu dois dire que […] ! Stéphanie, à toi.
   Stéphanie: Bizarre, monsieur, moi aussi. Je voyageais en première classe.
20 *Jérémie:* Mais non Stéphanie pas première, mais deuxième! Tu dois dire que […] !
   La prof: Bon, on arrête. Je m'arrache* les cheveux avec vous. (Elle sort.)
   Jérémie: Mais qu'est-ce qu'elle a? Qu'est-ce qu'elle dit? Je ne comprends rien!
   Stephanie: Ben alors, aujourd'hui, t'es sourd! Elle dit qu' […]
   Jérémie: S'arracher⁹ les cheveux, c'est pas bon pour la cantatrice chauve!

———
1 jurer schwören – **2 pareil(le)** gleich – **3 se trahir** sich verraten – **4 parfois** manchmal – **5 être révolté(e)** aufgelehnt sein – **6 se réfugier** sich zu jdm/etw. flüchten – **7 la couette** die Bettdecke
8 la cantatrice chauve die kahle Sängerin (von Eugène Ionesco) – **9 s'arracher qc** sich etw. herausreißen

3 **Le plus fort et le plus beau**   (§ 1)

«Ils sont fous, ces Romains!»

«Hasta la vista, Baby!»

«Amandine et moi, nous sommes les meilleurs amis!»

Voici trois personnages que vous connaissez bien. Comparez-les. Utilisez les adjectifs
«beau, grand, gros, fort, bête, fou, joli, sportif, drôle, intéressant, malheureux, méchant, ...».

 4 **On s'amusait avec Molière**   (§§ 9–12, 24)

Transformez les adjectifs entre parenthèses en adverbes. Utilisez aussi le comparatif
(+ plus ... que, = aussi ... que, – moins ...que) ou le superlatif (++) de l'adverbe.

Au temps de Molière, les gens vivaient (+ difficile) qu'aujourd'hui. Le roi-soleil dépensait [1]
beaucoup d'argent pour les fêtes mais la foule avait (sûr) très faim car il n'y avait pas beaucoup à
manger. Les gens pauvres étaient (+ grave) malades que les gens riches. Les gens qui avaient de
l'argent allaient au théâtre. Ils faisaient (+ facile) les fous et jetaient des objets sur la scène quand
la pièce ne leur plaisait (vrai) pas. On croit qu'on s'amuse (– bien) aujourd'hui avec la télé qu'avec
les pièces de Molière. Mais ce n'est pas vrai. C'est au théâtre qu'on s'amuse (++ bien) parce que
l'acteur communique avec la salle. Mais moi, je pense que le théâtre, c'est (= bien) que la télé!

 5 **Ecrire et écouter: Les sentiments d'une fille**

Une fille résume ses sentiments avec les verbes suivants:
«grandir – réussir – comprendre – communiquer – rêver – désirer – sentir – éprouver – vibrer –
échanger – rire – comprendre – se comprendre – se taire – ne rien dire – regarder – détester –
jurer – boire – manger – sentir – toucher – entendre – partir – aller»

© Syros Jeunesse d'après Danièle Laufer, «Je n'oublierai jamais ces moments-là», 2000, p. 37

a *Lisez les verbes. Cherchez dans le dictionnaire les verbes que vous ne connaissez pas.*

b *Ecrivez un texte sur vos sentiments dans l'ordre des verbes.*

 c *Ecoutez la chanson trois ou quatre fois et notez les verbes que vous entendez.*
Celui qui a trouvé le plus de verbes a gagné.

 d *Ecrivez un petit texte sur vos «dernières vacances» (60 mots au maximum)*
avec les verbes que vous avez notés.

---

1 dépenser ausgeben

soixante-sept

[Module 1]

Nous sommes fin juin et il fait plus de 35 degrés dans les salles de classe du collège de Brignoles. Les élèves n'ont plus envie de travailler. Ils aimeraient rentrer à la maison …

Jonathan: Pff! Il fait chaud! Je voudrais bien être
5   sur la plage en ce moment. Pas toi?
Adeline: Si! On serait mieux qu'ici. On écouterait de la musique, on regarderait les bateaux.
Jonathan: Nous pourrions nous baigner aussi.
Adeline: Et chez *Gino*, tu pourrais peut-être m'offrir
10   une glace …
Jonathan: D'accord, tu l'auras, ta glace, mais avant, on a encore une heure de SVT.
Adeline: Ah, oui, avec le pompier que la prof a invité.
Le prof: Jonathan, Adeline! Vous ne pourriez pas arrêter
15   de discuter? S'il vous plaît! A votre place, je ferais attention en cours!

A vous. *Il fait très chaud. Tu n'as plus envie de travailler. On te donne des conseils:*

A ta place, je **reste**~ dans le jardin et je **li**~ un livre ou je me **baigne**~ à la piscine.
Imagine, nous **mange**~ une glace ensemble. Ou bien, tes amis et toi, vous **fe**~
une excursion dans la forêt. Mais **tu pour**~ aussi dormir tout l'après-midi …

Mais quelle surprise! Le pompier s'appelle Delphine …
→ Si vous êtes d'accord, je vais vous donner quelques conseils sur les feux de forêts.
→ Si vous voyez un feu, vous devez quitter la forêt et faire   20
   le 18 pour appeler les pompiers.
→ Et si le vent est fort, il faut même courir.
→ Si les gens respectaient nos conseils, on pourrait éviter ces feux.
→ Et si les gens ne fumaient pas, nous aurions moins de travail.   25
→ Si cela vous intéresse, vous pourrez devenir «jeunes pompiers».
Jonathan trouve Delphine très sympa. Il oublie la plage, la glace …

1. Was drückt die neue Verbform aus?
2. Welche Konjunktion ist typisch für Bedingungssätze?
3. In welchen Zeitformen stehen die Verben im Haupt- und Nebensatz?

4. Übersetzt ins Dt. und Engl. Was stellt ihr fest?
• Si vous voulez devenir pompier, Delphine vous donnera des informations.
• Si Delphine avait le temps, elle continuerait à parler de son métier.

A vous. *Regardez la 1ère photo et imaginez une petite histoire (5 phrases).*

Un camping en flammes

Var-matin

nice-matin

Brignoles - Le Luc

FEUX INTERDITS

1. Brignoles, samedi 23 juin

Les pompiers ont réussi hier dans la soirée à arrêter l'incendie[1] qui a détruit en trois jours 10 000 hectares de forêt dans le Var, près de Brignoles. Plus de 1 500 pompiers s'y sont battus contre les flammes pendant toute la nuit de mercredi à jeudi. Le vent qui était déjà très fort mercredi s'est calmé hier matin et la pluie a commencé enfin à tomber en début d'après-midi. L'incendie a fait plus de trente blessés[2], dont cinq pompiers. Quinze maisons ont brûlé, mais aussi beaucoup de voitures et de camping-cars. Les flammes ont détruit complètement le terrain de camping de Brignoles. Grâce au courage d'un jeune homme, les pompiers ont pu sauver les touristes au dernier moment, dont deux enfants. La gendarmerie a aussi découvert deux autres feux à Besse et à La Celle.

2. Geneviève Bricault, touriste, 42 ans:

«L'incendie a commencé à côté du terrain de camping de Brignoles. J'y passais mes vacances avec mes enfants. Mercredi, vers minuit, tout le monde dormait quand, tout à coup, quelqu'un a crié «au feu!». Je me suis levée. Quand j'ai ouvert la porte, j'ai vu que tous les arbres au bord du terrain de camping étaient en flammes. Dans un camping-car, deux jeunes enfants criaient. Les parents étaient sortis et avaient donc fermé la porte à clé. Quand j'y repense, ils ont eu beaucoup de chance. Un garçon qui passait par là a cassé la fenêtre du camping-car et leur a sauvé la vie. Si les pompiers nous donnent son adresse, nous lui ferons un cadeau. Maintenant, nous espérons beaucoup que la gendarmerie trouvera les fous qui ont mis le feu[3] à la forêt.»

---

1 un incendie [ɛ̃nɛ̃sɑ̃di] ein Brand – **2 un(e) blessé(e)** [ɛ̃blese/ynblese] ein(e) Verletzter(Verletzte) –
3 mettre le feu à qc [mɛtʀ(ə)ləfø] etw. in Brand stecken

3. Bruno Ferri, agriculteur, 50 ans:

«Chaque année, c'est la même chose. L'été, il ne pleut pas beaucoup ici. L'herbe, les arbres, tout est sec. Malheureusement, les touristes ne font pas attention. Ils font du feu[1] dans la forêt ou ils jettent leurs cigarettes par la fenêtre de leur voiture. Si les gens ne changent pas, ce sera tous les ans la même catastrophe! Je ne sais pas ce que vous en pensez, mais moi, si j'attrapais la personne qui a fumé dans la forêt, je la mettrais en prison! Les gens devraient comprendre qu'un arbre qui meurt, c'est une vie qui s'en va.»

45

50

55

4. Delphine Mercier, pompier, 23 ans:

«Brignoles, c'était terrible. J'en reviens. Les flammes faisaient 20 mètres de haut et le feu avançait à plus de 3 km/h. C'était vraiment dangereux. Les flammes ont blessé plusieurs pompiers et un de nos camions a brûlé. Si seulement il pleuvait plus dans la région! Notre problème, c'est de trouver de l'eau. Quand nous sommes près d'un village, nous prenons l'eau des piscines. Pour les grands incendies, comme l'incendie de Brignoles, nous avons cinq avions Canadairs[2] qui prennent l'eau directement dans la mer.»

60

65

06)))   **5. Jonathan Carnot au journal de France 2**   Voici l'interview avec Jonathan …

---

1 faire du feu [fɛʀdyfø] Feuer machen – **2 un Canadair** [ɛ̃kanadɛʀ] ein Löschflugzeug –
3 l'arrivée (f.) [laʀive] die Ankunft – **4 se reconnaître** [səʀəkɔnɛtʀə] sich wieder erkennen

1 **A propos du texte**

a *Faites cinq groupes. Chaque groupe choisit un des thèmes suivants.*
Relisez le texte et notez toutes les informations que vous y trouvez sur votre sujet.

1. L'incendie (le lieu*, le jour, la hauteur des
   flammes, le début, la fin, qui a vu quoi?, …)
2. Le temps qu'il fait dans cette région en été.
3. Les blessés et ce que le feu a détruit.
4. Les pompiers (leur travail, leur matériel)
5. Les raisons de ces incendies (les acteurs,
   le temps, la nature, …)

 b *Présentez vos résultats devant la classe.*

2 **Qu'est-ce que tu feras si …** (§§ 16, 17)

 Répondez aux questions en deux phrases. Utilisez le futur.

1. … ton copain/ta copine ne veut plus aller à l'école?	2. … tu prépares un pique-nique et il pleut?
3. … tu veux être seul(e) dans ta chambre mais un(e) ami(e) sonne à la porte?	4. … ton meilleur copain/ta meilleure copine fume, ce que tu détestes?
5. … tes parents oublient ton anniversaire?	6. … tes amis t'invitent à un concert d'un groupe que tu n'aimes pas?

[ ] **3** **Quitter le village?** (§§ 25 – 28)

Les enfants de Bruno rêvent d'une nouvelle vie. Ils réfléchissent au pour et au contre.

 a *Faites des phrases avec «si».*

Exemple:

quitter – village/commencer – nouvelle vie
→ Si on quittait le village,
   on commencerait une nouvelle vie.

1. parents – trouver – meilleur travail/
   vivre mieux
2. nous – habiter à Paris/sortir – tous les soirs
3. maison – être au bord de la mer/
   se baigner – souvent
4. famille – déménager/ne plus avoir – amis

 b **A vous.**

Choisissez un sujet et écrivez un dialogue.
Utilisez «si» et faites cinq phrases pour et
cinq phrases contre.

- vivre à la campagne
- gagner un million d'euros
- être pompier
- être une star
- quitter le collège/le lycée

4 **L'homme qui dit non.** (§ 29)

a *La gendarmerie a arrêté l'homme qui a mis le feu. Mais il répond «non» à toutes les questions. Ecrivez le dialogue et remplacez les parties soulignées par «y» ou «en».*

Exemple:

– Vous alliez <u>à Brignoles</u> ce matin-là?
– Non, je n'y allais pas.

1. Vous reveniez <u>de votre travail</u>?
2. Vous êtes passé <u>par la route nationale 7</u>?
3. Vous êtes descendu <u>de votre voiture</u>?
4. Vous avez acheté <u>des cigarettes</u>?
5. Vous avez pensé <u>à éteindre votre cigarette</u>?

b *Voici encore d'autres réponses de cet homme. Quelles sont les questions de la gendarmerie? Utilisez les mots entre parenthèses.*

1. Non, je n'y suis pas entré. (camping)
2. Non, je n'y ai pas mis le feu. (poubelles)
3. Non, je ne m'y suis pas arrêté. (station-service)
4. Non, j'en suis revenu plus tard. (Nice)
5. Non, je ne voulais pas en parler à mes copains. (incendie)

 5 **Ecouter: Les recherches de la gendarmerie**

 a *Ecoutez plusieurs fois. Prenez des notes: Qu'apprend-on sur l'homme qui a mis le feu?*

b *Faites un résumé de l'émission* en allemand.*

 6 **Lire: Les petites annonces**

H. 40 ans ch. travaux de jardin + range caves et garages, aide au déménagement. Tél. 04.94.69.84.09 ap. 20 h.	F. 30 ans, bac, angl./all. écrit et parlé, ch. travail secrétariat à Nice. Libre tout de suite. Tél. 06.26.54.31.23
JF. 25 ans ch. emploi marché pr WE. Tél. 06.68.77.88.54	H. CUISINIER ch. travail rest. ital., dpt. Var. Tél. 04.94.69.62.13
H.45 ans ch. travail ds boulangerie merc. ou sam., jour ou nuit. Tél. 06.77.77.99.00	JEUNE FAMILLE, Brignoles centre-ville, ch. baby-sitter, le sam. soir, 8 □/h Tél.06.09.66.22.33
H. 58 ans avec voit. ch. activité mécanicien ou autre. Tél. 04.94.69.05.77	JH. 23 ans installe cuisines/salles de bains ds rég. Cannes. Tél. 04.94.69.45.47

 a *Regardez les annonces et trouvez le sens (Sinn) des abréviations* (Abkürzungen) suivantes.*

tél.	h.	ch.	ap.	angl.	all.	ds	merc.	WE	sam.	voit.	rest.	ital.	dpt.	rég.

b *Choisissez deux annonces et écrivez-les en français correct.*

7 **Jeu de mots: Les métiers**

 **a** *Faites une affiche d'après le modèle avec les métiers que vous connaissez déjà. Utilisez la liste des mots.*

-ien/-ienne	-eur/-euse	-teur/-trice

un mécanicien/
une mécanicienne

un vendeur/une vendeuse*

un acteur/une actrice

-ier / -ière	=	Ø

un cuisinier/une cuisinière

un journaliste/
une journaliste

un pompier/une femme
pompier

 b *L'élève A choisit un métier et joue le dialogue avec l'élève B. Après, changez de rôle.*

A: – Est-ce que tu aimerais être …?
B: – Oui, ça me plairait parce que … / Non, ça ne me plairait pas parce que …

 c *Faites un sondage en classe. Posez la question:* Quel est ton métier de rêve?
Faites deux listes: filles/garçons. *Comparez les réponses et présentez vos résultats en classe.*

8 **Désirer et proposer qc**

> Si seulement il faisait beau!

on dit …

Désirer:	**Proposer:**
Si seulement … (+ Imparfait)	Je te/vous propose de … (+ Infinitiv)
Je rêve de … (+ Infinitiv)	J'ai une idée: … On pourrait …
J'aimerais … (+ Infinitiv)	Tu es/Vous êtes d'accord pour …?
Je voudrais …(+ Infinitiv)	Tu as/Vous avez envie de …?
	Si on allait …?

 A vous. *Tu proposes à ta copine/ton copain des activités pour le week-end prochain. Faites un dialogue de cinq ou six phrases.*

9 Adeline est triste.

Complétez le texte. Remplacez ? par «si» ou «quand». Faites attention aux temps.

Hier, ? Adeline (rencontrer) sa copine Elodie
au café, elle (commencer à) se plaindre de
Jonathan.

Adeline: Depuis une semaine, Jonathan
  a beaucoup changé: ? il me (voir), il (ne pas
  arrêter) de parler d'incendies. Quelle barbe!
  ? il (continuer) comme ça, je (ne plus sortir)
  avec lui. La dernière fois, ? je lui (proposer)
  de regarder un film, il (préférer) aller chez les
  pompiers.
Elodie: Et il ne t'a pas dit pourquoi?
Adeline: Non! Il n'a rien dit. ?, un jour, il me
  (expliquer) pourquoi il veut devenir pompier,
  je (pouvoir) peut-être le comprendre.
Elodie: Ah, c'est grave. ? il t'(aimer) vraiment,
  il (revenir) bientôt! Mais je me demande
  ? il (ne pas être) amoureux de Delphine.

10 En français: Au feu, les pompiers!

Tu es en vacances avec ta mère dans le sud de la France. Elle a vu un incendie
à deux kilomètres de la maison. Tu es la seule personne à parler français, alors tu traduis.

Ta mère: Ruf bitte die Auskunft an und frag
  nach der Nummer der Feuerwehr.
Toi: Allô, je voudrais …
La dame: Oui, bonjour, le numéro
  de téléphone des pompiers, c'est le 18.
Toi: Mama, die Nummer …
Ta mère: Und nun rufst du die Feuerwehr
  an und sagst, dass es zwei Kilometer von
  unserem Haus entfernt brennt.
  Frag auch, was wir tun sollen.
Toi: Allô …
Les pompiers: Alors, si vous avez une voiture,
  prenez votre argent et vos papiers et
  allez à l'hôtel de ville de Brignoles.
  Est-ce que vous avez une piscine à côté
  de votre maison?
Toi: Also, der Feuerwehrmann sagt:
  Wenn wir … Er fragt, ob wir …
Ta mère: Sag, dass wir ein Schwimmbecken
  haben und frag doch mal, was wir machen,

wenn das Feuer nicht aufhört. Und frag auch,
wann wir zurückkehren dürfen.
Toi: Ma mère dit … et elle demande …
  Elle demande aussi …
Les pompiers: Si le vent restait comme ça,
  on aurait moins de problèmes. Si nous
  arrêtons le feu avant la nuit, vous pourrez
  revenir sans problème dans votre maison.
Toi: Der Feuerwehrmann sagt: Wenn …
  Und wenn …

11 **Hörsehverstehen – Film und Fernsehen**

Was könnt ihr tun, um französische Fernsehsendungen und Filme besser zu verstehen?

1. Beachtet die Tipps, die ihr zum Hörverstehen schon bekommen habt.
   (www.klett.de: stratégies: SB1/L9 + SB2/L6)
2. Setzt euch vor dem ersten Anschauen allgemeine «Hörsehziele».
3. Legt wie unten eine Tabelle an und notiert stichwortartig die wichtigsten Punkte.
4. Schaut euch die **5. Episode des Films** *«Me voilà»* auf der **S-CD 3 zunächst ganz** an:
   Schon im Vorspann (le générique) erfahrt ihr meist viel über Thema, Ort, Zeit und Personen.
5. Schaut euch den Film **ein zweites Mal** an. Um bei der Fülle an Informationen nicht
   den Überblick zu verlieren, solltet ihr nun nach jeder Sequenz auf „Pause" schalten.
6. Findet zu jeder Sequenz eine kurze Überschrift und tragt nach und nach
   die wichtigsten Stichpunkte in die Tabelle ein.
7. Achtet **beim wiederholten Anschauen** immer mehr auf wichtige Details.
   Besonders in Dialogen helfen euch dabei Gestik, Mimik und Situationskomik.
8. Vergleicht eure Ergebnisse.

Scène	Titre	Qui?	Où?	Quand?	Quoi?
Générique					
Scène 1					
Scène 2					
…					

A vous.

1. *Choisissez une émission de télé (Fernsehsendung) en français, par exemple sur TV5* (www.tv5.org; voir aussi: www.klett.de).*

2. *Enregistrez l'émission sur un magnétoscope (Videorecorder) ou sur votre ordinateur.*

3. *Formez 5 ou 6 groupes.*

4. *Avant de regarder l'émission, chaque groupe prépare un tableau d'après le modèle.*

5. *Coupez l'émission en séquences (Sequenzen). Chaque groupe s'occupe d'une séquence.*

6. *Complétez votre tableau.*

7. *Présentez votre séquence à votre classe.*

Un cyberprojet

Farid — Alexandre — Laure — Elodie

A vous. *Décrivez les 4 élèves et la situation. Dites quelle phrase va avec quelle personne.*

Elodie: **Il faut que** nous choisissions un sujet qui intéresse nos corres de Hambourg.

Laure: Et moi, **j'aimerais que**
5 les garçons cherchent des informations sur Marseille.

Farid: Pourquoi toujours les garçons? **Il faut** d'abord **que** je réponde à leur e-mail.

10 *Alexandre:* **Il est important que** tu leur décrives un peu le cyberprojet, Farid. **J'aimerais bien qu'**on les invite à Marseille pour faire ce projet ensemble.

15 *Farid:* D'accord. Moi, **je voudrais que** nous prenions les photos de Marseille, Alexandre. Laure est nulle en photo.

Elodie: Tu es méchant! **J'aimerais bien que** vous arrêtiez vos disputes, Laure et Farid!

In diesem Dialog finden sich mehrere Verben, die im *Subjonctif* stehen.
Sie finden sich in bestimmten Nebensätzen, die mit *„que"* eingeleitet werden.

1. Übertragt die Tabelle in euer Heft und ergänzt die übrigen Verbformen entsprechend den Subjektpronomen.

Il faut que qu'

	Subjonctif	Endungen: Subj.	Infinitif
je	répon**d**e	-e	répondre
tu	décri**ve**s	-es	décrire
il/elle/on	?	?	?
nous (2x)	?	?	?
vous	?	?	?
ils/elles	?	?	?

2. An welche Zeitform erinnern euch die *Subjonctif*-Formen der 1. und 2. Person Plural?

3. Vom Stamm welcher Verbform wird der *Subjonctif* für die anderen Personen abgeleitet?

4. Was wird durch die **Auslöser** (z. B. *il faut que*) für den *Subjonctif* inhaltlich ausgedrückt?

A vous. *Mettez les verbes au subjonctif.*

Elodie ajoute: J'aimerais que nous (chercher) sur Internet au CDI, que le prof (venir) avec nous, que nous (relire) les textes, que Farid (écrire) l'e-mail à nos corres, que vous, Laure et Farid, vous (prendre) tous les deux des photos et qu'on (préparer) le programme pour nos corres.

10 🔊))) **Hambourg–Marseille.com**

1. Nos corres français sont venus nous
chercher à l'aéroport de Marseille. Il y avait
Farid, Alexandre, Elodie et Laure. Ils nous
avaient invités à faire ensemble un site
5 «Hambourg–Marseille.com» après Pâques.
Jusque-là, on avait seulement communiqué par
e-mail. Depuis six mois, on travaillait ensemble
sur un projet de site franco-allemand. On y
avait déjà passé des après-midis et on allait
10 présenter notre site au festival européen des
cybercollégiens[1]. Voici le journal de bord qu'on
a fait avec nos corres pendant notre projet.
Sven & Mirko

Hambourg

2. A Marseille, il faisait beau, mais il y avait
15 du mistral. On sentait l'air de la Méditerranée.
Nos corres nous ont conduits tout de suite au
collège. La bonne blague! Nous, on avait plutôt
envie qu'ils nous montrent la ville. On voulait
voir la plage, le soleil, le port, les bateaux. Mais
20 non! Il fallait qu'on aille tout de suite au travail.
Jan

Marseille

3. Tout avait commencé
par une lettre. Notre prof de
français avait envoyé celle-
25 ci à la prof d'allemand de
Marseille. Ce n'était pas facile
de faire un site avec des élèves
français, à 1500 kilomètres de
Hambourg!
30 On ne voulait pas perdre trop
de temps avec les problèmes
d'ordinateur. Nous pensions
aussi que nous étions trop
nuls en français. Mais notre
35 prof nous a bien aidés. En tout
cas, il faut qu'on ait le premier
prix! Moi aussi, je voudrais
bien qu'on soit premier et
qu'on fête notre premier prix.
40 *Wiebke*

4.

Werner Berger
Gymnasium am Deich
Küstenstraße 24
21103 HAMBURG
DEUTSCHLAND

Madame Bagnoli
Collège Longchamp
23 rue Jean de Bernardy 45
13232 MARSEILLE
FRANCE

Hambourg, le 24 octobre 2006

Chère Madame, 50

Je suis professeur de français. Mes élèves et moi, nous
aimerions faire un site franco-allemand. Nous avons pensé
à votre collège. Auriez-vous envie que nous fassions un site
ensemble? Nos élèves pourront présenter ce site au festival
européen des cybercollégiens de Marseille. 55

Salutations distinguées

Werner Berger

---

1 **un(e) cybercollégien/(-ne)** [ɛ̃sibɛʀkɔleʒjɛ̃/ynsibɛʀkɔleʒjɛnə] ein(e) Internetschüler(-in), Onlineschüler(-in)

5. A Marseille, les corres nous ont présenté des affiches qu'ils avaient collées dans tout
60 le collège. Ils avaient aussi organisé une exposition avec des photos qu'ils avaient prises l'année dernière pendant leur voyage à Hambourg. Ensuite, ils nous ont montré leur salle d'ordinateurs où nous sommes restés une
65 semaine ensemble! Il était nécessaire qu'on termine le site avant le festival. Mais le premier jour, c'était l'horreur!
Sven

6. C'était vraiment l'horreur: Impossible de se connecter à Internet! Ensuite, l'ordinateur
70 s'est planté! Le logiciel ne marchait pas! En plus, il faisait chaud, on avait soif. Bref, la totale[1]! Sven et Jan commençaient à se disputer. On a tout essayé! C'était trop! J'avais envie qu'on arrête tout. Heureusement, Farid a crié: «Pas de panique, madame Bagnoli est la reine de l'ordi! Elle va trouver une solution. Elle a toujours son portable sur elle. Pendant ce temps, nous, on va visiter le Vieux-Port! Après, on mangera un sandwich aux merguez[2]!»
75 *Laure*

7. Finalement, on a fait un tour en bateau. Nous sommes allés dans les calanques[3] que nous avons 80 photographiées pour notre site. On a perdu une journée de travail, mais gagné une journée de paradis! 85
Jan

8. Le lendemain, tout marchait et en quatre jours, on a pu finir notre site. Celui-ci 90 est bilingue! Et avec nos amis allemands, ça s'est bien passé aussi. On était enfin prêt pour le festival et 95 on avait déjà «un peu gagné»; «verdient» ou «gewonnen», c'est quoi en allemand?
Alexandre 100

A vous. *Inventez une présentation au choix:*
1. le Collège Longchamp, 2. Marseille, 3. le port de Marseille.

---

1 la totale! [latɔtal] Voll hart! – **2 la merguez** [lamɛʀgɛz] *nordafrikanische, kleine, scharf gewürzte Bratwurst aus Lammfleisch* – **3 une calanque** [ynkalãk] eine (kleine) Felsbucht

1 A propos du texte

*Mettez les titres des 8 parties du texte dans le bon ordre
et résumez chaque partie en une phrase.*

▶ Les cyberproblèmes   ▶ L'histoire du projet
▶ L'arrivée*   ▶ La visite du collège
▶ La lettre   ▶ L'excursion
▶ Le cyberprojet   ▶ Le site franco-allemand

2 Des bons conseils (§§ 30, 31)

*M. Paul, le prof de maths, a des problèmes avec la 3ᵉ B.
Ecrivez les phrases. Mettez le subjonctif.*

1. Il faut que vous ? (m'écouter bien).
2. Il est important que nous ? (travailler bien ensemble).
3. Et je préfère, Marc, que tu ? (réfléchir à notre problème).
4. Il est nécessaire que vous ? (faire vos devoirs).
5. Il faut aussi que vous ? (arrêter de faire des bêtises en cours).
6. Et j'aimerais que mes élèves ? (avoir le courage de discuter).
7. Dans mes cours, je ne veux pas que vous ? (être en retard).
8. Je désire vraiment que toute la classe ? (respecter nos règles).
9. Ici, je ne veux pas que les uns ? (se moquer) des autres.

3 Pendant le projet (§§ 30, 31)

Au collège, Laure et Farid discutent
avec Sven, Jan et Mme Bagnoli.

*Faites le dialogue. Transformez les
phrases. Utilisez l'indicatif ou
le subjonctif.*

1. *Farid:* Nous espérons que …	• Vous verrez, l'ordi ne **se plantera** plus!»
2. *Jan:* Je trouve bête que …	• «Oh, nous n'**avons** pas le temps de voir la mer!»
3. *Mme Bagnoli:* Je voudrais bien que	• «D'abord **arrêtez** vos bêtises avec les ordis!»
4. *Laure:* J'ai envie que …	• «Alors, **visitons** la ville!»
5. *Farid:* Je trouve que …	• «Elle **est** trop cool, notre reine de l'ordi!»
6. *Sven:* Il faut que …	• «Tu m'énerves, Jan! **Refais** le CD!»
7. *Mme Bagnoli:* Je suis d'avis que …	• «A mon avis, vous **allez finir** votre site.»
8. *Laure:* Je crois que …	• «On **est** bientôt prêt pour le festival, je pense.»

[ ] **4** **Le jour du festival** (§ 32)

Au festival, tout le monde veut gagner le premier prix.
Complétez les dialogues avec «celui, celle, ceux, celles».

– J'ai oublié mon appareil.
– Prends ~ -là.
  C'est ~ de Marc.

– A qui sont ces photos?
– ~ -ci? Elles sont aux élèves
  de Hambourg.

– Mettez-vous à une table.
– A ~ -ci ou à ~ -là?
– Prenez ~ avec le portable.

– Vous avez pris quels logiciels
  pour votre site?
– Nous avons pris ~ qu'on
  nous a envoyés de Marseille.

– Tu utilises cet écran?
– Non, je préfère ~ qui est
  plus grand.

– La dame là-bas, c'est notre
  prof d'allemand.
– ~ avec la robe rouge?
  Elle a l'air sympa!

5 **On prépare une soirée** (§ 33)

Les parents d'Elodie préparent une soirée pour les corres à la maison. Alors ils rangent.
Mais Elodie ne retrouve plus rien. Donc, elle demande à sa mère.

Ecrivez le dialogue. Attention à l'accord.

1. Où sont mes CD avec tous les
   logiciels pour notre projet?
2. Où as-tu mis les affiches
   du cyberfestival?
3. Je cherche l'interview sur notre
   site. Où se cache-
   t-elle?
4. Et mon portable?
5. Tu as vu la BD «Malika
   Secouss»? C'est la surprise pour
   nos corres.
6. Et où sont mes photos?

• Je l'ai (jeter) à la poubelle!

• Je l'ai (ranger) dans ton sac
  à dos avec les logiciels.

• J'espère que tu ne l'as pas
  (oublier) au collège.

• Je les ai (mettre) sous le lit.

• Je les ai (mettre) sur ton
  bureau.

• Je les ai déjà (prendre) pour
  les montrer à l'exposition.

 6 **Ecouter: Le calendrier de Kevin**

a *Ecoutez l'interview trois fois et trouvez la bonne réponse.*

	A	B	C
1. A la Chandeleur[1], on mange	des poissons.	des crêpes.	un gâteau.
2. Au mois de mai, on fête	les mères.	les pères.	le vélo.
3. La fête des rois, c'est	le 1er janvier.	le 1er dimanche de janvier.	en mars.
4. En juillet, c'est la fête …	du tour de France.	du football.	de la musique.
5. A Noël, on reçoit …	des cadeaux.	des frères.	des œufs.
6. La fête nationale, c'est	le 11 juillet.	le 13 juillet.	le 14 juillet.
7. La fête des amoureux*, c'est	le 1er avril.	la Saint Valentin*.	le 14 mars.
8. Un poisson d'avril, c'est	un porte-bonheur.	une devinette.	une blague.

b *Quelles fêtes est-ce que Kevin n'aime pas? Pourquoi?*

 c *Comparez les fêtes en Allemagne avec les fêtes en France. Préparez une affiche.*

 7 **Il faut que tu comprennes …**

| on dit … |

Wunsch und Bitte
Je voudrais (bien) que
J'aimerais (bien) que
Je préfère / Je désire que   } (+ Subj.)
J'ai envie que

Persönliche Wertung
Il est important/nécessaire que
C'est/Je trouve bête/bien/triste que   } (+ Subj.)

Forderung
Je veux que / Il faut que } (+ Subj.)

Freude
Bravo!
Je suis content(e).
Je suis heureux(-euse).
C'est super/génial/le pied!
Je me sens bien./Je vais bien.

Trauer
Mince!/Zut!/Ma/Mon pauvre!
Je suis triste./J'ai les idées noires.
Je suis désolé(e).
C'est triste!/C'est malheureux!
Je me sens mal/triste./Ça va mal.

A vous. *Vous rencontrez sur Internet quatre personnes.*
Choisissez-en une et répondez-lui. Utilisez les expressions du tableau.

Laure: Je me sens nulle. Je suis trop grosse. J'en ai parlé à mon médecin, mais il m'a dit qu'il fallait manger plutôt des salades.

Alexandre: Regarde ma photo. Je suis le plus beau du quartier. Quand j'arrive, toutes les filles sont amoureuses de moi. Et toi?

Farid: Moi, je m'en fous des notes. Si j'ai une mauvaise note à l'école, ce n'est pas la fin du monde. J'oublie tout, tout de suite.

Elodie: J'en ai marre. Je voudrais qu'on apprenne une langue «en direct» ensemble avec des jeunes de l'autre pays. Que faire?

---

1 **la Chandeleur:** le 2 février = Mariä Lichtmess

quatre-vingt-un

81

8 **Ecrire: Une lettre pour monsieur Berger**

Quand la lettre de M. Berger est arrivée, Mme Bagnoli l'a lue devant la classe. Les élèves de Marseille étaient super contents de faire un site bilingue avec des élèves de Hambourg. Mme Bagnoli a écrit une réponse.

Ecrivez la lettre de Mme Bagnoli en français d'après le modèle:

1. Elle dit merci à M. Berger pour la lettre et elle décrit la réaction de sa classe.
2. Elle demande qui va venir à Marseille pour le festival européen des cybercollégiens.
3. Elle parle des idées qu'ils ont déjà pour le site.
4. Elle demande à M. Berger si sa classe a déjà commencé le travail.
5. Elle donne le bonjour à la classe de M. Berger.

l'expéditeur
(der Absender)

le destinataire
(der Adressat)

la ville/la date

[Cher] Monsieur,
[Chère] Madame,
Messieurs dames,

(texte)

Salutations distinguées/
Avec mes meilleurs sentiments

la signature (Unterschrift)

9 **En français: Grâce à Internet**

Elodie et Alexandre travaillent sur Internet. Ils cherchent des articles pour le site franco-allemand*. Elodie téléphone à Alexandre qui est très en colère. Ecrivez le dialogue.

1. Elodie fragt Alexandre, warum er [so] wütend sei. →

2. Alexandre antwortet, er habe einen tollen Text über den alten Hafen von Marseille im Internet gefunden, aber der Computer sei abgestürzt und nun habe er den Text verloren. Er glaube, sein Computer funktioniere überhaupt nicht mehr.

3. Elodie sagt, das sei nicht schlimm. Alexandre könne auf ihrem Computer arbeiten und den Text schnell wiederfinden oder einen neuen suchen. →

4. Alexandre meint, das sei nicht einfach. Er könne gut auf seinem [eigenen] Computer arbeiten, aber den Computer von Elodie kenne er nicht.

5. Elodie sagt, sie werde Alexandre helfen. Sie könnten zusammen die Texte suchen. →

6. Alexandre meint, Elodie sei ein Schatz. Er möchte gerne, dass sie beide zusammen danach ein Eis essen gehen. Er werde sie einladen.

7. Elodie ist einverstanden und bedankt sich. Das sei eine gute Idee. ←

10 **Laure mène tout le monde en bateau.** (§§ 30, 31)

Mettez les verbes à l'indicatif ou au subjonctif.

1. Les calanques que nous (voir, p.c.), je voudrais bien
   que vous les (photographier).
2. Les photos que tu (prendre, p.c.) du port, je désire
   que tu les (refaire). Elles ne me plaisent pas.
3. Les bateaux que nous (louer, p.c.), j'aimerais bien que
   nous les (redonner) ce soir.
4. La blague que vous nous (raconter, p.c.), il faut que
   tout le monde la (comprendre). Répète-la, s'il te plaît!

11 **Interkulturelles Lernen**

> **Stratégie**
>
> Jedes Land hat seine eigenen kulturellen Besonderheiten, die einen Besuch gerade so
> interessant machen. So weist auch Frankreich schon im alltäglichen Bereich kulturelle
> Unterschiede zu Deutschland auf. Diese solltet ihr nicht gleich kritisch beurteilen,
> zeigt euch vielmehr aufgeschlossen und tolerant. Ihr könnt euch darauf vorbereiten,
>
> • indem ihr euch zunächst fragt, was man eigentlich als „typisch französisch" empfindet.
> • indem ihr euch fragt, was Franzosen als „typisch deutsch" empfinden.
> • indem ihr dann in gemeinsamen Gesprächen versucht, diese Vorstellungen zu diskutieren.
> • indem ihr euch im Vorfeld einer Reise sachkundig macht und z. B. das Video *Clin d'œil*
>   oder den französischen Fernsehsender *TV5 Monde* anschaut und mit dem Lehrer besprecht.

1. Begrüßung
• Gegenüber Erwachsenen und in Ämtern grüßt man mit *Bonjour, Madame/Monsieur*.
• Unter Freunden sagt man *Salut*. Wenn man euch eine Wange hinhält, dann heißt es:
  faire la bise. Dies bedeutet je nach Region zwei, drei, sogar vier Wangenküsse.

2. Beim Essen
• Das *petit-déjeuner* fällt meist mit *café/chocolat* und *croissant* oder *baguette*-Stücken,
  les tartines, eher bescheiden aus; man trinkt aus einem *bol*, ähnlich einer Müslischale.
• Es wird in der Regel zweimal mit der Familie warm gegessen: zum *déjeuner* und zum
  dîner, meist mit 3 Gängen: *l'entrée*, *le plat principal*, *du fromage ou un dessert*.

3. Auf der Straße und auf dem Bahnhof
• In Frankreich halten Autos an Zebrastreifen oder Fußgängerampeln nicht unbedingt
  automatisch an. Am sichersten ist es, ihr überquert die Straße erst, wenn sie frei ist.
• Vor Reiseantritt muss man seine Zugfahrkarte abstempeln. Ansonsten ist sie ungültig.

4. „Falsche Freunde"
• Verwandte Wörter haben meist eine andere Bedeutung: ein Baiser ⟷ *une meringue*

 A vous.

a *Cherchez d'autres faux amis et faites-en une liste.*
b *Que dit-on …?* 1. *… quand on ne peut pas aider.* 2. *…quand on a aidé et l'autre dit merci.*

19 ## Le tour du monde francophone

Au Canada
Au Québec

Nous, les Québécois, on parle le français. Pour les Français, on a un drôle d'accent canadien!

En France
A la Martinique

Nous, les Martiniquais, nous sommes les Français des îles.

Au Sénégal

Nous, les Sénégalais, on parle le français et le wolof. Nous aimons le foot.

En Belgique

Beaucoup de Belges parlent le français, le flamand et l'allemand. Quelle chance!

Au Maroc

Beaucoup de Marocains vivent en France. Mais le Maroc est un beau pays!

Aux Etats-Unis
En Louisiane

Les Américains parlent anglais, mais nous, on garde notre culture française.

1. «J'habite **en** France/**au** Québec/**à la** Martinique/**aux** Etats-Unis.»
   Quand est-ce qu'on utilise «en», «au», «à la» ou «aux»?
2. Comment s'appellent les habitants (Einwohner) de l'Italie, de l'Algérie, de l'Allemagne, de l'Angleterre et de l'Espagne? Et de la Suisse, de l'Europe, du Viêt-nam, de la Chine et de l'Afrique? Cherchez la réponse dans un dictionnaire.
3. Faites une liste en français de tous les pays dont vous connaissez déjà le nom, les habitants ou l'adjectif. Ajoutez les mots qui manquent.

Les noms des pays	Les noms des habitants	La nationalité
la Belgique	les Belges	belge
…	…	…

A vous.   *Regardez encore une fois la carte à la fin de votre livre.*
Cherchez quatre noms de pays et d'habitants où on parle le français.

La dictée des Amériques

1. Daniel est dans l'avion qui le conduit à
Montréal pour sa première aventure québécoise.
Trois jours à Montréal, ce n'est pas beaucoup
mais il veut en profiter. Il vient de participer à un
5 concours de dictées où il y avait 150 jeunes de
toute la France et c'est lui qui a fait le moins de
fautes! Maintenant, il va représenter la France
à la «dictée des Amériques» à Montréal! Cette
dictée à laquelle participent des jeunes de tous
10 les pays du monde se passe chaque année au
Québec. Mais huit heures d'avion entre Paris
et Montréal, c'est long et Daniel s'endort. Il
commence à rêver qu'il est un grand écrivain
célèbre en Europe et en Amérique …

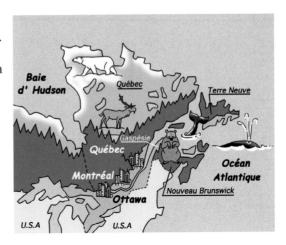

15 **2.** Il est huit heures du soir. Daniel arrive à l'hôtel. Les autres candidats sont déjà là:

Daniel: Bonsoir, je m'appelle Daniel et je viens de Paris. J'ai 15 ans. Et vous?
Aminata: Salut, moi c'est Aminata! Je viens du Sénégal et j'ai 14 ans.
Bastien: Moi, c'est Bastien. Je viens d'«icitte», de la Gaspésie[1].
  C'est une région du Québec qui se trouve au nord du Nouveau Brunswick[2].
20 *Daniel:* Dis donc, t'as un drôle d'accent, toi! Tu viens d'où? D'icitte? C'est une ville?
Bastien: Mais non! «Icitte», ça veut dire «ici». On parle autrement
  chez nous au Québec!
Aminata: Dis, Bastien, j'aimerais bien savoir ce qu'on peut voir au Canada.
Bastien: Ben, les baleines[3] sur la côte. Et chaque fin de semaine,
25 mon père et moi, on prend notre char[4], enfin notre voiture,
  et on fait des photos des ours et des castors[5] dans la forêt.
Aminata: Génial! Mais c'est moins drôle de vivre avec −30° C!
  Il fait un froid de canard ici!
Bastien: Oh, tu sais, en été, il fait une chaleur d'enfer!

30 **3.** Le lendemain, nos trois amis vont se
promener. Dans les rues, tout est écrit
en français et en anglais. Beaucoup de
gens sont bilingues à Montréal, explique
Bastien. Il leur propose de «magasiner[6]»
35 dans «la ville souterraine[7]» dans laquelle
il y a 30 kilomètres de magasins, de
restaurants, de théâtres et même un
métro! C'est pratique, on peut passer
tout l'hiver sans sortir dans la rue
40 quand il y a de la neige!

1 **La Gaspésie** *Region in der Provinz Québec* – 2 **Le Nouveau Brunswick** *Provinz von Kanada* – 3 **une baleine**
ein Walfisch – 4 **un char** *(reg.)* une voiture – 5 **un castor** ein Biber – 6 **magasiner** *(reg.)* faire les magasins –
7 **souterrain(e)** unterirdisch

Bastien: Tu viens, Daniel? On entre dans le
  magasin de sport.
Daniel: Lequel? Il y en a beaucoup.
Bastien: Là, en face! Ils vendent du matériel
45 de hockey sur glace! C'est mon sport!
Aminata: Allez-y, moi je vais dans le magasin
  là pour acheter du sirop d'érable¹.

Une heure plus tard …

Bastien: Mais où est Aminata? Je me demande
50 ce qui est arrivé! Ce n'est pas normal.

4. Bastien et Daniel rentrent à l'hôtel qui n'est pas très loin.
Ah, tiens, Aminata est déjà là! Mais avec qui parle-t-elle?

Bastien: Ah, te voilà enfin, Aminata. On te cherche partout depuis une heure.
  Tu as déjà trouvé des nouveaux amis?
55 *Aminata:* J'aimerais bien vous présenter deux nouveaux amis: J'ai rencontré Saganash
  et James dans la ville souterraine. Grâce à eux, j'ai retrouvé l'hôtel et puis … devinez …
  ce sont des … Mohawks², des Indiens d'Amérique! C'est fou! Ils habitent dans une réserve³,
  à Kahnawake. … Saganash, James, Why don't you come and visit me in Senegal?
  You could learn French and see elefants and flamingos!
60 *Daniel:* Ecoute, Aminata, viens, il faut se préparer pour la dictée demain.

5. Le jour de la grande finale est arrivé. Tous les
candidats attendent dans un studio de la télévision
québécoise. Ils sont nerveux car tout le monde
francophone regarde l'émission …

65 «… Quand la chasse à la baleine commença, il fut
heureux. Personne sur le bateau ne disait plus rien.
Tout à coup, une baleine sortit de l'eau et il eut le
temps de rencontrer l'œil de l'héroïne⁴ des mers …»

Oh, là, là, pense Daniel, on écrit comment
70 «héroïne»? Zut! Je ne sais plus. Après la dictée,
on pose deux questions auxquelles il faut aussi
répondre. Le soir, on donne les résultats et c'est
un Belge qui est premier. Aminata est troisième,
ce qui n'est pas mal! Daniel et Bastien, eux, sont
75 loin derrière …
Le jour du départ, les jeunes se quittent à l'aéroport.
Bastien veut donner «un petit bec⁵» à Aminata qui rit
beaucoup. Elle a bien compris que c'est une bise
en français du Québec. Au revoir le Québec,
80 je reviendrai! crie Daniel.

---

1 le sirop d'érable der Ahornsirup – **2 les Mohawks** *ein nordamerikanischer Indianerstamm* – **3 une réserve**
ein Reservat – **4 une héroïne** *eine Heldin* – **5 un bec** *hier:* une bise

1 A propos du texte (→ Stratégie p. 38)

a *Faites une liste des informations sur le Canada (nature, géographie, habitants, langues).*

b *Résumez les deux jours de Daniel, d'Aminata et de Bastien à Montréal:*
dans l'avion, à l'hôtel, dans la ville souterraine, la rencontre, la finale, l'aéroport.

2 Devinette à propos du Canada

Faites deux groupes et jouez au quiz sur le Québec.

A 1. Bastien a vu des animaux sur la côte et dans la forêt. Lesquels?
2. Les Canadiens s'intéressent* surtout à deux sports d'hiver. Auxquels?
3. Au Canada, il y a encore des Indiens. Lesquels?
4. Les Québécois utilisent d'autres expressions qu'en France. Lesquelles?

B 1. Dans le texte, on parle de quatre régions du Canada. Desquelles?
2. Les Canadiens adorent surtout une boisson. Laquelle?
3. Daniel, Bastien et Aminata participent à un concours. Auquel?
4. Il y a trois grandes villes à l'est du Canada. Lesquelles?

3 Le quiz* de la francophonie (§§ 7, 8, 34)

Reliez les phrases avec une préposition et un pronom relatif «qui, que, lequel» ou avec «dont».
Votre voisin(e) répond à la question. Changez de rôle après chaque question.

1. Donne un pays d'Afrique …	**prép.**	… on parle le français.
2. Donne quatre pays …	**+ qui**	… ne sont pas francophones?
3. Quelle est la province* …		… le Québec est la voisine?
4. Quel est le pays …	**prép.**	… Aminata vit?
5. Comment s'appellent les Indiens …	**+**	… le Canada a donné une réserve?
6. Quel est le pays …	**lequel**	… il y a la ville de Montréal?
7. Quelles sont les langues …		… les Canadiens parlent?
8. Quelle est la ville …	**qui**	… il y a une «ville souterraine»?
9 Comment s'appelle le concours …	**que**	… le Québec organise tous les ans?
10. Comment s'appellent les animaux …	**où**	… on aimerait jouer dans la forêt, mais
	dont	… sont dangereux?

4 Ecouter: K-Maro, une star québécoise   (§ 34)

a *Ecoutez l'interview deux fois. Ecrivez une biographie de K-Maro. Utilisez les mots-clés qui vous aident.*

1. Le vrai nom de K-Maro est …
2. K-Maro est né à …, au …
3. Il est né en …
4. Il habite au …, à …
5. Il a sorti son premier single en …
6. Le titre de son CD est …
7. Son premier groupe s'appelait …

b *Ecoutez cette interview une troisième fois et répondez à la question:*
K-Maro fait de la musique rap, de la chanson ou du rock?

5 Ecouter: Femme like U

a *Ecoutez la chanson «Femme like U» deux fois. Faites une liste des mots français et des mots anglais que vous comprenez.*

Mots français	Mots anglais
donne-moi	baby
cœur	funk
…	…

b *Ecoutez encore une fois la chanson et regardez le texte p. 165. Essayez de chanter sur le playback.*

c *Essayez de traduire la chanson en allemand (gardez seulement les mots anglais).*

Gib mir dein Herz, Baby ,
Deinen Body, Baby hey
Gib mir deinen guten alten Funk ,
Deinen Rock, Baby ,
Deinen Soul, Baby hey ,
Sing doch mit mir, ich will 'ne Frau like you
Die bringt mich bis ans Ende der Welt, 'ne
Frau like you

…
→ Textes supplémentaires, p. 165.

6   **Lire et écrire: Un conte* camerounais*: Africa Sanza**   (§ 35)

Au début, il n'y avait rien. Seulement l'ennui[1]. Nyambé, le créateur[2]
des hommes (on l'appelait aussi Dieu), s'ennuyait[3] à mourir.
Un matin, il se gratta[4] la tête et dit:
– Bon Dieu! Il va me tuer[5], cet ennui! Mais à l'endroit[6] où il se grattait
5   la tête, il y avait l'Imagination[7] qui dormait. Il la réveilla:
– Pardonne-moi, Imagination! Je ne voulais pas te réveiller!
– Ce n'est pas grave. Tu es Dieu, le créateur. Mais Dieu n'avait encore
rien créé[8] du tout. Dieu expliqua à l'Imagination son problème:
l'ennui … Mais l'Imagination commença à rire car elle ne pouvait pas
10   croire que Dieu avait un problème.
– Tu ne dois pas te moquer de moi! Ça ne me fait pas rire, moi! dit Dieu,
pas content. L'Imagination s'excusa et chercha bien vite une solution.
Tout à coup, elle eut une idée:
– Dieu, fabrique une sanza[9]. Quand tu vas commencer à en jouer, l'ennui va
15   partir! Alors Nyambé fabriqua une sanza et commença à jouer. Et il joua, il chanta
et il dansa. Il joua bien longtemps sans même voir qu'il se passait des choses
autour[10] de lui. D'abord, il venait d'inventer la musique. Et ensuite, à chaque fois
qu'il pinçait[11] une lame[12] de son instrument, une chose nouvelle apparaissait[13]:
d'abord, le soleil, puis la deuxième note créa la lune[14], puis enfin le village et puis
20   les pays. Voici la mer, l'oasis, la montagne, le désert[15]. Voici le tigre et l'éléphant.
Voici les insectes, les oiseaux, les poissons. Voilà encore les arbres, le vent et ceci et
cela[16]. Tout à coup, une des cordes fit une fausse note. Devine ce qui arriva. Voilà
un être bizarre qui arriva. L'homme puis la femme puis les enfants. Des millions
d'enfants de toutes les couleurs: des blancs, des noirs, des jaunes, des rouges, des
25   verts, des roses, des zébrés[17] … Et ils allaient partout: en Afrique, en Europe, en
Australie, en Amérique, en Asie. Partout, partout. C'est pour cela que les hommes
d'Afrique ne regardent jamais la couleur de la peau des étrangers qui viennent leur
rendre visite. Car ils savent que tous les hommes sortent de la même sanza.

D'après *Francis Bebey*, La Lune dans un seau tout rouge, © Jacqueline Bebey

a *Répondez aux questions:*
1. Pourquoi est-ce que Dieu s'ennuyait?
2. Comment est-ce que le monde est né?
3. Quel est le message de ce conte?

> Relisez le texte. Beaucoup de verbes sont
> au **«passé simple»** et ont un **«-a»** à la 3e
> personne du singulier (sauf *faire, avoir,
> dire*). Faites une liste et donnez l'infinitif.
>
> *Exemple:* il se gratta → se gratter

b A vous. *Francis Bebey a imaginé ce conte
sur la création du monde.
Imaginez-en un autre. Utilisez la liste de
vocabulaire allemand-français.*

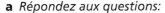

1 l'ennui *(m.)* die Langeweile – **2 le créateur** der Schöpfer – **3 s'ennuyer** sich langweilen – **4 se gratter**
sich kratzen – **5 tuer qn** jdn umbringen – **6 un endroit** eine Stelle – **7 l'imagination** *(f.)* die Fantasie –
8 créer qc etw. erschaffen – **9 une sanza** *ein Musikinstrument aus Afrika* – **10 autour de** ringsrum –
11 pincer qc zupfen – **12 une lame** eine Lamelle – **13 apparaître** erscheinen – **14 la lune** der Mond –
15 le désert die Wüste – **16 ceci et cela** dies und das – **17 zébré** gestreift

7 **Jeu de mots: Les concours de dictée**   (§ 34)

Tous les ans, il y a des concours de dictée. Dites dans quel pays et qui a gagné.

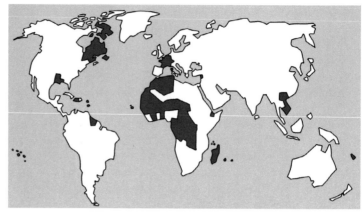

Exemple: En 1999, le concours était **en Belgique** et c'est **une Canadienne** qui a gagné.

Année	1999	2000	2001	2002	2003	2004	2005	2006
Pays	B	SN	CH	USA	MAR	CH	F	CAN
1er prix	♀ CAN	♂ MAR	♂ VN	♀ USA	♀ F	♂ CAM	♀ CH	♂ B

8 **Ce que nos jeunes pensent de Montréal.**   (§ 6)

Complétez avec «ce qui» ou «ce que».

Aminata

Moi, ~ j'ai aimé le plus, c'est d'avoir rencontré des jeunes d'une autre culture. Et ~ va me manquer au Sénégal, c'est la ville souterraine et le sirop d'érable! Mais, ~ je veux faire un jour, c'est revenir au Québec. J'aimerais bien savoir ~ va arriver à Saganash et James.

Daniel

Moi, ~ m'intéresse, c'est devenir un écrivain célèbre un jour et de vendre beaucoup de livres. Pourtant, je voudrais vraiment savoir ~ il faut faire pour bien connaître les langues. A Montréal, tout le monde est bilingue ~ est important pour trouver un métier!

Bastien

La dictée à Montréal, c'était super! Mais je me demande ~ plaît aux gens dans la ville souterraine. Tout ~ on peut faire là-bas, c'est les magasins. Moi, ~ je préfère, c'est la nature! ~ est dommage, c'est de ne pas avoir vu les baleines sur la côte et les ours de Gaspésie.

9 Communiquer: Les jeunes Québécois et leurs langues

Lisez cet article sur les jeunes Québécois et les deux langues du Québec.

▶ Dans votre quotidien, quelle est la langue d'usage?

Sophie: Je fonctionne toujours en français.

Cindy: Actuellement, je travaille en anglais. J'entre des données informatiques et tout se passe en anglais. D'une certaine façon, cela me permet d'améliorer cette langue seconde.

Patrick: A la maison, c'est uniquement en français. Au travail, c'est peut-être 20% de toutes mes activités qui se déroulent en anglais.

▶ Et lorsque vous regardez la télévision?

Julie: Je regarde des films en anglais. Mais pour les nouvelles, c'est toujours en français.

Mikaël: Il m'arrive de regarder le hockey en anglais.

Sébastien: J'écoute les nouvelles en français et presque tout le reste en anglais. Je trouve qu'il y a plus de choix en anglais et, pour les films, j'ai horreur des traductions.

© www.panorama-quebec.com /Portraits des Québécois/Les Québécois et les jeunes

A vous.

1. *Combien de langues apprenez-vous? Laquelle trouvez-vous facile ou difficile? Pourquoi?*
2. *Regardez-vous des DVD ou des vidéos dans une autre langue que l'allemand?*
3. *Etes-vous déjà allés dans un autre pays? Quelles langues avez-vous déjà rencontrées?*

10 Informationen in Medien recherchieren und aufbereiten (→ SB2, L4 + L7)

Stratégie

Ihr wollt ein Kurzreferat auf Französisch vorbereiten. Wie geht ihr vor?

1. Überlegt euch genau, welche einzelnen Aspekte für euer Thema in Frage kommen und legt euch entsprechende Schlüsselwörter zurecht.
2. Besorgt euch in einer Bibliothek, einem Zeitungsverlag, einem *Institut culturel* oder einer anderen kulturellen Einrichtung Literatur und Material zu eurem Thema.
3. Gebt bei einer Internet-Suchmaschine (www.google.fr) euren Suchbegriff ein, schaut euch unter den jeweiligen Titeln die Buchbesprechungen an und wählt die besten aus.
4. Sucht auch bei anderen, möglichst französischen Internetadressen nach Informationen und kopiert wichtige Textstellen in eine eigene Datei oder druckt sie aus.
5. Notiert euch jeweils die Quelle dazu. Arbeitet mit „offiziellen" Seiten, die ihr im Impressum, unter der Kontaktadresse und am aktuellen Datum erkennt.
6. Wertet nun die Informationen aus: markiert wichtige Stellen, ordnet sie in sinnvoller Reihenfolge einzelnen Kapiteln zu und legt eine Gliederung fest.
7. Erstellt nun euren eigenen Text (ca. 1 DIN-A4-Seite). Vergesst nicht die Quellenangaben.

A vous. *Faites un exposé sur le Québec: la géographie, les habitants, les langues et la culture.*

www.panorama-quebec.com / www.quebec-info.de
www.jeunes.gouv.qc.ca
www.bonjourquebec.de/www.tv5.ca

Lautzeichen

Vokale

[a]   madame; wie das deutsche *a*.
[e]   café, manger, regardez;
      geschlossenes *e*, etwa wie in *geben*.
[ɛ]   il fait, il est, merci; offenes *ä*,
      etwa wie in *Ärger*.
[i]   il, dessiner; geschlossener als das deutsche *i*,
      Lippen stark spreizen; etwa wie in *Liebe*.
[o]   photo, allô, aussi; geschlossenes *o*, wie in *Rose*.
[ɔ]   l'école, alors, collège; offenes *o*,
      offener als in *Loch*.
[ø]   deux, monsieur; geschlossenes *ö*,
      etwa wie in *böse*.
[œ]   sœur, neuf, heure; offenes *ö*,
      bei kurzem Vokal etwa wie in *Röcke*.
[ə]   le, demain; der Laut liegt zwischen
      [œ] und [ø], näher bei [œ], etwa wie in *Farbe*.
[u]   où, bonjour; geschlossenes *u*, etwa wie in *Ufer*.
[y]   tu, rue, salut; geschlossenes *ü*, etwa wie in *Tüte*.

Nasalvokale

[ɛ̃]   **un**, chi**en**, lu**n**di, cop**ain**; nasales [ɛ]
[õ]   **on**, s**on**t, n**om**; nasales [o]
[ɑ̃]   d**an**s, ch**am**bre, je pr**en**ds; nasales [ɑ]

Die Nasalvokale haben im Deutschen
keine Entsprechung.
Beachte: *un, lundi:* Neben [ɛ̃] hört man
in Frankreich auch [œ̃] = nasales [œ].

Konsonanten

[f]   frère, **ph**oto; wie das deutsche *f* in *falsch*.
[v]   devant, il arrive; wie das deutsche *w* in *werden*.
[s]   sœur, c'est, ça, re**s**ter, atten**t**ion;
      stimmloses *s*, wie in *Los*; als Anlaut
      vor Vokal ist *s* immer stimmlos.
[z]   phra**s**e, mai**s**on, il**s** arrivent, **z**éro;
      stimmhaftes *s*, wie in *Esel*; zwischen zwei Vokalen
      ist *s* stimmhaft.
[ʃ]   je **ch**erche; stimmloses *sch*, wie in *schön*.
[ʒ]   **j**e, bon**j**our, éta**g**e; stimmhaft wie *j* in *Journalist*.
[ɲ]   campa**gn**e; klingt *nj* wie das *gn* in *Kognak*.
[ŋ]   in Wörtern aus dem Englischen,
      z. B. camping.
[ʀ]   **r**egarder; Zäpfchen-Reibelaut; wird auch
      am Wortende und vor Konsonant deutlich
      ausgesprochen.

Die nicht erwähnten Konsonanten sind den deutschen
sehr ähnlich. Bei [p], [b], [t], [d], [k], [g] ist jedoch
darauf zu achten, dass sie ohne „Hauchlaut" gesprochen
werden.

Halbkonsonanten

[j]   quart**i**er; weicher als das deutsche *j* in *ja*.
[w]   **ou**i, t**oi**; flüchtiger [u]-Laut, gehört
      zum folgenden Vokal.
[ɥ]   c**ui**sine, je s**ui**s, h**ui**t; flüchtiger [y]-Laut,
      gehört zum folgenden Vokal.

Symbole und Abkürzungen			
D	Deutsch	→	Vergleiche mit …
F	Französisch	↔	Achte auf den Unterschied zwischen
E	Englisch	=	bedeutet
I	Italienisch	≠	ist das Gegenteil von
SP	Spanisch	*inv.*	unveränderlich
⬡	Vokabelnetz	*m.*	*masculin* (= maskulin)
iii	Wortfamilie	*f.*	*féminin* (= feminin)
✎	Schreibung	*pl.*	*pluriel* (= Plural)
👄	Aussprache	*sg.*	*singulier* (= Singular)
!	Achtung!	qc	*quelque chose* (= etwas)
☺	leicht zu merken	qn	*quelqu'un* (= jemand)
fam.	*familier* (= umgangssprachlich)	jd.	jemand
ugs.	umgangssprachlich	jdn.	jemanden
		jdm.	jemandem

Zu Beginn jeder *Leçon* steht ein **Tipp zum Vokabellernen**. Probiere ihn aus: Hilft er dir beim Lernen und Behalten der Wörter?

Die neuen Wörter in den ⟨**Album**⟩- und ⟨**Plateau**⟩-Teilen werden in den folgenden Lektionen nicht

als bekannt vorausgesetzt. Sie werden auf den Seiten selbst in **Fußnoten** erklärt, sofern ihre Bedeutung nicht leicht erschließbar ist.

In der Übersicht *Pour faire les exercices de ce livre* findest du die Vokabeln der Arbeitsanweisungen.

LEÇON 1

TIPP Präge dir Wörter mit einem kleinen Satz oder mit einem Reim ein, den du immer wieder vor dich hin sprichst, z. B. *Il est jaloux, c'est fou.* (Er ist eifersüchtig, das ist verrückt.)

Entrée · Un été en Normandie

la **Normandie** [lanɔʀmãdi]

Elodie [elɔdi]
un **œil**/des **yeux** [ɛ̃nœj/dezjø]

→ Abk. Elo [elo]

die Normandie *(Region im Norden Frankreichs)*
Elodie *(weibl. Vorname)*
ein Auge/Augen

avoir les yeux bleus: blaue Augen haben

Laurent [lɔʀã]
Fécamp [fekã]

Charlotte [ʃaʀlɔt]
une **plage** [ynplaʒ]
sur la plage [syʀlaplaʒ]
le **volley** [lɔvɔlɛ]
un **mec** *(fam.)* [ɛ̃mɛk]
fort/forte [fɔʀ/fɔʀt]
canon *(fam.) (inv.)* [kanõ]
un **t-shirt** [ɛ̃tiʃœʀt]
des **lunettes de soleil** *(f., pl.)*
  [delynɛtdəsɔlɛj]
branché/branchée *(fam.)*
  [bʀãʃe/bʀãʃe]
moins beau que [mwɛ̃bokə]
aussi sportif que [osispɔʀtifkə]
l'**air** *(m.)* [lɛʀ]

gentil/gentille [ʒãti/ʒãtij]
un **cheveu**/des **cheveux**
  [ɛ̃ʃ(ə)vø/deʃ(ə)vø]

SP → la playa
= à la plage
~ est un sport qu'on joue sur la plage.

C'est un mec très ~.

✏️ F ⟷ E T-shirt

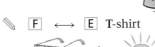 + de +

Laurent porte
  un t-shirt ~.

Tu as ~ fatigué. Tu n'as pas dormi?

On aime toujours les gens ~.[1]

Laurent *(männl. Vorname)*
Fécamp *(frz. Stadt am Ärmelkanal)*
Charlotte *(weibl. Vorname)*
ein Strand
am Strand
der Volleyball
ein Kerl *(ugs.)*
stark
abgefahren *(ugs.)*
ein T-Shirt
eine Sonnenbrille

„in", „up to date" *(ugs.)*

weniger schön als
ebenso sportlich wie
die Luft; *(hier)* das Aussehen
nett
ein Haar/Haare

avoir les cheveux noirs: schwarze Haare haben

---
[1] gentils

court/courte [kuʀ/kuʀt]	≠ long	kurz
un **short** [ɛ̃ʃɔʀt]	 F ⟷ E shorts	Shorts (pl.)
timide/timide [timid/timid]	Luc a peur de parler. Il est ~.	schüchtern
baraqué/baraquée (fam.)	Il est ~, grand et fort.	kräftig, breitschultrig (ugs.)
[baʀake/baʀake]		
plus [ply(s)]	Il travaille ~ que son frère	mehr
le plus cool [ləplykul]		der coolste (ugs.)

Texte Une bonne leçon

1 une **leçon** [ynləsõ]	◯ ✎ F ⟷ E lesson	eine Lektion
retrouver qn [ʀətʀuve]	trouver	jdn. wieder finden; (hier)
		jdn. treffen
se baigner [səbeɲe]	la salle de bains	baden
dingue/dingue (fam.)	On fait du camping?	bekloppt (ugs.)
[dɛ̃g/dɛ̃g]	– En hiver? Tu es ~?	
2 un **port** [ɛ̃pɔʀ]	Dans ~, il y a beaucoup de bateaux.	ein Hafen
David [david]		David (männl. Vorname)
un **stage** [ɛ̃staʒ]	! F ⟷ E the stage = die Bühne	ein Praktikum
un **stage de voile** [ɛ̃staʒdəvwal]		ein Segelkurs
proposer à qn de faire qc	Tu as un problème? Je ~[1] de t'aider.	jdm. vorschlagen, etw. zu
[pʀɔpoze]		tun
ouais (fam.) [wɛ]	= oui	mhm (ugs.)
3 **pourtant** [puʀtã]	Je n'ai pas gagné. ~, je suis content.	dennoch, trotzdem
avouer qc [avwe]	Qui a fait ça? Personne ne veut l'~.	etw. zugeben, etw. gestehen
4 un **jean** [ɛ̃dʒin]	◯ ✎ F ⟷ E jeans	eine Jeans, ein Paar Jeans
5 une **soirée** [ynswaʀe]	un soir	ein Abend
flasher sur qn/qc (fam.) [flaʃe]	= avoir le coup de foudre	auf jdn./etw. abfahren
	pour qn	(ugs.)
6 **donc** [dõk]	La prof est là. ~, le cours commence.	also
8 **pendant que** (Konjunktion)	→ pendant (Präposition)	während
[pãdãkə]		
s'allonger [salõʒe]	long	sich hinlegen, sich ausstre-
		cken

s'allonger: je m'allonge, nous nous allongeons; je me suis allongé(e)

Dommage! [dɔmaʒ]		Schade!
se moquer de qn [səmɔke]	Il y a des élèves qui ~[2] des profs.	sich über jdn. lustig
		machen
9 **hyper** [ipɛʀ]	hyper cool (fam.) = mega-cool (ugs.)	hyper-, über-
depuis que (Konjunktion)	→ depuis (Präposition)	seit
[dəpɥikə]		
se balader (fam.) [səbalade]	= se promener	spazieren gehen

---

[1] propose — [2] se moquent

un **baratineur**/une **baratineu-se** *(fam.)* [ɛ̃baʀatinœʀ/ ynbaʀatinøz]

Quelqu'un qui parle trop est ~.

ein Schwätzer, eine Quasselstrippe *(ugs.)*

10 **draguer** qn *(fam.)* [dʀage]

Ce mec voulait me ~, mais j'ai dit «non»!

jdn. anbaggern, jdn. anmachen *(ugs.)*

12 une **nouille** *(fam.)* [ynuj]

Elodie ne sort jamais. – Quelle ~!

eine Nudel; *(hier)* eine Tranfunzel *(ugs.)*

ou bien … ou bien [ubjɛ̃ … ubjɛ̃]

entweder … oder

13 **meilleur**/**meilleure** [mɛjœʀ/ mɛjœʀ]

Ton idée est nulle! – Tu as une ~[1] idée?

besser *(Steigerungsform von «bon»)*

 ⟷

18 **Arrête ton cinéma!** *(fam.)* [aʀɛtɔ̃sinema]

Hör auf mit dem Theater! *(ugs.)*

c'est pourquoi [sɛpuʀkwa] → pourquoi; E that's why

deshalb

ne … plus jamais [nə … plyʒamɛ]

Je ~ veux ~ te voir!

nie mehr

19 **demander pardon** à qn [dəmãdepaʀdɔ̃]

Je n'ai pas été gentille avec toi. Je te ~[2].

sich bei jdm. entschuldigen

à partir de [apaʀtiʀdə]

Nous sommes en vacances ~[3] 1er juin.

von … an

un **adolescent**/une **adolescente** [ɛ̃nadɔlesã/ynadɔlesãt]

~ est un garçon ou une fille entre 12 et 20 ans.
→ Abk. un ado/une ado [ɛ̃nado/ynado]

ein Jugendlicher/eine Jugendliche

Radio Ados [ʀadjoado]

Radio Ados *(Name eines Radiosenders für Jugendliche)*

Pratique

1 **résumer** qc [ʀezyme]
une **dispute** [yndispyt]
3 **Loïc** [loik]
Arnaud [aʀno]
souligner qc [suliɲe]
5 un **sujet** [ɛ̃syʒɛ]

 un résumé
se disputer

une ligne; → un mot souligné
le ~ de la phrase ⟷ le ~ du texte

etw. zusammenfassen
ein Streit
Loïc *(männl. Vorname)*
Arnaud *(männl. Vorname)*
etw. unterstreichen
ein Subjekt; *(hier)* ein Thema

un **filet à mots** [ɛ̃fileamo]
7 un **sketch** [ɛ̃skɛtʃ]
une **poche** [ynpɔʃ]

✎ F des sketchs ⟷ E sketches
Il sort son porte-monnaie de sa ~ et paie.

ein Vokabelnetz
ein Sketch
eine Tasche; eine Hosentasche

 + de +

das Taschengeld

l'**argent de poche** *(m.)* [laʀʒãdəpɔʃ]
8 un **conseil** [ɛ̃kɔ̃sɛj]
9 une **explication** [ynɛksplikasjɔ̃]
interdire à qn de faire qc [ɛ̃tɛʀdiʀ]

Arrête de lui donner des ~[4], il a 20 ans.
expliquer qc à qn
Le docteur lui ~[5] de boire du café.

ein Rat, ein Ratschlag
eine Erklärung
jdm. verbieten, etw. zu tun

interdire wird konjugiert wie **dire:** j'interdis, nous interdisons; j'ai interdit ❗ vous interdisez

---

[1] meilleure – [2] demande pardon – [3] à partir du
[4] conseils – [5] a interdit

s'excuser [sɛkskyze]   Loïc a bousculé ce monsieur. Il faut ~.   sich entschuldigen

10 le **français standard**   das Standardfranzösisch
  [ləfʀɑ̃sɛstɑ̃daʀ]   *(frz. Hochsprache)*

> Im **français standard** sagt man: «Oui» [wi]. In der Umgangs-
> sprache, dem **français familier**, hört man häufig: «Ouais» [wɛ].

11 le **sable** [ləsabl]   Sur la plage, les enfants jouent dans ~.   der Sand

     un **coquillage** [ɛ̃kɔkijaʒ]   Dans le sable, on trouve souvent des ~[1].   eine Muschel

     une **oreille** [ynɔʀɛj]   ein Ohr

12 une **cigarette** [ynsigaʀɛt]   F = E   eine Zigarette

     fumer [fyme]   rauchen

En France

La Normandie

Die **Normandie** ist eine Region im Nordwesten Frankreichs. Ihr Name geht zurück auf die Normannen, ein nordgermanisches Seefahrervolk, das im 9. Jahrhundert zahlreiche Eroberungszüge unternahm.

Die Normandie teilt sich in die *Basse-Normandie* mit der Hauptstadt *Caen* [kɑ̃] und die industriereiche *Haute-Normandie* mit der Hauptstadt *Rouen* [ʀwɑ̃] und der Hafenstadt *Le Havre* [ləavʀ]. Die Landschaft ist vor allem in der *Basse-Norman-die* geprägt von Feldern, Obstwiesen und den *bocages*, einer Wiesenlandschaft mit kleinen bewaldeten Hügeln. Von hier kommt eine der berühmtesten frz. Käsesorten, der *Camembert*. Das Wetter in der Normandie ist mild und es regnet oft. Trotzdem sind die weiten Strände der Normandie mit Ihren vielen Ferienorten wie *Deauville* [dovil] oder *Fécamp* [fekɑ̃] sehr beliebte Reiseziele. Bekannt sind auch die weißen Kreideklippen von *Etretat* [etʀəta].

Révisions

Parler de quelqu'un – Über jemanden sprechen

avoir l'air	Il a l'air sportif.	Er sieht sportlich aus.
avoir les yeux …	Il a les yeux verts.	Er hat grüne Augen.
avoir les cheveux …	Il a les cheveux noirs.	Er hat schwarze Haare.
faire … mètres*	Il fait un mètre soixante-quinze.	Er ist 1,75 m groß.
être moins … que	Il est moins grand que Victor.	Er ist kleiner als Victor.
être aussi … que	Il est aussi sympa que Luc.	Er ist genauso nett wie Luc.
être plus … que	Il est plus intéressant que Marc.	Er ist interessanter als Marc.
être le … le plus … de	Il est le garçon le plus drôle de la classe.	Er ist der lustigste Junge der Klasse

*Wörter, die hier zur Vervollständigung zusätzlich erwähnt werden.

---

[1] coquillages

Révisions

Un soir – une soirée?

Im Französischen unterscheidet man zwischen einem Abend als Zeitpunkt *(un soir)* und einem Abend im Verlauf *(une soirée).*
So ist es auch bei *un jour/une journée* und *un an/une année:*

Hier **soir**, Luc et Zoé sont sortis.	Gestern Abend sind Luc und Zoé ausgegangen.
Ils ont dansé pendant **toute la soirée**.	Sie haben den ganzen Abend getanzt.
C'était **un beau jour** de vacances.	Es war ein schöner Ferientag.
On a passé **toute la journée** à la plage.	Wir waren den ganzen Tag am Strand.
Charlotte a **14 ans**.	Charlotte ist 14 Jahre alt.
Cette année, elle va avoir 15 ans.	Dieses Jahr wird sie 15.

LEÇON 2

TIPP Kannst du dir ein Wort nicht merken? Versuche, eine Eselsbrücke zu bauen, z. B. *avouer* (zugeben): *„Auweh, auweh:* zugeben tut so weh."

Entrée	**Découvrir la Bourgogne**

la **Bourgogne** [labuʀgɔɲ]	das Burgund *(Region im Zentrum Frankreichs)*
l'**Yonne** *(f.)* [ljɔn]	die Yonne *(Name eines Flusses und eines Departements in der Bourgogne)*
la **Côte-d'Or** [lakot(ə)dɔʀ]	die Côte-d'Or *(Name eines Departements in der Bourgogne)*
le **cassis** [ləkasis]	die schwarze Johannisbeere

la **moutarde** [lamutaʀd]	der Senf
la **Nièvre** [lanjɛvʀ]	Nièvre *(Name eines Flusses und eines Departements in der Bourgogne)*
la **Saône-et-Loire** [lasonelwaʀ]	das Saône-et-Loire *(Dep. in der Bourgogne)*

un **escargot** [ɛ̃ɛskaʀgo]	eine Schnecke
une **église** [ynegliz]	eine Kirche
Chapaize [ʃapɛz]	Chapaize *(Dorf in der Bourgogne)*
le **nord** [lənɔʀ]	der Norden
l'**ouest** *(m.)* [lwɛst]	der Westen
l'**est** *(m.)* [lɛst]	der Osten

au nord de: nördlich von; **au sud de**: südlich von;
à l'est de: östlich von; **à l'ouest de**: westlich von

un **journal de bord** [ɛ̃ʒuʀnaldəbɔʀ]	→ un journal	ein Logbuch; *(hier)* ein Reisebericht
Barbara [baʀbaʀa]		Barbara *(weibl. Vorname)*
Fritz [fʀits]		Fritz *(Familienname)*
un **lycée** [ɛ̃lise]	Après quatre ans au collège, les élèves vont au ~ pour trois ans.	ein Gymnasium

> Das **lycée** in Frankreich dauert drei Jahre und entspricht der deutschen Sekundarstufe II.

Gutenberg [gytɛ̃bɛʀ]		Gutenberg *(Johannes Gutenberg, Erfinder des Buchdrucks)*
Mayence [majɑ̃s]		Mainz *(Landeshauptstadt von Rheinland-Pfalz)*
un **voyage** [ɛ̃vwajaʒ]	Nous faisons ~ en train.	eine Reise
un **car** [ɛ̃kaʀ]	[!] [F]  [E]	ein Reisebus
Dijon [diʒõ]		Dijon *(Stadt im Osten Frankreichs)*

Les surprises du voyage

1 une **excursion** [ynɛkskyʀsjõ]		ein Ausflug
un **centre-ville** [ɛ̃sɑ̃tʀəvil]	Où est l'hôtel de ville? – Au ~.	ein Stadtzentrum
la **place Darcy** [laplasdaʀsi]		die Place Darcy *(Platz im Zentrum von Dijon)*
à pied [apje]	**en** bus/**en** métro/**en** avion ⟷ **à pied**	zu Fuß
le **Palais des Ducs** [ləpalɛdedyk]		der Palais des Ducs *(ehemaliger Palast der Herzöge der Bourgogne)*
un **toit** [ɛ̃twa]	De la tour, on voit les ~[1] des maisons.	ein Dach
avant de faire qc [avɑ̃də]	Réfléchis ~ répondre.	bevor man etw. tut
caresser qn/qc [kaʀese]	Mon chien est gentil. Tu peux le ~.	jdn./etw. streicheln
une **chouette** [ynʃwɛt]		eine Eule
ce que [səkə]	Dis-moi ~ tu veux.	was *(Relativpronomen, Objekt)*
chouette/chouette [ʃwɛt/ʃwɛt]	Faire des excursions, c'est ~.	nett, toll
2 un **porte-bonheur** [ɛ̃pɔʀt(ə)bɔnœʀ]	[iii] (ap)porter qc	ein Glücksbringer
un **nez** [ɛ̃ne]	[E] nose; [I] naso; [SP] nariz	eine Nase
un **siècle** [ɛ̃sjɛkl]	100 ans, c'est ~. [SP] siglo	ein Jahrhundert
ce qui [səki]	Dis-moi ~ t'intéresse.	was *(Relativpronomen, Subjekt)*
un **symbole** [ɛ̃sɛ̃bɔl]	La tour Eiffel est le ~ de Paris.	ein Symbol; ein Wahrzeichen

---

[1] toits

3 **Beaune** [bon]

Beaune *(Stadt in der Region Bourgogne)*

après avoir fait qc [apʀɛzavwaʀ]

Elle est allée au lit ~ fait ses devoirs.

nachdem man etw. getan hat

une **autoroute** [ynotoʀut]

Il y a trop de voitures sur l'~.

eine Autobahn

s'arrêter [saʀete]

 un arrêt; arrêter qn

anhalten

le **péage** [ləpeaʒ]

→ payer

die Mautstelle

> Le **péage**: Seit den 1950er Jahren muss man auf französischen Autobahnen eine Maut (Gebühr) bezahlen.

un **ticket** [ɛtikɛ]

= un billet

ein Fahrschein; *(hier)* ein (Kassen)Beleg

une **demi-heure** [ynd(ə)mijœʀ]

30 minutes, c'est ~.

eine halbe Stunde

une **station-service** [ynstasjõsɛʀvis]

eine Tankstelle

lequel/laquelle/lesquels/lesquelles [ləkɛl/lakɛl/lekɛl/lekɛl]

Voilà l'ordinateur avec ~[1] je travaille le plus souvent.

welcher/welche/welches *(Relativpronomen)*

une **carte postale** [ynkaʀt(ə)pɔstal]

Ecrivez-moi ~ pendant les vacances.

eine Postkarte

un **pain d'épice** [ɛpɛ̃depis]

ein Gewürzbrot *(Lebkuchenspezialität aus Dijon)*

un **bonbon** [ɛ̃bõbõ]

😃

ein Bonbon

un **jambon** [ɛ̃ʒãbõ]

Un sandwich au ~, s'il vous plaît.

ein Schinken

4 le **Moyen Age** [ləmwajɛnaʒ]

Les années entre 476 et 1453, c'est ~.

das Mittelalter

l'**Hôtel-Dieu** [lɔtɛldjø]

= un hôpital

das Hospiz *(in Beaune)*

dont [dõ]

Voilà la BD ~ nous avons parlé.

dessen/deren, von dem/von der/von denen *(Relativpronomen)*

Laure [lɔʀ]

Laure *(weibl. Vorname)*

une **nuit blanche** [ynnɥiblãʃ]

= une nuit où on ne dort pas

eine schlaflose Nacht

une **sieste** [ynsjɛst]

SP la siesta

ein Mittagsschlaf

une **pharmacie** [ynfaʀmasi]

eine Apotheke; ein Medikamentenschrank, eine Hausapotheke

plein de/**pleine** de [plɛ̃/plɛn]

Votre lettre est ~[2] fautes.

voll mit

l'**herbe** *(f.)* [lɛʀb]

→ les herbes de Provence

das Gras; *(hier)* das Kraut

5 un **chancelier**/une **chancelière** [ɛ̃ʃãsəlje/ynʃãsəljɛʀ]

 chancellor

ein Kanzler/eine Kanzlerin

soigner qn/qc [swaɲe]

Il faut ~ votre jambe cassée.

jdn./etw. pflegen

faire envie à qn [fɛʀãvi]

jdn. neidisch machen

6 **lourd**/**lourde** [luʀ/luʀd]

Je ne peux pas porter ça; c'est trop ~.

schwer; *(hier)* umfangreich

Chalon-sur-Saône [ʃalõsyʀson]

Chalon-sur-Saône *(Stadt in der Region Bourgogne)*

---

[1] lequel — [2] pleine de

par contre [paʀkɔ̃tʀ]
Pierre travaille. Paul, ~, ne travaille pas.
hingegen, dagegen

une **photographie**
[ynfɔtɔgʀafi]
 F ⟷ E photography
eine Fotografie

C'est le pied! *(fam.)* [sɛləpje]
= C'est génial!
Das ist der Hammer! *(ugs.)*

Nicéphore Niepce
[nisefɔʀnjɛps]
Nicéphore Niepce *(einer der Erfinder der Fotografie)*

le **monde** [ləmɔ̃d]
→ tout le monde
die Welt

> le **monde**: die Welt – la **terre**: die Erde

une **raison** [ynʀɛzɔ̃]
Tu es tombée? Mais ce n'est pas ~ pour pleurer!
ein Grund

numérique/numérique
[nymeʀik/nymeʀik]
un numéro
digital

7 **Louhans** [luɑ̃]
Louhans *(Kleinstadt in der Region Bourgogne)*

un **poulet** [ɛ̃pulɛ]
cocorico [kɔkɔʀiko]
F ⟷ E cock-a-doodle-doo
ein Huhn, ein Hühnchen
kikeriki

Coco [kɔko]
Coco *(weibl. Vorname)*

Pratique

2 **Marsannay** [maʀsanɛ]
Marsannay *(Weinort in der Region Bourgogne)*

une **route** [ynʀut]
→ une autoroute; E road
eine (Land)Straße

> Das Wort „la **route**" bezieht sich auf Landstraßen.
> In geschlossenen Ortschaften wird von „la **rue**" gesprochen.

3 **malheureusement**
[maløʀøzmɑ̃]
unglücklicherweise, leider *(Adv.)*

4 un **kir** [ɛ̃kiʀ]

ein Kir *(Weißwein mit Johannisbeerlikör)*

5 un **département** [ɛ̃depaʀtəmɑ̃]
La Côte-d'Or est ~ français.
ein Departement

> Ein **Departement** ist eine französische Verwaltungseinheit.
> Frankreich gliedert sich in 26 Regionen (régions), diese
> in 100 Departements (davon 96 in Europa und 4 in Übersee), diese
> wieder in 342 Verwaltungsbezirke (arrondissements) und diese
> schließlich in 36.679 Kommunen (communes). Alle Departements
> sind nach dem Alphabet durchnummeriert, wobei diese Nummern
> gleichzeitig die ersten Stellen der Postleitzahl bilden.

6 une **expression** [ynɛkspʀesjɔ̃]
Que veut dire l'~ «C'est le pied!»?
ein Ausdruck

une **définition** [yndefinisjɔ̃]
Dans un dictionnaire, on trouve la ~ des mots qu'on ne connaît pas.
eine Definition, eine Beschreibung

7 **Sophie** [sɔfi]
Sophie *(weibl. Vorname)*

inventer qc [ɛ̃vɑ̃te]　　　　Nicéphore Niepce ~[1] la photographie.　　　etw. erfinden
être mort(e) [ɛtRəmɔR(t)]　≠ être né(e)　　　　　gestorben sein, tot sein
8 **possible/possible** [pɔsibl/　🫦 F ⟷ E possible　　　möglich
　　pɔsibl]
9 **Florian** [flɔRjɑ̃]　　　　　　　　　　　　　　　　　　Florian *(männl. Vorname)*
10 **Autun** [otɛ̃]　　　　　　　　　　　　　　　　　　　Autun *(Stadt im Departe-*
　　　　　　　　　　　　　　　　　　*ment Saône-et-Loire)*

une **ruine** [ynRɥin]　　　　　　　　　　　　　　　　eine Ruine
romain/romaine [Rɔmɛ̃/　🫦 ✏ F ⟷ E Roman　römisch
　　Rɔmɛn]

Révisions

Les repas – die Mahlzeiten

Au petit-déjeuner, on mange …	Zum Frühstück isst man …	**Au dessert, on mange …**	Zum Nachtisch isst man …
du **pain**	Brot	des **fruits** *(m.)*	Früchte/Obst
des **croissants*** *(m.)*	Croissants	des **bananes** *(f.)*	Bananen
avec du **beurre**	mit Butter	des **oranges** *(f.)*	Orangen
des **céréales*** *(f.)*	Getreide, *hier*: z. B. Corn-flakes	des **pommes** *(f.)*	Äpfel
		des **crêpes** *(f.)*	Pfannkuchen
		de la **crème chantilly**	Schlagsahne
Au déjeuner* ou au dîner***, on mange …**	Zum Mittagessen oder zum Abendessen isst man …	du **chocolat**	Schokolade
		de la **tarte aux pommes**	Apfelkuchen
de la **viande*** [vjɑ̃d]	Fleisch	des **glaces** *(f.)*	Eis
du **poisson**	Fisch	du **gâteau**	Kuchen
des **nouilles** *(f.)*	Nudeln	… ou du **fromage**	… oder Käse
des **frites** *(f.)*	Pommes frites		
des **pommes de terre** *(f.)*	Kartoffeln	**Et on boit …**	Und man trinkt …
des **sandwichs** *(m.)*	Sandwiches	des **boissons** *(f.)*	Getränke
des **baguettes** *(f.)*	Baguettes	du **café**	Kaffee
un **œuf**/des **œufs** *(m.)* [ɛ̃nœf/dezø]	ein Ei/Eier	du **thé***	(schwarzer) Tee
du **jambon**	Schinken	du **lait**	Milch
du **magret de canard**	Entenbrust	de l'**eau minérale** *(f.)*	Mineralwasser
du **poulet**	Hähnchen	du **jus d'orange**	Orangensaft
des **légumes** *(f.)*	Gemüse	du **jus de pomme**	Apfelsaft
des **tomates** *(f.)*	Tomaten	du **coca**	Cola
des **choux de Bruxelles** *(m.)*	Rosenkohl	de la **limonade***	Limonade
de la **salade**	Salat	du **vin**	Wein
		un **kir**	Kir
		du **champagne**	Champagner

*Wörter, die hier zur Vervollständigung zusätzlich erwähnt werden.

---

[1] a inventé

En France

La Bourgogne

Das **Burgund** ist eine Region im Zentrum Frankreichs. Die Hauptstadt ist *Dijon*. Der germanische Stamm der *Burgunder* drang ab 300 n. Chr. ins damalige Gallien ein und gründete ein Königreich. Im 9. Jahrhundert wurde Burgund ein reiches Herzogtum, im 15. Jahrhundert sogar ein eigener Staat. Das Burgund wird heute wegen des guten Essens, der berühmten Weine und wegen vieler Baudenkmäler von Touristen aus aller Welt besucht. Sehenswürdigkeiten sind z. B. die römischen Ruinen in *Autun*, die großen Klosteranlagen *Cluny* [klyni] und *Cîteaux* [sito] oder das *Hôtel-Dieu* in *Beaune*, ein Krankenhaus aus dem 15. Jahrhundert mit seinem vielfarbigen Dach.

LEÇON 3

TIPP   Achte beim Lernen auf Ähnlichkeiten mit anderen Sprachen, z. B. ⬚F *une raison* → ⬚E *a reason* (⬚D *ein Grund*).

Entrée   **Un clown au collège**

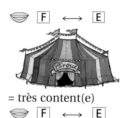 

un **clown** [ɛ̃klun]	👄 ⬚F ⟷ ⬚E	ein Clown
Lyon [ljõ]		Lyon *(Stadt im Osten Frankreichs)*
Nathan [natã]		Nathan *(männl. Vorname)*
un **cirque** [ɛ̃siʀk]		ein Zirkus
heureux/heureuse [øʀø/øʀøz]	= très content(e)	glücklich
l'**Europe** *(f.)* [løʀɔp]	👄 ⬚F ⟷ ⬚E	Europa
Franconi [fʀɑ̃kɔni]		Franconi *(Familienname)*
heureusement [øʀøzmã]	≠ malheureusement	glücklicherweise *(Adv.)*
seulement [sœlmã]	Il y a ~ des filles ? – Non, aussi des garçons.	nur

Texte   **Rebelle N° 10**

1 un **rebelle**/une **rebelle** [ɛ̃ʀəbɛl/ ynʀəbɛl]	👄 ✎ ⬚F ⟷ ⬚D	ein Rebell/eine Rebellin; *(hier) (Name einer Schülerzeitung)*
Nouria [nuʀja]		Nouria *(weibl. Vorname)*
Babaka [babaka]		Babaka *(männl. Vorname)*
2 un **enfant du voyage** [ɛ̃nɑ̃fɑ̃dyvwajaʒ]	Un enfant qui travaille dans un cirque.	ein Zirkuskind

Gens du voyage, „fahrende Leute", werden Menschen genannt, die mit ihrer Arbeit von Stadt zu Stadt ziehen, z. B. mit einem Zirkus oder einem Jahrmarktgeschäft.

mieux [mjø]	Komparativ von *bien*	besser *(Adv.)*
aimer mieux qc [ememjø]	Tu aimes Paris ? – J'~[1] Lyon.	etw. lieber mögen

---

[1] aime mieux

vraiment [vʀɛmɑ̃]
C'est difficile? – Oui, c'est ~ difficile.
wirklich

s'occuper de qn/qc [sɔkype]
Quand maman n'est pas là, papa ~¹ de nous.
sich mit jdm./etw. beschäftigen; sich um jdn./etw. kümmern

libre/libre [libʀ/libʀ]
La place est encore ~? – Non, elle est prise.
frei

s'entraîner [sɑ̃tʀene]
Nous ~² pour ce match.
trainieren, üben

> **s'entraîner**: je m'entraîne, tu t'entraînes, il s'entraîne, nous nous entraînons, vous vous entraînez, ils s'entraînent; je me suis entraîné(e)

un **singe** [sɛ̃ʒ]
ein Affe

Bodo [bɔdo]
Bodo *(männl. Vorname)*

malheureux/malheureuse
[maløʀø/maløʀøz]
 ≠ heureux/heureuse
unglücklich

la **rentrée** [laʀɑ̃tʀe]
📊 une entrée, rentrer
der Schul(jahres)beginn

> Der Tag der **Rentrée (scolaire)**, an dem die Schule nach den Sommerferien wieder anfängt, ist in Frankreich sehr wichtig. In den Tagen davor werden alle Schulbücher gekauft. Viele Schüler werden von ihren Eltern für diesen Tag neu eingekleidet.

s'habituer à qn/qc [sabitɥe]
Je n'aime pas quitter Lyon. Je ~³ aux gens ici.
sich an jdn./etw. gewöhnen

une **matière** [ynmatjɛʀ]
Les maths, l'allemand: ce sont des ~⁴.
ein Unterrichtsfach

l'**histoire-géographie**
[listwaʀʒeɔgʀafi]
→ une matière à l'école,
→ Abk. l'histoire-géo
Geschichte und Erdkunde

une **chaise** [ynʃɛz]
ein Stuhl

s'endormir [sɑ̃dɔʀmiʀ]
≠ se réveiller
einschlafen

> **s'endormir** wird konjugiert wie **dormir**: je m'endors, nous nous endormons; je me **suis endormi(e)**

une **infirmerie** [ynɛ̃fiʀməʀi]
eine Krankenstation

normal/normale [nɔʀmal/nɔʀmal]
normal

3 un **beur**/une **beur(ette)** *(fam.)*
[ɛ̃bœʀ/ynbœʀ(ɛt)]
ein „Beur"/eine „Beur" *(ugs.) (ein in Frankreich geborenes Kind nordafrikanischer Einwanderer)*

le **verlan** [ləvɛʀlɑ̃]
das Verlan

> Das **Verlan** ist eine Art Geheimsprache, in der einzelne Silben und Buchstaben vertauscht werden (*ver-lan* kommt von *à l'envers* = verkehrt herum). Beispiele: ouf = fou; zarbi = bizarre

un **Arabe**/une **Arabe**
[ɛ̃naʀab/ynaʀab]
ein Araber/eine Araberin

---

¹ s'occupe – ² nous entraînons – ³ me suis habitué(e) – ⁴ matières

l'**Algérie** *(f.)* [alʒeri] · Algerien

Algerien: Das nordafrikanische Land war früher eine französische Kolonie und wurde 1962 nach einem langen Krieg unabhängig. Französisch ist neben dem Arabischen die wichtigste Sprache. Viele Algerier wanderten nach Frankreich aus und suchten dort Arbeit.

longtemps [lõtã]	Il a plu ~? – Oui, toute la nuit.	lange *(Adv.)*
un **étranger**/une **étrangère** [ɛ̃netʀɑ̃ʒe/ynetʀɑ̃ʒɛʀ]	Un ~ m'a demandé son chemin.	ein Ausländer/eine Ausländerin
se sentir [səsɑ̃tiʀ]	Je ne ~[1] pas bien; je suis malade.	sich fühlen

se sentir: je me sens, tu te sens, il se sent, nous nous sentons, vous vous sentez, ils se sentent; je me **suis senti(e)**

complet/complète [kõplɛ/kõplɛt]	Il y a 32 cartes: le jeu est ~.	vollständig
une **moitié** [ynmwatje]	Quelle est la ~ de 100? – 50.	eine Hälfte
à moitié [amwatje]		zur Hälfte
un **quart** [ɛ̃kaʀ]	→ un quart d'heure	ein Viertel
un **dixième** [ɛ̃dizjɛm]	= $^1/_{10}$	ein Zehntel
Je m'en fous! *(fam.)* [ʒəmɑ̃fu]	On se moque de nous! – ~	Das ist mir schnuppe! *(ugs.)*
l'**arabe** [laʀab]	Pour les Français, l'arabe est difficile à apprendre.	das Arabische
un **pour cent** *(inv.)* [ɛ̃puʀsɑ̃]	= 1% ⟷ E one **per** cent	ein Prozent
4 un **contrôleur**/une **contrôleuse** [ɛ̃kõtʀolœʀ/ynkõtʀoløz]		ein Kontrolleur/eine Kontrolleurin
exact/exacte [egza(kt)/egzakt]	2 et 2 font 4? – Oui, c'est ~.	genau
contrôler qn/qc [kõtʀole]	Dans le bus, on ~[2] mon billet.	jdn./etw. kontrollieren
un **million** [ɛ̃miljõ]	F un ~ ⟷ D eine Million	eine Million

Folgt auf **million(s)** ein Nomen, so wird es mit **de/d'** angeschlossen: trois millions d'habitants ⟷ trois mille habitants

5 **le plus … possible** [ləply(z) … pɔsibl]	Il court ~ vite ~.	möglichst, so … wie möglich
tranquille/tranquille [tʀɑ̃kil/tʀɑ̃kil]	Elle n'est pas en colère, elle est ~.	ruhig, brav
avoir besoin de faire qc [avwaʀbəswɛ̃]	J'ai soif. J'~[3] boire quelque chose.	etw. tun müssen
calme/calme [kalm/kalm]		ruhig, still
voyager [vwajaʒe]	un voyage	fahren, reisen

voyager wird konjugiert wie **manger**: je voyage, nous voyageons; j'ai voyagé

---

[1] me sens — [2] a contrôlé — [3] ai besoin de

faire qc **au noir** [fɛʀ … onwaʀ]

etw. „schwarz" machen
(ohne Berechtigung)

un **procès-verbal**
[ɛ̃pʀɔsɛvɛʀbal]

→ Abk. un P. V. [ɛ̃peve]

ein Strafzettel

rapide/rapide [ʀapid/ʀapid]

Le TGV est très ~.

schnell

un **sourire** [ɛ̃suʀiʀ]

🔊 rire

ein Lächeln

Pratique

1 un **emploi du temps**
[ɛ̃nɑ̃plwadytɑ̃]

ein Stundenplan

2 **anglais/anglaise** [ɑ̃glɛ/ɑ̃glɛz]

englisch

un **sondage** [ɛ̃sɔ̃daʒ]

On fait ~ pour savoir l'avis des gens sur
une question.

eine Umfrage

6 la **technologie** [latɛknɔlɔʒi]

🔊 F ⟷ D

die Technologie; *(hier)* der
technisch-naturwissen-
schaftliche Unterricht

un **laboratoire** [ɛ̃labɔʀatwaʀ]

→ Abk. un labo [ɛ̃labo]

ein Labor(atorium)

7 **prendre position** sur qn/qc
[pʀɑ̃dʀəpozisjɔ̃]

zu jdm./etw. Stellung
beziehen

8 un **tiers** [ɛ̃tjɛʀ]

= $^1/_3$

ein Drittel

un **élève sur deux**
[ɛ̃nelɛvsyʀdø]

= la moitié des élèves

jeder zweite Schüler

En France

Lyon

Die Stadt **Lyon** liegt am Zusammenfluss der Flüsse *Rhône* [ʀon] und *Saône* [son] im östlichen Zentralfrankreich. Lyon ist die Hauptstadt der Region *Rhône-Alpes* und mit ca. 445 000 Einwohnern die drittgrößte Stadt Frankreichs (nach Paris und Marseille [maʀsɛj]). Durch die verkehrsgünstige Lage im Rhônetal wurde Lyon schon im Mittelalter zum Handelszentrum. Heute ist Lyon eine moderne Großstadt mit U-Bahn, verschiedenen Universitäten, Forschungseinrichtungen und zahlreichen Wirtschaftunternehmen.
Seit dem 18. Jahrhundert wird in Lyon Seide hergestellt. Und noch heute ist Lyon eine Stadt der Textil- und der Modeindustrie. An der *Université de la Mode* werden Mode-Designer ausgebildet. Lyon ist die Partnerstadt von Frankfurt am Main.

Révisions

Les résultats d'un sondage – Die Ergebnisse einer Umfrage

La moitié de la classe pense que …	Die Hälfte der Klasse denkt, dass …
Un élève sur deux est content d'avoir …	Jeder zweite Schüler ist zufrieden … zu haben.
50 pour cent des élèves sont contre …	50 Prozent der Schüler sind gegen …
Les trois quarts des élèves sont pour …	Drei Viertel der Schüler sind für …
Un tiers des élèves n'est pas d'accord.	Ein Drittel der Schüler ist nicht einverstanden.
Un cinquième des élèves est d'avis que …	Ein Fünftel der Schüler ist der Meinung, dass …
Seulement un sixième des élèves veut …	Nur ein Sechstel der Schüler will …

LEÇON 4

Entrée   Etre ado à Nice

Nice [nis] — Nizza *(Stadt im Südosten Frankreichs)*

un **instrument** [ɛ̃nɛ̃stʀymɑ̃]
La guitare est ~ de musique.
ein Instrument

un **saxophone** [ɛ̃saksɔfɔn]
ein Saxofon

🗣 ✏ F ⟷ D
👥 une devinette

deviner qc [dəvine]
etw. erraten

un **métier de rêve** [ɛ̃metjedəʀɛv]
Je veux devenir actrice; c'est mon ~!
ein Traumberuf

le **baccalauréat** [ləbakalɔʀea]
~ est l'examen à la fin du lycée.
→ Abk. le bac [ləbak]
das Abitur

Das französische **baccalauréat** entspricht in etwa dem deutschen Abitur. Das klassische **bac** am Ende des *lycée* kann wie folgt abgelegt werden: 1. *le bac économique et social* (Wirtschaft, Politik, Geografie, Geschichte, Sprachen); 2. *le bac littéraire* (frz. Literatur, Philosophie, Geografie, Geschichte, Sprachen); 3. *le bac scientifique* (Mathematik, Physik, Biologie).

la **Star-Académie** [lastaʀakademi]
Star-Académie *(entspricht der Sendung „Deutschland sucht den Superstar")*

une **comédie musicale** [ynkɔmedimysikal]
🎵 la musique
ein Musical, eine Show

un **batteur** [ɛ̃batœʀ]
Samira est le ~ du groupe? – Non, c'est Jérémie.
ein Schlagzeuger/eine Schlagzeugerin

⚠ une batteuse = eine Mähdreschmaschine

Nice-Rugby [nisʀygbi]
Nice-Rugby *(Sportverein in Nizza)*

Texte   Une histoire de «oufs»!

1 **nice-matin** [nismatɛ̃]
nice-matin *(Name einer lokalen Tageszeitung)*

un **succès** [ɛ̃syksɛ]
🗣 ✏ F ⟷ E success
ein Erfolg

former qc [fɔʀme]
Elodie et Bruno ~[1] un groupe.
etw. gründen

---

[1] ont formé

un **saxophoniste**/une **saxo-phoniste** [ɛ̃saksɔfɔnist/ynsaksɔfɔnist]
suivre qn/qc [sɥivʀ]

 un saxophone

ein Saxofonspieler/eine Saxofonspielerin

jdm./etw. folgen

suivre: je suis, tu suis, il suit, nous suivons, vous suivez, ils suivent; j'ai **suivi**
[!] je suis (ich folge) ⟷ je suis (ich bin)!
suivre qc = etw. **ver**folgen: Mes parents suivent les informations à la radio.

passer à la télé [pasealatele]
France 3 [fʀɑ̃s(ə)tʀwa]

quelques *(pl.)* [kɛlk(ə)]
filmer qn/qc [filme]
une **répétition** [ynʀepetisjõ]
C'est notre première télé.
[sɛnɔtʀəpʀəmjɛʀtele]
le **trac** [lətʀak]
2 un **niveau** [ɛ̃nivo]
espérer qc [ɛspeʀe]

Dans le texte, il y a ~ fautes.
 un film
 répéter qc; → Abk. une répète

→ la peur
☺
J'~[1] que mon père sera d'accord.

einen Fernsehauftritt haben
France 3 *(Name eines französischen Fernsehsenders)*
einige, wenige
jdn./etw. filmen
eine Probe
Das ist unser erster Fernsehauftritt.
das Lampenfieber
ein Niveau
etw. hoffen

espérer wird konjugiert wie **préférer**: j'espère, nous espérons; j'ai espéré

un **contrat** [ɛ̃kõtʀa]
Carrère [kaʀɛʀ]
3 **s'asseoir** [saswaʀ]

👄 ✏️ [F] ⟷ [E] contract

ein Vertrag
Carrère *(Familienname)*
sich setzen

s'asseoir: je **m'assois**, tu **t'assois**, il **s'assoit**, nous **nous asseyons**, vous **vous asseyez**, ils **s'assoient**; je **me** suis **assis(e)**

un **type** [ɛ̃tip]
C'est trop! *(fam.)* [sɛtʀo]
un **pote**/une **pote** *(fam.)*
[ɛ̃pɔt/ynpɔt]
halluciner *(fam.)* [alysine]
enregistrer qc [ɑ̃ʀəʒistʀe]

= un mec

= un copain/une copine

ein Typ
Das gibt's ja nicht! *(ugs.)*
ein Kumpel *(ugs.)*

völlig abdrehen *(ugs.)*
etw. aufnehmen, etw. aufzeichnen

4 **riche**/**riche** [ʀiʃ/ʀiʃ]
rebelle/**rebelle** [ʀəbɛl/ʀəbɛl]
offrir qc à qn [ɔfʀiʀ]

≠ pauvre
 un rebelle/une rebelle
= donner qc à qn

reich
aufrührerisch
jdm. etw. anbieten, jdm. etw. schenken

offrir wird konjugiert wie **ouvrir**: j'offre, tu offres, il offre, nous offrons, vous offrez, ils offrent; j'ai **offert**

---

[1] espère

mourir [muʀiʀ] — Je ~[1] de faim. — sterben

> **mourir:** je m**eurs**, tu m**eurs**, il m**eurt**, nous m**ourons**, vous m**ourez**, ils m**eurent**; il/elle est **mort(e)**

le **courage** [ləkuʀaʒ] — 👄 F ⟷ E — der Mut
un **bikini** [ɛ̃bikini] — — ein Bikini
dehors [dəɔʀ] — — draußen, im Freien
5 un **accueil** [ɛ̃nakœj] — J'ai reçu un très bon ~. — ein Empfang; *(hier)* eine Auftaktseite
un **forum de discussion** [ɛ̃fɔʀɔmdədiskysjõ] — — ein (Diskussions)Forum *(im Internet)*
grâce à qn/qc [gʀas] — J'ai réussi ~ ton aide. — durch jdn./etw.
engagé/engagée [ãgaʒe/ãgaʒe] — J'aime les chanteurs ~[2]. — engagiert
le **pop** [ləpɔp] — 🎵 la musique — der Pop
bref/brève [bʀɛf/bʀɛv] — ≠ long/longue — kurz
devenir qn/qc [dəvəniʀ] — 📊 venir — jd./etw. werden

> **devenir** wird konjugiert wie **venir**: je dev**iens**, nous dev**enons**; je suis **devenu(e)**

un **artiste**/une **artiste** [ɛ̃naʀtist/ynaʀtist] — 👄 ✎ F ⟷ E artist — ein Künstler/eine Künstlerin
6 **en direct** [ãdiʀɛkt] — — „live"
Antibes [ãtib] — — Antibes *(Stadt im Departement Alpes-Maritimes)*
Cannes [kan] — — Cannes *(Stadt im Departement Alpes-Maritimes)*

Pratique

2 le **Futuroscope** [ləfytyʀɔskɔp] — das Futuroscope

> Der **Futuroscope** ist der europäische Park des Bildes und der Kommunikation und liegt nördlich der Stadt Poitiers im Departement Vienne.

une **lettre** [ynlɛtʀ] — 📊 littérature — 𝕬𝕭𝕮 *(hier)* ein Buchstabe
6 **chacun/chacune** [ʃakɛ̃/ʃakyn] — = tout le monde — jeder/jede/jedes
8 la **télé-réalité** [lateleʀealite] — — das Reality-Fernsehen
11 **Laura** [lɔʀa] — — Laura

---

[1] meurs — [2] engagés

Révisions

La langue des jeunes

Wenn du mit französischen Jugendlichen zusammen bist, hörst du sicherlich viele umgangssprachliche Wörter, die du gerne verstehen möchtest. Wenn du selbst Französisch sprichst, hältst du dich als Ausländer aber besser an die „normale" Standardsprache. Vor allem im Gespräch mit Erwachsenen fallen umgangssprachliche Wörter sehr unangenehm auf.

Jugendsprache		Standardsprache
un **ado**/une **ado** [ɛ̃nado/ynado]	ein Jugendlicher/eine Jugend-liche	un **adolescent**/une **adolescente**
un **mec** [ɛ̃mɛk]	ein Kerl	un **homme**, un **garçon**
un **type** [ɛ̃tip]	ein Typ	un **homme**, un **garçon**
une **nana** [ynana]	eine Tussi	une **femme**, une **fille**
un **pote** *(fam.)* [ɛ̃pɔt]	ein Kumpel	un **copain**
un **baratineur**/une **baratineuse** [ɛ̃baʀatinœʀ/ynbaʀatinøz]	ein Schwätzer/eine Quassel-strippe	qn qui parle trop, un **bavard**/une **bavarde*** [ɛ̃bavaʀ/ynbavaʀd]
une **nouille** [ynnuj]	*(hier)* ein Blödmann, eine Tran-funzel	un **idiot**/une **idiote*** [ɛ̃nidjo/ynidjɔt]
un **blème**	ein Problem	un **problème**
le **fric** [ləfʀik]	die Knete	l'**argent** (m.)
les **fringues** [lefʀɛ̃g]	die Klamotten	les **vêtements**
canon *(inv.)* [kanõ]	spitze; echt geil	très **bien**
branché [bʀɑ̃ʃe]	„in"/„up to date"/„hip"	à la **mode**
baraqué/**baraquée** [baʀake]	kräftig, breitschultrig	**grand**(e) et **fort**(e)
le/la plus cool du groupe [lə/laplykuldygʀup]	der/die Coolste der Gruppe	qn qui est **agréable**, **excellent***
dingue [dɛ̃g]	bekloppt; irre	**fou/folle**
ouais [wɛ]	mhm	**oui**
qn **flashe sur** qn [flaʃ]	bei jdm. funkt es (beim Anblick von jdm.)	qn **a le coup de foudre pour** qn
draguer qn [dʀage]	jdn. anbaggern, anmachen	**faire la cour** à qn*
Je m'en fous!	Das ist mir schnuppe!	Ça m'est **égal**.*
J'en ai rien à foutre!/ **J'en ai marre!**	Ich habe es satt!	J'en ai **assez**.
C'est trop!	Das gibt's ja gar nicht! *(ugs.)*	C'est **incroyable**.*
halluciner [alysine]	abdrehen *(ugs.)*	être très **étonné**(e)*
une **répète** [ynʀepɛt]	eine (Musik)Probe	une **répétition**
la **zique** [lazik]	die Musik	la **musique**
d'acc [dak]	okay	**d'accord**

*Wörter, die hier zur Vervollständigung zusätzlich erwähnt werden.
Sie werden in den folgenden Lektionen nicht als Lernwortschatz vorausgesetzt.

En France

Nice

Nizza (frz. *Nice*) ist die Hauptstadt des Départements *Alpes-Maritimes* [alpmaʀitim] und liegt direkt am Mittelmeer, an der *Côte d'Azur* [kotdazyʀ]. Im Hinterland, nur 50 km von der Küste entfernt, erheben sich die Alpen. Mit seinen Uferpromenaden, seinen vielen Hotels, seinem 7,5 km langen Strand und seinem Yachthafen zieht Nizza jährlich Millionen von

Besuchern an. Die meisten der 383.000 Einwohner leben vom Tourismus und vom Handel. Nizza hat aber auch eine große Universität, und das nahe gelegene *Sophia Antipolis* ist ein modernes Ausbildungs- und Forschungszentrum für Hochtechnologie. Nizza ist die Partnerstadt von Nürnberg.

LEÇON 5

TIPP Lerne Wörter soweit wie möglich mit ihrem Gegenteil, z. B. *le matin ≠ le soir* oder *se lever ≠ se coucher*.

Entrée **Au pays des livres**

consoler qn [kõsɔle]	Djamel est triste. Il faut le ~.	jdn. trösten
droit *(Adv.)* [dʀwa]	Elle me regarde ~ dans les yeux.	geradewegs; *(hier)* direkt
un **tiroir** [ētiʀwaʀ]		eine Schublade
un **bureau** [ẽbyʀo]	Tu as un stylo ? – Oui, regarde sur mon ~.	ein Arbeitszimmer; *(hier)* ein Schreibtisch

un **pistolet** [ẽpistɔlɛ]		eine Pistole
Valérian [valeʀjã]		Valérian *(männl. Vorname)*
Bonin [bɔnē]		Bonin *(Familienname)*
Antonin [ãtɔnē]		Antonin *(männl. Vorname)*
fermer qc [fɛʀme]	≠ ouvrir qc	etw. schließen
Carnac [kaʀnak]		Carnac *(Ort in der Bretagne)*

une **côte** [ynkot]	E̲ coast; I̲ + S̲P̲ costa	eine Küste
un **menhir** [ēmeniʀ]	Obélix, l'ami d'Astérix, fait ~[1].	ein Menhir, ein Hinkelstein
Lorient [lɔʀjã]		Lorient *(Stadt in der Bretagne)*

une **île** [ynil]	S̲P̲ isla	eine Insel
l'**île de Groix** [lildəgʀwa]		die Ile de Groix *(Insel vor der Küste der Bretagne)*

Auf der **Ile de Groix** werden seit langer Zeit Thunfische gefangen. Auf der Turmspitze der Eglise de Groix befindet sich sogar ein Thunfisch anstelle des üblichen Wetterhahns.

---

le **calme** [ləkalm]	calme/calme	die Ruhe, die Gelassenheit
Locmaria [lɔkmaʀja]		Locmaria *(Stadt auf der Ile de Groix)*
la **pêche** [lapɛʃ]	un poisson	die Fischerei
un **thon** [ētõ]	un grand poisson de mer	ein Thunfisch

---

[1] des menhirs

Texte   L'île aux lutins

1 un **lutin** [ɛ̃lytɛ̃] — — ein Lausejunge; *(hier)* ein Kobold

rouler [Rule] — Sur l'autoroute, on peut ~ vite. — fahren

évident/évidente [evidɑ̃/evidɑ̃t] — Je vais gagner ce match! – Ce n'est pas ~! — klar, offensichtlich

la **Bretagne** [labRətaɲ] — — die Bretagne *(Region im Nordwesten Frankreichs)*

une **crêperie** [ynkRɛpRi] — une crêpe — ein Crêpe-Restaurant

2 un **virage** [ɛ̃viRaʒ] — — eine Kurve

3 une **voix** [ynvwa] — Luc chante bien. Il a une belle ~. — eine Stimme

une **fée** [ynfe] — — eine Fee

hé [e] — — he, du da

méchant/méchante [meʃɑ̃/meʃɑ̃t] — ≠ gentil — gemein, böse

la **mort** [lamɔR] — 🔊 mourir — der Tod

4 une **seconde** [ynsəgɔ̃d] — 👄 ✎ F seconde ⟷ D Sekunde — eine Sekunde

une **fenêtre** [ynfənɛtR] — Il fait chaud; ouvre la ~. — ein Fenster

éteindre qc [etɛ̃dR] — ~¹ les cigarettes et la télé, s'il vous plaît. — etw. ausmachen, etw. ausschalten

> **éteindre**: j'éteins, tu éteins, il éteint, nous éteignons, vous éteignez, ils éteignent; j'ai **éteint**

une **lampe** [ynlɑ̃p] — 👄 F ⟷ D — eine Lampe

craindre qn/qc [kRɛ̃dR] — = avoir peur de qn/qc — jdn./etw. fürchten

> **craindre**: je crains, tu crains, il craint, nous craignons, vous craignez, ils craignent; j'ai **craint**

énormément [enɔRmemɑ̃] — = beaucoup — sehr; unheimlich viel

une **lumière** [ynlymjɛR] — On ne voit rien. Qui a éteint la ~. — ein Licht

Morgane [mɔRgan] — — Morgane *(weibl. Vorname)*

> **Morgane** oder **Morgana** ist eine Figur aus der keltischen Mythologie. Sie kommt auch in der Sage von König Artus und seiner Tafelrunde vor.

N'aie pas peur! [nepapœR] — — Hab keine Angst!

Grand Thon [gRɑ̃tɔ̃] — — Grand Thon *(Märchenfigur)*

attaquer qn/qc [atake] — E to attack; I attaccare; SP atacar — jdn./etw. angreifen

déclarer qc à qn [deklaRe] — Jules ~² qu'il ne voulait plus aller à l'école. — jdm. etw. erklären

une **guerre** [yngɛR] — Dans ~, beaucoup de gens meurent. — ein Krieg

---

¹ Eteignez — ² a déclaré

se plaindre de qn/qc [səplɛ̃dʀ]   C'est ta faute! Ne ~[1] pas de moi.   sich über jdn./etw. beschweren, sich über jdn./etw. beklagen

> **se plaindre** wird konjugiert wie **craindre**: je me plains, nous nous plaignons; je me **suis plaint**(e)

un **chevalier** [ɛ̃ʃəvalje]      ein Ritter

> ⚠ une chevalière = ein Siegelring

5   **au début** [odeby]   ≠ à la fin   zu Anfang
    sérieux/sérieuse   🫦 ✎ F ⟷ E serious   ernst(haft), seriös
      [seʀjø/seʀjøz]
    un **cheval**/des **chevaux**   📊 chevalier; I cavallo;   ein Pferd/Pferde
      [ɛ̃ʃ(ə)val/deʃ(ə)vo]   SP caballo
    peindre qc [pɛ̃dʀ]   📊 la peinture   etw. anmalen, etw. anstreichen

> **peindre** wird konjugiert wie **éteindre**: je peins, nous peignons; j'ai peint

un **visage** [ɛ̃vizaʒ]   Les yeux et le nez se trouvent sur le ~.   ein Gesicht
en face de qn/qc [ɑ̃fas]   gegenüber von jdm./etw.
finalement [finalmɑ̃]   📊 la fin, finir, enfin   schließlich, zum Schluss
battre qn [batʀ]   → un batteur   jdn. schlagen, jdn. besiegen

> **battre**: je **bats**, tu bats, il bat, nous **battons**, vous battez, ils battent; j'ai **battu**

magique/magique [maʒik/   🫦 ✎ F ⟷ E magic(al)   magisch, zauberhaft
      maʒik]
la **magie** [lamaʒi]   📊 magique/magique   die Zauberei
laisser qc [lese]   Zut! J'~[2] mon cahier à la maison.   etw. (zurück)lassen
repartir [ʀəpaʀtiʀ]   📊 partir   (wieder) weggehen; *(hier)* wegfahren

la **marée** [lamaʀe]   📊 la mer   die Gezeiten *(pl.)*

> Das Wort **marée** bezeichnet allgemein die Gezeiten.
> la marée basse = die Ebbe
> la marée haute = die Flut

se coucher [səkuʃe]   ≠ se lever   sich schlafen legen, sich hinlegen

---

[1] te plains — [2] ai laissé

6 **se réveiller** [sɔʀeveje]
sentir qc [sãtiʀ]

→ se sentir

aufwachen
etw. riechen, etw. fühlen

sentir wird konjugiert wie **partir**: je sens, nous sentons; j'ai **senti**

une **main** [ynmɛ̃]

eine Hand

Pratique

3 **Yan** [jan]
un **roman policier**
  [ɛ̃ʀɔmãpɔlisje]
5 **commencer** par qc [kɔmãse]

finir par qc [finiʀ]
une **origine** [ynɔʀiʒin]

6 un **absent**/une **absente**
  [ɛ̃nabsã/ynabsãt]
7 **Frédéric** [fʀedeʀik]
rattraper qn/qc [ʀatʀape]
un **synonyme** [ɛ̃sinɔnim]

8 un **charabia** (fam.) [ɛ̃ʃaʀabja]
total/totale [tɔtal/tɔtal]
parfait/parfaite [paʀfɛ/paʀfɛt]
le **breton** [ləbʀətɔ̃]
Rennes [ʀɛn]

Georges Simenon a écrit des ~¹.
  → Abk. un polar [ɛ̃pɔlaʀ]
Le mot «histoire» ~² la lettre «h».

Le mot «histoire» ~³ la lettre «e».
F ⟷ E origin

C'est quelqu'un qui n'est pas là.

→ Abk. Frédé
attraper qn/qc
Un mot qui veut dire la même chose qu'un
  autre, c'est ~.

= complet/complète
F ⟷ E perfect
Yan parle bien le français et ~.

Yan (männl. Vorname)
ein Kriminalroman

mit etw. beginnen, mit etw.
  anfangen
mit etw. aufhören
ein Ursprung; eine Her-
  kunft
ein Abwesender/eine
  Abwesende
Frédéric (männl. Vorname)
jdn./etw. (wieder) einholen
ein Synonym

ein Kauderwelsch (ugs.)
vollständig
perfekt, tadellos
das Bretonische
Rennes (Hauptstadt der
  Bretagne)

┌─ *En France* ───────────────────────

La Bretagne

Die **Bretagne,** die Heimat von *Asterix und Obelix*, ist eine Region im äußersten Westen Frankreichs. Ihr Name kommt von den Bretonen, einem keltischen Volk, das die Halbinsel im 6. Jahrhundert vom heutigen England aus besiedelte. Die Kelten waren aber schon viel früher da: bereits 500 v.Chr. gab es keltische Stämme in der Bretagne. Auf die Kelten gehen viele Legenden und Bräuche sowie die bretonische Sprache zurück. Die geheimnisvollen Steinreihen, die man z. B. bei *Carnac* besichtigen kann, stammen aus der Steinzeit.

Die Region Bretagne mit der Hauptstadt *Rennes* lebt heute vorwiegend vom Gemüseanbau, von Viehzucht und vom Tourismus. Obwohl der Fischfang wegen der internationalen Konkurrenz und der Fischarmut zurückgeht, ist *Concarneau* [kõkaʀno] an der Südküste immer noch der wichtigste Thunfischhafen Frankreichs.
Zur Bretagne gehören auch die vielen vorgelagerten Inseln wie die *Ile d'Ouessant* [ildwesã], *Belle Ile* oder auch die *Ile de Groix*, die beliebte Ferienziele sind.

---

¹ romans policiers − ² commence par − ³ finit par

Révisions

Le jour		≠	la nuit	
pendant la journée	am Tag		dans la nuit	in der Nacht
éteindre la lumière	das Licht ausschalten		allumer* la lumière	das Licht anschalten
ouvrir la fenêtre	das Fenster öffnen		fermer la fenêtre	das Fenster schließen
ce matin	heute Morgen		ce soir	heute Abend
se réveiller	aufwachen		s'endormir	einschlafen
se lever	aufstehen		se coucher	sich hinlegen
le soleil	die Sonne		la lune*	der Mond
à midi	mittags		à minuit	um Mitternacht

*Wörter, die hier zur Vervollständigung zusätzlich erwähnt werden.

Révisions

Des petits mots pour raconter une histoire

quand	als *(zeitlich)*	avant de faire qc	bevor man etwas tut
souvent	oft	après avoir fait qc	nachdem man etw. getan hat
un jour	eines Tages		
alors	nun, jetzt, dann	pour faire qc	um etw. zu tun
d'abord	zuerst	sans avoir fait qc	ohne etw. getan zu haben
puis	dann		
encore	noch, schon wieder	comme *(Satzanfang)*	da, weil
tout à coup	plötzlich	parce que	weil
ensuite	dann, danach	car	denn
pendant ce temps	währenddessen	mais	aber
pendant que	während	pourtant	dennoch, trotzdem
enfin	schließlich, endlich	donc	also
à la fin	schließlich, am Ende	c'est pourquoi	deshalb

MODULE 1

TIPP Sammle das Vokabular zu einem Thema und ordne es in Vokabelnetzen, z. B. zum Thema „Feuer" oder zum Thema "Berufe".

Entrée   35 degrés dans le Midi

le **Midi** [ləmidi]	= le sud (de la France)	der Süden *(Frankreichs)*
Brignoles [bʀiɲɔl]		Brignoles *(Kleinstadt in Südfrankreich)*
Pff! [pf]		Pah!
un **pompier**/une **femme pompier** [ɛ̃põpje/ ynfampõpje]	les métiers	ein Feuerwehrmann/eine Feuerwehrfrau
les **pompiers** *(m., pl.)* [lepõpje]		die Feuerwehr

Texte   **Un camping en flammes**

1 une **flamme** [ynflam]   ☺   eine Flamme
le **Var** [ləvaʀ]   das Var *(Departement im Südosten Frankreichs)*

arrêter qn/qc [aʀete]   📊 un arrêt; s'arrêter   jdn./etw. aufhalten, jdn./etw. stoppen

détruire qc [detʀ ɥiʀ]   On ~¹ la vieille ville pour construire des nouvelles maisons.   etw. zerstören

dont [dõ]   Trois personnes sont mortes ~ un enfant.   *(hier)* darunter

brûler qc [bʀyle]   etw. verbrennen

se brûler la main: sich die Hand verbrennen

sauver qn/qc [sove]   E to save   jdn./etw. retten
une **gendarmerie** [ynʒãdaʀməʀi]   eine Polizeiwache

Die **Gendarmerie** sorgt in ländlichen Gebieten für Ordnung, die Polizei (la **police**) hingegen übernimmt diese Aufgabe in den Städten.

2 **vers** [vɛʀ]   Cette route va ~ Brignoles? – Oui, c'est ça.   gegen, in Richtung
Au feu! [ofø]   Es brennt!
une **clé** [ynkle]   ein Schlüssel
fermer qc **à clé** [fɛʀme … akle]   Avant de partir, on ~² toujours la porte ~³.   etw. abschließen
casser qc [kase]   etw. kaputt machen
3 un **agriculteur**/une **agricultrice** [ɛ̃nagʀikyltœʀ/ ynagʀikyltʀis]   ein Landwirt/eine Landwirtin

Das französische Wort **agriculteur** ebenso wie das deutsche Wort Landwirt sind die heute üblichen Bezeichnungen. Der Begriff **paysan** (Bauer) gilt heute als veraltet bzw. beleidigend.

sec/sèche [sɛk/sɛʃ]   I secco   trocken
jeter qc [ʒəte]   Luc ~⁴ le ballon contre le mur.   etw. werfen

jeter wird konjugiert wie **appeler**: je jette, tu jettes, il jette, nous jetons, vous jetez, ils jettent; j'ai jeté

---

¹ détruit – ² ferme – ³ à clé – ⁴ jette

une **prison** [ynpʀizõ]
4 **faire** [fɛʀ]

avancer [avɑ̃se]

👄 F ⟷ E prison
Les flammes ~[1] 20 mètres
  de haut.
Ça va, les devoirs? – Non,
  nous n'~[2] pas du tout.

ein Gefängnis
(hier) messen

vorankommen

> **avancer** wird konjugiert wie **commencer**: j'avance, nous avançons;
> j'ai avancé

blesser qn [blese]
plusieurs *(inv.)* [plyzjœʀ]

si seulement ... [sisœlmɑ̃]
direct/directe [diʀɛkt/diʀɛkt]
5 un **journal** [ɛ̃ʒuʀnal]

Julie a ~ amies.
  Jules n'en a pas.

→ en direct; F ⟷ D direkt

jdn. verletzen
einige

wenn doch nur ...
direkt
(hier) eine Nachrichtensen-
  dung

Pratique

1 un **lieu**/des **lieux** [ɛ̃ljø/deljø]

5 une **émission** [ynemisjõ]

6 un **baby-sitter**/une **baby-sit-
ter** [ɛ̃bebisitœʀ/ynbebisitœʀ]
une **abréviation** [ynabʀevjasjõ]
7 un **vendeur**/une **vendeuse**
  [ɛ̃vɑ̃dœʀ/ynvɑ̃døz]

11 **TV5 Monde** [tevesɛ̃kmõd]

N'oublie pas de me dire
  le ~ et l'heure.
Qu'est-ce qu'il y a à
  la télé? – ~ sur le Var.
Aline aimes les enfants.
  Elle travaille comme ~.
📊 bref/brève
📊 vendre

ein Ort

eine (Fernseh)Sendung

ein Babysitter/eine Babysit-
  terin
eine Abkürzung
ein Verkäufer/eine Verkäu-
  ferin

TV5 Monde *(Fernsehsender)*

> **TV5 Monde** ist ein internationaler, frankophoner Fernseh-
> sender. Er wird auf allen fünf Kontinenten ausgestrahlt.

En France

Die Provence

Die Region *Provence-Alpes-Côte d'Azur* (abgekürzt *PACA*) ist die bekannteste Ferienregion Frankreichs. Nicht nur die Mittelmeerstrände, sondern auch das Hinterland mit seinen Berglandschaften und Städten wie *Aix-en-Provence* [ɛksɑ̃pʀɔvɑ̃s], *Arles* [aʀl] oder *Avignon* [aviɲõ] sind bei sport- und kulturinteressierten Touristen sehr beliebt.
Der Anbau von Obst, Wein, Blumen und Lavendel sowie der Tourismus sind die wichtigsten Erwerbszweige. Eines der größten Umweltprobleme der Provence sind Waldbrände, die in den trockenen Sommermonaten oft große Flächen des Buschwaldes *(le maquis)* zerstören. Die Ursache für die Brände sind meistens gedankenlose Urlauber, manchmal aber auch schwelende „wilde" Müllkippen oder Brandstifter. Die Waldgebiete sind oft schwer zugänglich, sodass sich die Brände nur mit speziellen Flugzeugen bekämpfen lassen.

[1] font – [2] avançons

Révisions

Proposer qc – einen Vorschlag machen

Je te propose de sortir cet après-midi.	Ich schlage (dir) vor heute Nachmittag auszugehen.
On pourrait faire les magasins. _(fam.)_	Wir könnten die Geschäfte abklappern. _(ugs.)_
Tu as envie d'aller au cinéma?	Hast du Lust ins Kino zu gehen?
Tu es d'accord pour demander à Luc de venir avec nous?	Bist du damit einverstanden Luc zu fragen, ob er mitkommt?
Si on y **allait** en vélo?	Sollen wir mit dem Fahrrad dorthin fahren?
Si on faisait un tour en roller?	Wie wär's, wenn wir eine Runde mit den Rollschuhen drehten?
On va à la piscine! **D'accord?**	Wir gehen ins Schwimmbad, einverstanden?

Révisions

Les métiers

faire un stage	ein Praktikum machen
apprendre un métier	einen Beruf lernen
être professeur/travailler comme professeur	Lehrer(in) sein/als Lehrer(in) arbeiten
un **marchand**/une **marchande**	ein Händler/eine Händlerin
un **principal**/une **principale**	ein Schuldirektor/eine Schuldirektorin
un **acteur**/une **actrice**	ein Schauspieler/eine Schauspielerin
un **agriculteur**/une **agricultrice**	ein Landwirt/eine Landwirtin
un **conducteur**/une **conductrice**	ein Fahrer/eine Fahrerin
un **réalisateur**/une **réalisatrice**	ein Filmregisseur/eine Filmregisseurin
un **dessinateur**/une **dessinatrice**	ein Zeichner/eine Zeichnerin
un **boucher**/une **bouchère***	ein Metzger/eine Metzgerin
un **boulanger**/une **boulangère***	ein Bäcker/eine Bäckerin
un **cuisinier**/une **cuisinière**	ein Koch/eine Köchin
un **policier**/une **policière**	ein Polizist/eine Polizistin
un **chanteur**/une **chanteuse**	ein Sänger/eine Sängerin
un **contrôleur**/une **contrôleuse**	ein Kontrolleur/eine Kontrolleurin
un **déménageur**/une **déménageuse**	ein Möbelpacker/eine Möbelpackerin
un **vendeur**/une **vendeuse**	ein Verkäufer/eine Verkäuferin
un **mécanicien**/une **mécanicienne**	ein Mechaniker/eine Mechanikerin
un **musicien**/une **musicienne**	ein Musiker/eine Musikerin
un **écrivain**/une **femme écrivain***	ein Schriftsteller/eine Schriftstellerin
un **médecin**/une **femme médecin**	ein Arzt/eine Ärztin
un **pompier**/une **femme pompier**	ein Feuerwehrmann/eine Feuerwehrfrau
un **artiste**/une **artiste**	ein Künstler/eine Künstlerin
un **guide**/une **guide**	ein (Fremden)Führer/eine Führerin
un **journaliste**/une **journaliste**	ein Journalist/eine Journalistin
un **pilote**/une **pilote**	ein Pilot/eine Pilotin
un **poète**/une **poète**	ein Dichter/eine Dichterin
un **professeur**/une **professeur**	ein Lehrer/eine Lehrerin

*Wörter, die hier zur Vervollständigung zusätzlich erwähnt werden.

MODULE 2

Entrée **Un cyberprojet**

un **cyberprojet** [ɛ̃sibɛʀpʀɔʒɛ]	ein Internetprojekt, ein Online-Projekt
Marseille [maʀsɛj]	Marseille

Texte **Hambourg–Marseille.com**

1 **venir chercher** qn [vəniʀʃɛʀʃe] La mère ~[1] son petit fils à l'école. jdn. abholen (kommen)
   un **aéroport** [ɛ̃naeʀɔpɔʀ] ein Flughafen
   un **site** [ɛ̃sit] eine Website
   Pâques *(m., pl. oder f., pl.)* [pak] Ostern

2 **le mistral** [ləmistʀal] der Mistral

Der **Mistral** ist ein kalter, trockener Nordwind, der manchmal an der französischen Mittelmeerküste weht.

la **Méditerranée** [lamediteʀane]		das Mittelmeer
une **blague** [ynblag]		ein Scherz; ein Streich
plutôt [plyto]	Ça va bien? – Non, ça va ~ mal.	eher
3 **celui/celle/ceux/celles** [səlɥi/ sɛl/sø/sɛl]	Regarde les garçons. ~[2] qui est est à gauche est mon ami.	jener/jene/jenes
en tout cas [ɑ̃tuka]	Fais ce que tu veux, mais, ~, laisse-moi tranquille.	jedenfalls, auf jeden Fall
fêter qc [fete]		etw. feiern
4 **Salutations distinguées!** [salytasjɔ̃distɛ̃ge]		Mit freundlichen Grüßen! *(Grußformel)*
5 **conduire** qn **à bon port** [kɔ̃dɥiʀ … abɔ̃pɔʀ]		jdn. in den sicheren Hafen führen
une **exposition** [ynɛkspozisjɔ̃]		eine Ausstellung
nécessaire/nécessaire [nesesɛʀ/nesesɛʀ]		nötig
terminer qc [tɛʀmine]	= finir qc	etw. beenden, etw. fertigstellen

F = E I esposizione SP exposición
F ⟷ E necessary

6 **se connecter** [səkɔnɛkte] D'abord, il faut ~ à Internet. sich einloggen
   se planter *(fam.)* [səplɑ̃te] Quand l'ordinateur ne marche plus, il s'est planté. abstürzen *(ugs.)*

   un **logiciel** [ɛ̃lɔʒisjɛl] eine Software, ein (Computer)Programm

---

[1] vient chercher — [2] Celui

essayer qc [eseje]	Cette robe me plaît. Je peux l'~.	etw. versuchen, etw. ausprobieren, etw. anprobieren

> **essayer** wird im Präsens konjugiert wie **envoyer**:
> j'essaie, nous essayons; j'ai **essayé**

une **reine** [ynʀɛn]	 un roi	eine Königin
7 **photographier** qn/qc [fɔtɔgʀafje]	= prendre une photo de qn/qc	jdn./etw. fotografieren
cliquer sur qc [klike]		auf etw. klicken

Pratique

1 une **arrivée** [ynaʀive]	arriver	eine Ankunft
2 une **règle** [ynʀɛgl]	On n'aime pas jouer avec les gens qui ne respectent pas ~[1].	eine Regel
5 **Malika Secouss** [malikasəkus]		Malika Secouss *(Comicfigur)*
6 un **amoureux**/une **amoureuse** [ɛ̃namuʀø/ynamuʀøz] la **Saint Valentin** [lasɛ̃valɑ̃tɛ̃]	amoureux/amoureuse; l'amour *(m.)*	ein Verliebter/eine Verliebte der Valentinstag
franco-allemand/franco-allemande [fʀɑ̃koalmɑ̃/ fʀɑ̃koalmɑ̃d]	la France, français, l'Allemagne, allemand	deutsch-französisch

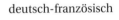

En France

Marseille

Marseille ist mit ca. 900.000 Einwohnern die zweitgrößte Stadt Frankreichs und die Hauptstadt der Region *Provence-Alpes-Côte d'Azur.* Der „Neue Hafen", *le Port Moderne,* ist der größte Hafen des Mittelmeers. Im malerischen *Vieux Port* in der Altstadt liegen heute nur noch kleinere Schiffe, Yachten und Vergnügungsboote. Von dort aus kann man Bootsausflüge in die *Calanques* [kalɑ̃k] unternehmen, die kleinen Steilbuchten zwischen Marseille und *Toulon* [tulɔ̃].

Im Großraum Marseille gibt es Erdölraffinerien, sowie Chemie- und Nahrungsmittelindustrie. Mit seinem Hafen, dem großen Flughafen und Autobahnen ist Marseille auch ein Verkehrsknotenpunkt. Mit dem Hochgeschwindigkeitszug TGV [teʒeve] erreicht man in nur drei Stunden das 800 km entfernte Paris. Marseille ist die Partnerstadt von Hamburg.

---

[1] les règles

Révisions

Wendungen mit dem *Subjonctif*

Forderung/Notwendigkeit

Il faut que *j'écoute.*	Ich muss zuhören.
Je veux que *tu écoutes* bien.	Ich will, dass du gut zuhörst.
Il est nécessaire qu'*on écoute.*	Es ist notwendig, dass wir zuhören.

Persönliche Wertung

Je trouve bête que *nous* n'*écoutions* pas.	Ich finde dumm, dass wir nicht zuhören.
Il est triste que *vous* n'*écoutiez* pas.	Es ist traurig, dass ihr nicht zuhört.
C'est important qu'*ils écoutent.*	Es ist wichtig, dass sie zuhören.

Wunsch und Bitte

Tu aimerais que *je vienne?*	Hättest du gerne, dass ich komme?
Je préfère que *tu* ne *viennes* pas.	Ich hätte lieber, dass du nicht kommst.
Je désire que Luc *vienne* aussi.	Ich wünsche mir, dass Luc auch kommt.
J'ai envie que *nous venions* tous.	Ich habe Lust dazu, dass wir alle kommen.
Je voudrais que *vous veniez* tous.	Ich möchte, dass ihr alle kommt.
Je ne voudrais pas qu'*elles viennent* seules.	Ich möchte nicht, dass sie alleine kommen.

Révisions

C'est pratique, l'informatique!

l'**informatique** (f.)*		**Internet** (m.)	Internet
[lɛ̃fɔʀmatik]	die Informatik	un **site**	eine Website
un **ordinateur**	ein Computer	un **e-mail**	eine E-Mail
un **clavier*** [ɛ̃klavje]	eine Tastatur	un **forum de**	
un **écran**	ein Bildschirm	**discussion**	ein Chat (im Internet)
une **souris**	eine Maus	**installer** qc	etw. installieren
un **programme**	ein Programm	**cliquer** sur qc	auf etw. klicken
un **logiciel**	eine Software	se **connecter** à qc	sich mit etw. verbinden
des **données**		se **planter**	abstürzen
numériques (f., pl.)	digitale Daten	**copier** qc	etw. kopieren

*Wörter, die hier zur Vervollständigung zusätzlich erwähnt werden.
Sie werden in den folgenden Lektionen nicht als Lernwortschatz vorausgesetzt.

MODULE 3

Entrée   Le tour du monde francophone

francophone/francophone [fʀɑ̃kɔfɔn/fʀɑ̃kɔfɔn]
Une partie du Canada est ~.
französischsprachig

le **Canada** [ləkanada]
Kanada

le **Québec** [ləkebɛk]
Quebec

Quebec ist die größte Provinz Kanadas und die mit der größten frankophonen Bevölkerung.

un **Québécois**/une **Québécoise** [ɛ̃kebekwa/ynkebekwaz]
Une personne qui habite au Québec est ~.
ein Quebecer/eine Quebecerin

canadien/canadienne [kanadjɛ̃/kanadjɛn]
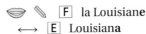 le Canada
kanadisch

un **Martiniquais**/une **Martiniquaise** [ɛ̃maʀtinikɛ/ynmaʀtinikɛz]
la Martinique
ein Martinikaner/eine Martinikanerin

un **Sénégalais**/une **Sénégalaise** [ɛ̃senegalɛ/ynsenegalɛz]
le Sénégal
ein Senegalese/eine Senegalesin

le **flamand** [ləflamɑ̃]
Dans une partie de la Belgique, on parle ~.
das Flämische (niederländische Sprache)

le **Maroc** [ləmaʀɔk]
Marokko

Marokko ist ein Staat in Nordwest-Afrika. Im Osten grenzt es an Algerien. Französisch ist seit dem Ende der Kolonialzeit weiterhin Bildungs- und Geschäftssprache in Marokko.

un **Marocain**/une **Marocaine** [ɛ̃maʀɔkɛ̃/ynmaʀɔkɛn]
le Maroc
ein Marokkaner/eine Marokkanerin

les **Etats-Unis** (m., pl.) [lezetazyni]
die USA

la **Louisiane** [lalwizjan]
F la Louisiane
E Louisiana
Louisiana (ein südlicher Bundesstaat der USA)

Louisiana ist heute ein Bundesstaat der USA. Die ersten französischen Siedler (1699) nannten das Gebiet zu Ehren von König Ludwig XIV. Louisiane. 1762 und 1763 wurden Landesteile an England und Spanien abgetreten. Obwohl das restliche Gebiet schon 1792 an die USA verkauft werden musste, ist der französische Einfluss bis heute spürbar.

un **Américain**/une **Américaine** [ɛ̃ameʀikɛ̃/ynameʀikɛn]
ein Amerikaner/eine Amerikanerin

garder qc [gaʀde]
E to guard
etw. bewachen; (hier) etw. bewahren

une **culture** [ynkyltyʀ]   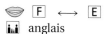 F ⟷ E   eine Kultur

l'**Angleterre** *(f.)* [lɑ̃glətɛʀ]   anglais   England

le **Viêt-nam** [ləvjɛtnam]   Vietnam *(Land in Südost-asien)*

Vietnam wurde 1884 zu einer französischen Kolonie. Mit Ende des zweiten Weltkriegs errang Vietnam die Unabhängigkeit.

la **Chine** [laʃin]   China

une **nationalité** [ynasjɔnalite]   Tu as quelle ~ ? – Je suis Française.   eine Nationalität

---

La dictée des Amériques

1 une **dictée** [yndikte]   Dans le cours de français, on a écrit ~.   ein Diktat

l'**Amérique** *(f.)* [lameʀik]   un Américain/une Américaine   Amerika

conduire qn/qc [kɔ̃dɥiʀ]   un conducteur/ une conductrice   jdn./etw. fahren; *(hier)* jdn. bringen

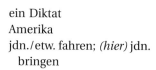

Montréal [mɔ̃ʀeal]    F ⟷ E   Montreal *(größte Stadt in der Provinz Quebec)*

québécois/québécoise [kebekwa/kebekwaz]   le Québec; un Québécois/une Québécoise   aus Quebec

profiter de qn/qc [pʀofite]   Tu as bien ~[1] de tes vacances?   jdn./etw. (aus)nutzen

participer à qc [paʀtisipe]   Tous les élèves ~[2] à l'échange.   an etw. teilnehmen

un **concours** [ɛ̃kɔ̃kuʀ]   Agnès a gagné au ~ de danse.   ein Wettbewerb

représenter qn/qc [ʀəpʀesɑ̃te]   F ⟷ E   jdn./etw. vertreten

un **écrivain**/une **femme écrivain** [ɛ̃nekʀivɛ̃/ynfamekʀivɛ̃]   écrire   ein Schriftsteller/eine Schriftstellerin

célèbre/célèbre [selɛbʀ/selɛbʀ]   Cannes est ~ pour son festival de film.   berühmt

2 un **candidat**/une **candidate** [ɛ̃kɑ̃dida/ynkɑ̃didat]   F un candidat ⟷ D ein Kandidat   ein Kandidat/eine Kandidatin

Dis donc! *(fam.)* [didɔ̃k]   J'ai gagné un million d'euros. – ~!   Sag bloß! *(ugs.)*

autrement [otʀəmɑ̃]   Tu ne comprends pas? Alors, je vais t'expliquer ça ~.   anders

une **fin de semaine** [ynfɛ̃dəsəmɛn]   = le week-end   ein Wochenende

un **froid de canard** *(fam.)* [ɛ̃fʀwadəkanaʀ]    F ⟷ D   eine Hundekälte *(ugs.)*

un **enfer** [ɛ̃nɑ̃fɛʀ]   ≠ un paradis   eine Hölle

d'enfer [dɑ̃fɛʀ]   L'avion faisait un bruit ~.   Höllen-, Riesen-

3 la **neige** [lanɛʒ]   Pour faire du ski, il nous faut de ~.   der Schnee

le **hockey sur glace** [ləɔkɛsyʀglas]   das Eishockey

---

[1] profité – [2] participent

4 un **Indien**/une **Indienne**
[ɛ̃nɛ̃djɛ̃/ynɛ̃djɛn]
5 une **finale** [ynfinal]

la fin; finir;
finalement; enfin

ein Inder/eine Inderin; ein
Indianer/eine Indianerin
ein Finale

nerveux/nerveuse [nɛʀvø/
nɛʀvøz]
une **émission** [ynemisjõ]
un **résultat** [ɛ̃ʀezylta]
un **aéroport** [ɛ̃naeʀopɔʀ]

Quand le prof m'appelle,
je suis si ~ que je ne peux pas répondre.
Qu'est-ce qu'il y a à la télé? – ~ sur le Canada.
☺
👄 ✏ F ⟷ E airport

nervös

eine (Fernseh)Sendung
ein Ergebnis, ein Resultat
ein Flughafen

Pratique

2 **s'intéresser** à qc [sɛ̃teʀɛse]
3 un **quiz** [ɛ̃kwiz]
une **province** [ynpʀɔvɛ̃s]

Tu aimes le sport? – Non, ça ne ~[1] pas.

sich für etw. interessieren
ein Quiz
eine Provinz

Eine **Provinz** in Kanada entspricht in etwa einem
Bundesstaat in den USA.

4 **K-Maro** [kamaʀo]

un single [ɛ̃siŋɡœl]
6 un **conte** [ɛ̃kõt]
camerounais/camerounaise
[kamʀunɛ/kamʀunɛz]

👄 F ⟷ E
 raconter qc

K-Maro *(franko-kanadi-*
scher Rapper)
eine Single
eine Erzählung
kamerunisch

Kamerun war zunächst deutsche Kolonie, dann unter
englischer und französischer Verwaltung. England zog sich
schon bald aus Kamerun zurück. Erst 1960 erhielt Kamerun die
Unabhängigkeit von Frankreich.

En France

Le français dans le monde (vgl. Karte im hinteren Innenumschlag)

Französisch wird nicht nur in Europa gesprochen
(Frankreich, Belgien, Schweiz, Luxemburg,
Monaco). In der kanadischen Provinz Québec ist
Französisch die Muttersprache von über 6 Millio-
nen Menschen. Auch in vielen Ländern Afrikas
spielt das Französische eine wichtige Rolle als
Amtssprache, d. h. es ist die Sprache der Politik,
der Verwaltung und großer Teile der Medien und
des öffentlichen Lebens. In den nordafrikanischen
Staaten Algerien, Tunesien und Marokko hat
Französisch nicht den Status einer Amtssprache,
ist aber eine wichtige Zweitsprache, in der auch

der Unterricht an den höheren Schulen
stattfindet.
Die Gründe für die Stellung des Französischen lie-
gen in der Geschichte: Die meisten dieser Länder
und Gebiete wurden einst von Frankreich oder
Belgien erobert und besiedelt. Durch Verwaltung,
Handel und Schule konnte sich das Französische
in den Kolonien ausbreiten und auch nach der
politischen Unabhängigkeit halten.
Die *Francophonie* ist ein Zusammenschluss von
über 50 Ländern, in denen Französisch gespro-
chen wird.

[1] m'intéresse

Révisions

Les continents* …	Die Kontinente …	l'adjectif
l'Afrique (f.)	Afrika	africain/~e
l'Amérique (f.) du Nord	Nordamerika	nord-américain/~e
l'Amérique (f.) du Sud	Südamerika	sud-américain/~e
L'Asie (f.)*	Asien	asiatique*
l'Australie (f.)*	Australien	australien/~ne*
l'Europe (f.)	Europa	européen/~ne

… et quelques pays	… und einige Länder	l'adjectif	la capitale
l'Algérie (f.)	Algerien	algérien/~ne	Alger*
l'Allemagne (f.)	Deutschland	allemand/~e	Berlin
le Royaume-Uni*	Vereinigtes Königreich	britannique/britannique*	Londres*
l'Autriche (f.)*	Österreich	autrichien/~ne*	Vienne*
la Belgique	Belgien	belge/belge	Bruxelles
le Cameroun*	Kamerun	camerounais/~e	Yaoundé*
le Canada	Kanada	canadien/~ne	Ottawa*
la Chine	China	chinois/~e	Pékin*
l'Espagne (f.)	Spanien	espagnol/~e	Madrid*
les Etats-Unis (m., pl.)	USA	américain/~e	Washington*
la France	Frankreich	français/~e	Paris
l'Italie (f.)	Italien	italien/~ne	Rome*
le Maroc	Marokko	marocain/~e	Rabat*
la Pologne*	Polen	polonais/~e*	Varsovie*
les Pays-Bas (m., pl.)*	Niederlande	néerlandais/~e*; hollandais/~e	Amsterdam*; La Haye*
la Russie*	Russland	russe/russe*	Moscou*
le Sénégal	Senegal	sénégalais/~e	Dakar*
la Suisse	Schweiz	suisse/suisse	Berne
la Tunisie*	Tunesien	tunisien/~ne*	Tunis*
la Turquie*	Türkei	turc/turque*	Ankara*
le Viêt-nam	Vietnam	vietnamien/~ne*	Hanoï*

Die Einwohner eines Landes oder Kontinents schreiben sich gegenüber dem jeweiligen Adjektiv immer mit einem Großbuchstaben. Bei Ländern mit einer einzigen Landessprache deckt sich die männliche Form des Adjektivs zumeist mit dem Namen der Sprache.

*Wörter, die hier zur Vervollständigung zusätzlich erwähnt werden.

– Die *Liste des mots* führt die Wörter aus *Découvertes* Band 1–3 auf. Nicht enthalten ist der Wortschatz aus den ⟨*Album*⟩ und den ⟨*Plateau*⟩-Teilen.
– *Die Zahlen verweisen auf das erstmalige Vorkommen der Wörter, z. B.*
  une **forme** I 3B, 3 eine Form = Band 1, Leçon 3, Lektionsteil B, Übung 3.
  A = Lektionsteil A; **B** = Lektionsteil B; **E** = Lektionsteil *Entrée;* **M** = Module
  Steht hinter der Lektionszahl kein Buchstabe, so wird das betreffende Wort im Textteil der Lektion eingeführt,
  z. B. **facile** I 4 leicht = Band 1, Leçon 4, Text.
– Das Zeichen ⟨ ⟩ bedeutet, dass das Wort in den folgenden Lektionen nicht als bekannt vorausgesetzt wird.
– Grammatische Basiswörter wie z. B. die Subjektpronomen *je, tu,* … usw. sowie die auf den Seiten selbst erklärten Wörter werden in der folgenden Liste nicht aufgeführt.

A

à [a] in I 1
  au club de dessin [oklœbdədesɛ̃] in der Zeichen-AG I 4E
  à deux [adø] zu zweit I 4, 6
  de … à von … bis I 5E
une **abréviation** [ynabʀevjasjõ] eine Abkürzung ⟨III M1, 6⟩
un **absent**/une **absente** [ɛ̃nabsɑ̃/ynabsɑ̃t] ein Abwesender/eine Abwesende III 5, 6
un **accent** [ɛ̃naksɑ̃] ein Akzent, ein Tonfall II 2
un **accident** [ɛ̃naksidɑ̃] ein Unfall II 7B
accompagner qn [akõpaɲe] jdn. begleiten I 8E
un **accueil** [ɛ̃nakœj] ein Empfang; *(hier)* eine Auftaktseite III 4
acheter qc [aʃte] etw. kaufen I 8
un **acteur**/une **actrice** [ɛ̃naktœʀ/ynaktʀis] ein Schauspieler/eine Schauspielerin I 5, 14
une **action** [ynaksjõ] eine Handlung ⟨II 8B, 5⟩
une **activité** [ynaktivite] eine Tätigkeit; *(hier)* eine Freizeitbeschäftigung I 4E
un **adolescent**/une **adolescente** [ɛ̃nadɔlɛsɑ̃/ynadɔlɛsɑ̃t] ein Jugendlicher/eine Jugendliche ⟨II 8B⟩; III 1
adorer qc [adɔʀe] etw. sehr gerne mögen II 1; ⟨I 9A⟩
adorer faire qc [adɔʀe] etw. sehr gern tun II 4, 12
une **adresse** [ynadʀɛs] eine Adresse I 3A
un **aéroport** [ɛ̃naeʀɔpɔʀ] ein Flughafen ⟨III M2⟩; ⟨III M3⟩
une **affaire** [ynafɛʀ] eine Sache, eine Angelegenheit I 8
une **affiche** [ynafiʃ] ein Plakat, ein Poster I 2

l'**âge** *(m.)* [laʒ] das Alter I 4
  Tu as quel âge? [tyakɛlaʒ] Wie alt bist du? I 4
un **agriculteur**/une **agricultrice** [ɛ̃nagʀikyltœʀ/ynagʀikyltʀis] ein Landwirt/eine Landwirtin ⟨III M1⟩
Ah, bon? [abõ] Ach ja?/Wirklich? I 3A
aider qn [ede] jdm. helfen I 6A
aimer qc [eme] etw. lieben, etw. mögen I 2
  j'aimerais faire qc [ʒɛmʀɛ] ich würde gerne (etw. tun) ⟨II 9⟩
  aimer mieux qc [ememjø] etw. lieber mögen III 3
aimer faire qc [emefɛʀ] etw. gerne tun I 6B
l'**air** *(m.)* [lɛʀ] die Luft; *(hier)* das Aussehen ⟨II 8A⟩; III 1E
ajouter qc [aʒute] etw. hinzufügen II 5
un **album** [ɛ̃nalbɔm] ein Album *(hier)* eine CD II 3B
allemand [almɑ̃] deutsch; Deutsch *(als Unterrichtsfach)* I 1
  en allemand [ɑ̃nalmɑ̃] auf Deutsch I 1
aller [ale] gehen, fahren I 5E
  On y va! [õniva] Gehen wir!, Auf geht's! I 6B
  Comment allez-vous? [kɔmɑ̃talevu] Wie geht es Ihnen? I 8E
  Ça va? [sava] Wie geht's? I 1
aller chercher qc [aleʃɛʀʃe] etw. holen I 6B
aller faire qc [alefɛʀ] etw. tun werden I 6E
Allô? [alo] Hallo? *(am Telefon)* I 3A
s'allonger [salõʒe] sich hinlegen, sich ausstrecken III 1
alors [alɔʀ] nun, jetzt, dann I 4
  Ça alors! [saalɔʀ] Na sowas! ⟨I 9A, 3⟩
une **ambiance** [ynɑ̃bjɑ̃s] eine Stimmung, eine Atmosphäre II 6, 3
une **ambulance** [ynɑ̃bylɑ̃s] ein Kran-

kenwagen II 7B
un **Américain**/une **Américaine** [ɛ̃nameʀikɛ̃/ynameʀikɛn] ein Amerikaner/eine Amerikanerin ⟨III M3E⟩
américain/**américaine** [ameʀikɛ̃/ameʀikɛn] amerikanisch ⟨III M3E⟩
un **ami**/une **amie** [ɛ̃nami/ynami] ein Freund/eine Freundin I 5
  un faux ami [ɛ̃fozami] ein falscher Freund I 8, 3
Amicalement. [amikalmɑ̃] Herzliche Grüße! *(Grußformel in einem persönlichen Brief)* II 4, 2
l'**amour** *(m.)* [lamuʀ] die Liebe II 3B
  Tu es un amour! *(fam.)* Du bist ein Schatz! *(ugs.)* II 3B
un **amoureux**/une **amoureuse** [ɛ̃namuʀø/ynamuʀøz] ein Verliebter/eine Verliebte ⟨III M2, 6⟩
amoureux/**amoureuse** [amuʀø/amuʀøz] verliebt II 3A
s'amuser [samyze] sich vergnügen, sich amüsieren II 7B
un **an** [ɛ̃nɑ̃] ein Jahr I 4
  avoir douze ans [avwaʀduzɑ̃] zwölf Jahre alt sein I 4
anglais/**anglaise** [ɑ̃glɛ/ɑ̃glɛz] englisch III 3, 2
  en anglais [ɑ̃nɑ̃glɛ] auf Englisch I 8
un **animal**/des **animaux** [ɛ̃nanimal/dezanimo] ein Tier/Tiere I 4, 8
une **année** [ynane] ein Jahr I 8
un **anniversaire** [ɛ̃naniveʀsɛʀ] ein Geburtstag I 7E
  Bon anniversaire! [bɔnaniveʀsɛʀ] Alles Gute zum Geburtstag! I 7
une **annonce** [ynanõs] eine Anzeige, eine Annonce I 3E
annoncer qc [anõse] etw. ankündigen II 5
août *(m.)* [ut] August I 7, 6
un **appareil** [ɛ̃napaʀɛj] ein Apparat, ein Gerät I 8E

un **appareil photo** [ɛ̃naparɛjfɔto] ein Fotoapparat I 8

un **appartement** [ɛ̃napartəmɑ̃] eine Wohnung I 3E

appeler qn [apəle] jdn. (an)rufen II 5

Bon appétit! [bɔnapeti] Guten Appetit! II 5, 6

applaudir qn [aplodir] jdm. Beifall klatschen II 4

apporter qc à qn [apɔrte] jdm. etw. (mit)bringen II 6E

apprendre qc par cœur [aprɑ̃dr] etw. auswendig lernen I 6B, 10

après [aprɛ] nach, danach I 5

après avoir fait qc [aprɛzavwar] nachdem man etw. getan hat III 2

un **après-midi** [ɛ̃naprɛmidi] ein Nachmittag I 4

à propos [apropo] übrigens I 2E

à propos de qn/qc [apropodə] bezüglich, mit Bezug auf I 2E

un **aquarium** [ɛ̃nakwarjɔm] ein Aquarium II 1E

l'**arabe** (m.) [larab] das Arabische ⟨II 8B⟩; III 3

un **Arabe**/une **Arabe** [ɛ̃narab/ynarab] ein Araber/eine Araberin III 3

arabe [arab] arabisch ⟨I 9A⟩

une **araignée** [ynarɛɲe] eine Spinne II 4

un **arbre** [ɛ̃narbr] ein Baum I 2

l'**argent** (m.) [larʒɑ̃] das Geld ⟨I 9A⟩; II 6, 6

l'argent de poche (m.) [larʒɑ̃dəpɔʃ] das Taschengeld III 1, 7

un **argument** [ɛ̃nargymɑ̃] ein Argument II 1, 1

une **armée** [ynarme] eine Armee, ein Heer ⟨II 9, 8⟩

une **arobase** [ynarɔbaz] „at" (Zeichen in E-Mail-Adressen) II 7E

un **arrêt** [ɛ̃narɛ] ein Halt, eine Haltestelle II 3A

arrêter qn [arete] jdn. anhalten, jdn. festnehmen I 5

Arrêtez! [arete] Hört auf! I 8

arrêter de faire qc [arete] aufhören etw. zu tun II 1, 5

s'arrêter [sarete] anhalten III 2

arrêter qn/qc [arete] jdn./etw. aufhalten, jdn./etw. stoppen ⟨III M1⟩

Arrête ton cinéma! (fam.) [arɛtɔ̃sinema] Hör auf mit dem Theater! (ugs.) III 1

une **arrivée** [ynarive] eine Ankunft ⟨III M2, 1⟩

arriver [arive] (an)kommen I 4

qc arrive à qn [ariv] etw. geschieht jdm., etw. passiert jdm. II 7A

un **article** [ɛ̃nartikl] ein Artikel II 4, 12

un **artiste**/une **artiste** [ɛ̃nartist/ynartist] ein Künstler/eine Künstlerin III 4

s'asseoir [saswar] sich setzen III 4

assez (de) [asedə] genug, genügend I 8

une **assiette** [ynasjɛt] ein Teller I 3B

attacher qc [ataʃe] etw. (fest)binden I 4

attaquer qn/qc [atake] jdn./etw. angreifen ⟨II 9⟩; III 5

attendre qn [atɑ̃dr] auf jdn. warten, jdn. erwarten I 8

Attention! [atɑ̃sjɔ̃] Achtung!, Vorsicht! I 4

l'attention [latɑ̃sjɔ̃] die Aufmerksamkeit I 4

faire attention [fɛratɑ̃sjɔ̃] aufpassen, Acht geben I 5

attraper qn [atrape] jdn. (ein)fangen, jdn. erwischen I 5

une **auberge de jeunesse** [ynobɛrʒdəʒœnɛs] eine Jugendherberge I 8E

au début [odeby] zu Anfang III 5

aujourd'hui [oʒurdɥi] heute I 4

aussi [osi] auch I 2E

aussi sportif que [osisportifkə] ebenso sportlich wie III 1E

l'**automne** (m.) [lotɔn] der Herbst I 7, 6

en automne [ɑ̃notɔn] im Herbst I 7, 6

une **autoroute** [ynotorut] eine Autobahn III 2

un **autre**/une **autre** [ɛ̃notr/ynotr] ein anderer/eine andere I 6B

autre chose [otrəʃoz] etw. anderes II 4, 6

autrement [otrəmɑ̃] anders ⟨III M3⟩

avancer [avɑ̃se] vorankommen ⟨II 8B⟩; ⟨III M1⟩

avant [avɑ̃] vor (zeitlich), vorher II 2

avant de faire qc [avɑ̃də] bevor man etw. tut III 2

avec [avɛk] mit I 1

l'**avenir** (m.) [lavnir] die Zukunft II 3B

une **aventure** [ynavɑ̃tyr] ein Abenteuer ⟨I 9B, 2⟩; II 7E

un **avion** [ɛ̃navjɔ̃] ein Flugzeug II 1

un **avis** [ɛ̃navi] eine Meinung II 6

à mon avis [amɔ̃navi] meiner Meinung nach II 6

avoir [avwar] haben I 4

N'aie pas peur! [nepapœr] Hab keine Angst! III 5

avoir douze ans [avwarduzɑ̃] zwölf Jahre alt sein I 4

avoir besoin de qc [avwarbəswɛ̃] etw. brauchen II 7A

avoir besoin de faire qc [avwarbəswɛ̃] etw. tun müssen III 3

avouer qc [avwe] etw. zugeben, etw. gestehen III 1

avril (m.) [avril] April I 7, 6

B

un **baby-sitter**/une **baby-sitter** [ɛ̃babisitœr/ynbabisitœr] ein Babysitter/eine Babysitterin ⟨III M1, 6⟩

le **baccalauréat** [ləbakalɔrea] das Abitur III 4E

une **baguette** [ynbagɛt] ein Baguette II 5

se baigner [səbeɲe] baden III 1

se balader (fam.) [səbalade] spazieren gehen III 1

un **ballon** [ɛ̃balɔ̃] ein Ball II 3B

une **banane** [ynbanan] eine Banane II 5E

un **banc** [ɛ̃bɑ̃] eine (Sitz)Bank I 2

la **banlieue** [labɑ̃ljø] der Vorort, der Vorstadtbereich I 3A

baraqué/**baraquée** (fam.) [barake/barake] kräftig, breitschultrig (ugs.) III 1E

un **baratineur**/une **baratineuse** (fam.) [ɛ̃baratinœr/ynbaratinøz] ein Schwätzer, eine Quasselstrippe (ugs.) III 1

une **barbe** [ynbarb] ein Bart II 6

La barbe! (fam.) [labarb] Jetzt reicht's!/Das nervt! (ugs.) ⟨II 9⟩

Quelle barbe! (fam.) [kɛlbarb] Wie langweilig! (ugs.) II 6

en **bas** [ɑ̃ba] unten, nach unten I 4

un **bateau**/des **bateaux** [ɛ̃bato/debato] ein Boot, ein Schiff/Boote, Schiffe ⟨I 9E⟩; II 2

un **batteur** [ɛ̃batœr] ein Schlagzeuger/eine Schlagzeugerin III 4E

battre qn [batr] jdn. schlagen, jdn. besiegen III 5

une **BD**/des **BD** (= une bande dessinée) [ynbede] ein Comic(Heft)/Comics I 5

beau/bel/belle [bo/bɛl/bɛl] schön
II 3B
il fait beau [ilfɛbo] es ist schönes
Wetter **II 1**
beaucoup [boku] viel, sehr **I 7**
beaucoup de [bokudə] viel(e) *(bei
Mengen)* **I 7**
beaucoup de monde [bokudmõd]
viele Leute **I 7**
un **Belge**/une **Belge** [ɛ̃bɛlʒ/ynbɛlʒ] ein
Belgier/eine Belgierin **I 8, 5**
belge/belge [bɛlʒ/bɛlʒ] belgisch **I 8, 5**
ben [bɛ̃] nun ja **I 2**
une **béquille** [ynbekij] eine Krücke
II 7B
bête [bɛt] dumm **I 7**
une **bêtise** [ynbetiz] eine Dummheit
II 4
un **beur**/une **beur(ette)** *(fam.)* [ɛ̃bœʀ/
ynbœʀ(ɛt)] ein „Beur"/eine „Beur"
*(ugs.) (ein in Frankreich geborenes
Kind nordafrikanischer Einwande-
rer)* **III 3**
Beurk! *(fam.)* [bœʀk] Igitt! *(ugs.)*
II 2, 3
le **beurre** [ləbœʀ] die Butter **II 5E**
une **bibliothèque** [ynbiblijɔtɛk] eine
Bibliothek **I 6B, 7**
bien [bjɛ̃] *(hier)* wohl *(bei einer Nach-
frage)* **I 6B**
bien *(Adv.)* [bjɛ̃] gut **I 2, 3**
Ça va bien. [savabjɛ̃] Es geht (mir)
gut. **I 1**
bien sûr [bjɛ̃syʀ] sicherlich, Na klar!
II 3B
à bientôt [abjɛ̃to] bis bald **I 8E, 7**
Bienvenue! [bjɛ̃vny] Willkommen! **I 1**
un **bijou**/des **bijoux** [ɛ̃biʒu/debiʒu] ein
Schmuckstück/Schmuck ⟨**I 9A**⟩
un **bikini** [ɛ̃bikini] ein Bikini **III 4**
bilingue [bilɛ̃g] zweisprachig **I 8**
un **billet** [ɛ̃bijɛ] eine Fahrkarte **I 7**
une **bise** *(fam.)* [ynbiz] ein Kuss *(ugs.)*
I 8
faire la bise à qn [fɛʀlabiz] jdn. mit
Wangenkuss begrüßen, jdn. mit
Wangenkuss verabschieden *(ugs.)* **I 8**
un **bisou** [bizu] ein Küsschen ⟨**I 9B**⟩
bizarre [bizaʀ] komisch, merkwürdig
I 1
une **blague** [ynblag] ein Scherz; ein
Streich ⟨**III M2**⟩
blanc/blanche [blɑ̃/blɑ̃ʃ] weiß **I 7**
blesser qn [blese] jdn. verletzen
⟨**III M1**⟩

bleu/bleue [blø] blau **I 7**
un **bloc à dessin** [ɛ̃blɔkadesɛ̃] ein Zei-
chenblock **I 2**
blond/blonde [blõ/blõd] blond
⟨**II 8B, 9**⟩
Bof! [bɔf] Na ja!, Ach! *(ugs.)* **I 1, 3**
boire qc [bwaʀ] etw. trinken **I 7**
boire à qc auf etw. trinken, auf etw.
anstoßen **I 7**
le **bois** [ləbwa] das Holz ⟨**II 9E**⟩
en bois [ɑ̃bwa] aus Holz ⟨**II 9E**⟩
une **boisson** [ynbwasõ] ein Getränk
II 5
bon/bonne [bõ/bɔn] gut **I 7**
la bonne forme [labɔnfɔʀm] die rich-
tige Form **I 3A, 3**
le bon ordre [ləbɔnɔʀdʀ] die richtige
Reihenfolge **I 4, 1**
un **bonbon** [ɛ̃bõbõ] ein Bonbon **III 2**
Bonjour! [bõʒuʀ] Guten Tag! **I 1E**
un **bonnet** [ɛ̃bɔnɛ] eine Mütze ⟨**II 8A**⟩
Bonsoir. [bõswaʀ] Guten Abend. **I 8E**
au bord de qc [obɔʀdə] am Rande von
etw., am Ufer von etw. ⟨**I 9A**⟩; **II 2**
un **bouchon** [ɛ̃buʃõ] *(hier)* ein Ver-
kehrsstau **I 5**
bouger [buʒe] sich bewegen **I 6A**
une **bougie** [ynbuʒi] eine Kerze **II 5**
une **boulangerie** [ynbulɑ̃ʒʀi] eine Bä-
ckerei **II 5**
une **boule** [ynbul] eine Kugel **I 7**
un **boulevard** [ɛ̃bulvaʀ] ein Boulevard
II 1, 2
bousculer qn [buskyle] jdn. anrempeln
I 5
une **bouteille** [ynbutɛj] eine Flasche **I 2**
branché/branchée *(fam.)* [bʀɑ̃ʃe/bʀɑ̃ʃe]
„in", „up to date" *(ugs.)* **III 1E**
un **bras** [ɛ̃bʀa] ein Arm **II 7B, 4**
une **brasserie** [ynbʀasʀi] eine Gaststät-
te **II 5, 7**
Bravo! [bʀavo] Bravo! **I 6B**
bref/brève [bʀɛf/bʀɛv] kurz **III 4**
le **breton** [ləbʀətõ] das Bretonische
III 5, 8
breton/bretonne [bʀətõ/bʀətɔn] breto-
nisch ⟨**I 9A**⟩
brûler [bʀyle] etw. verbrennen ⟨**III M1**⟩
un **bureau** [ɛ̃byʀo] ein Arbeitszimmer;
(hier) ein Schreibtisch **III 5E**
un bureau des objets trouvés
[ɛ̃byʀodezɔbʒɛtʀuve] ein Fundbüro
II 3B, 6
un **bus** [ɛ̃bys] ein Bus **I 5**

C

ça [sa] das **I 2**
Ça alors! [saalɔʀ] Na sowas! ⟨**I 9A, 3**⟩
Ça va? [sava] Wie geht's? **I 1**
Ça va bien. [savabjɛ̃] Es geht (mir)
gut. **I 1**
se cacher [səkaʃe] sich verstecken **II 7B**
cacher qc [kaʃe] etw. verstecken
⟨**II 8A**⟩
un **cadeau**/des **cadeaux** [ɛ̃kado] ein
Geschenk/Geschenke **I 7**
le **café** [ləkafe] der Kaffee **II 1, 2**
un **café** [ɛ̃kafe] ein Café **II 1, 2**
un **cahier** [ɛ̃kaje] ein Heft **I 2, 3**
une **caisse** [ynkɛs] eine Kasse **I 5**
un **calendrier** [ɛ̃kalɑ̃dʀije] ein Kalender
I 8
le **calme** [ləkalm] die Ruhe, die Gelas-
senheit **III 5E**
calme/calme [kalm] ruhig, still **III 3**
se calmer [səkalme] sich beruhigen
⟨**III M1**⟩
une **caméra** [ynkameʀa] eine
(Film-)Kamera **I 6B**
camerounais/camerounaise [kamʀunɛ/
kamʀunez] kamerunisch ⟨**III M3, 6**⟩
un **camion** [ɛ̃kamjõ] ein Lastwagen
II 2, 12
la **campagne** [lakɑ̃paɲ] das Land *(im
Gegensatz zur Stadt)* **I 7E**
un **camping-car** [ɛ̃kɑ̃piŋkaʀ] ein Wohn-
mobil **II 1**
un **Canadien**/une **Canadienne**
[ɛ̃kanadjɛ̃/ynkanadjɛn] ein Kanadier/
eine Kanadierin ⟨**III M3E**⟩
canadien/canadienne [kanadjɛ̃/
kanadjɛn] kanadisch ⟨**III M3E**⟩
un **canal** [ɛ̃kanal] ein Kanal **II 2**
un **canard** [ɛ̃kanaʀ] eine Ente **II 5**
un **candidat**/une **candidate** [ɛ̃kɑ̃dida/
ynkɑ̃didat] ein Kandidat/eine Kandi-
datin ⟨**III M3**⟩
canon *(fam.) (inv.)* [kanõ] abgefahren
(ugs.) **III 1E**
une **cantine** [ynkɑ̃tin] eine Kantine
I 5E
une **capitale** [ynkapital] eine Haupt-
stadt **II 1**
capituler [kapityle] sich ergeben, kapi-
tulieren ⟨**II 9, 8**⟩
un **car** [ɛ̃kaʀ] ein Reisebus **III 2E**
car [kaʀ] denn **I 7, 7**
un **caractère** [ɛ̃kaʀaktɛʀ] ein Charakter
⟨**II 8B, 9**⟩

caresser qn/qc [kaʀese] jdn./etw. streicheln III 2

un **carrefour** [ɛ̃kaʀfuʀ] eine Kreuzung *(frz. Supermarkt-Kette)* II 7A, 6

une **carte** [ynkaʀt] eine (Spiel)Karte I 6A, 2

une carte postale [ynkaʀt(ə)pɔstal] eine Postkarte ⟨I 9A⟩; III 2

une carte de séjour [ynkaʀtdəseʒuʀ] eine Aufenthaltserlaubnis *(hier: Musikgruppe)* ⟨II 8B⟩

un **carton** [ɛ̃kaʀtõ] ein Karton I 2

un **cas** [ɛ̃ka] ein Fall ⟨III M2⟩

en tout cas [ãtuka] jedenfalls, auf jeden Fall ⟨III M2⟩

un **casque** [ɛ̃kask] ein Sturzhelm, ein Schutzhelm I 4

cassé/cassée [kase] gebrochen, zerbrochen II 7B

casser qc [kase] etw. kaputt machen ⟨III M1⟩

une **cassette** [ynkasɛt] eine Kassette II 4, 11

le **cassis** [ləkasis] die schwarze Johannisbeere III 2E

un **cassoulet** [ɛ̃kasulɛ] ein Cassoulet *(südwestfranzösisches Eintopfgericht)* II 2, 3

une **catastrophe** [ynkatastʀɔf] eine Katastrophe II 5

une **cathédrale** [ynkatedʀal] eine Kathedrale ⟨I 9B⟩

une **cave** [ynkav] ein Keller II 2

un **CD**/des **CD** [ɛ̃sede] eine CD/CDs I 4, 11

un **CDI** *(un centre de documentation et d'information)* [ɛ̃sedei] ein CDI *(Dokumentations- und Informationsstelle einer Schule)* I 6A, 3

ce/cet/cette/ces [sə/sɛt/sɛt/se] dieser/diese/dieses *(Demonstrativbegleiter)* ⟨I 9B⟩; II 3B

célèbre/célèbre [selɛbʀ/selɛbʀ] berühmt ⟨II 9E⟩; ⟨III M3⟩

celui/celle/ceux/celles [səlɥi/sɛl/sø/sɛl] jener/jene/jenes ⟨III M2⟩

un **centime** [ɛ̃sãtim] ein Cent I 8

un **centre-ville** [ɛ̃sãtʀəvil] ein Stadtzentrum III 2

ce que [səkə] was *(neutrales Relativpronomen, Objekt)* III 2

ce qui [səki] was *(neutrales Relativpronomen, Subjekt)* III 2

chacun/chacune [ʃakɛ̃/ʃakyn] jeder/jede/jedes III 4, 6

une **chaîne de télévision** [ynʃɛndətelevizjõ] ein Fernsehsender II 6

une **chaise** [ynʃɛz] ein Stuhl I 9B; III 3

un **chalet** [ɛ̃ʃalɛ] eine (Berg)Hütte ⟨I 9E⟩; II 7A

la **chaleur** [laʃalœʀ] die Hitze II 6

une **chambre** [ynʃãbʀ] ein Schlafzimmer I 3E

le **champagne** [ləʃãpaɲ] der Champagner I 7

la **chance** [laʃãs] das Glück/die Chance I 5E

un **chancelier**/une **chancelière** [ɛ̃ʃãsəlje/ynʃãsəljɛʀ] ein Kanzler/eine Kanzlerin III 2

changer [ʃãʒe] wechseln; *(hier)* umsteigen I 7

changer de train [ʃãʒedətʀɛ̃] den Zug wechseln, umsteigen I 7

une **chanson** [ynʃãsõ] ein Lied I 7

chanter [ʃãte] singen I 7

un **chanteur**/une **chanteuse** [ɛ̃ʃãtœʀ/ynʃãtøz] ein Sänger/eine Sängerin II 2

un **chapeau** [ɛ̃ʃapo] ein Hut ⟨II 8B⟩

chaque [ʃak] jeder/jede/jedes + *Nomen* ⟨I 9B⟩; II 4

un **charabia** *(fam.)* [ɛ̃ʃaʀabja] ein Kauderwelsch *(ugs.)* III 5, 8

la **chasse** [laʃas] die Jagd II 4, 9

un **chat** [ɛ̃ʃa] eine Katze I 1

avoir un chat dans la gorge [avwaʀɛ̃ʃadãlagɔʀʒ] einen Frosch im Hals haben *(Redensart)*/einen rauen Hals haben I 6B

châtain *(inv.)* [ʃatɛ̃] kastanienbraun ⟨II 8B, 9⟩

chaud/chaude [ʃo/ʃod] warm, heiß ⟨I 9A⟩; II 1

il fait chaud [ilfɛʃo] es ist warm/heiß ⟨I 9A⟩; II 1

un **chemin** [ɛ̃ʃəmɛ̃] ein Weg I 5, 12

une **chemise** [ynʃəmiz] ein Hemd I 7

un **chèque** [ɛ̃ʃɛk] ein Scheck ⟨I 9A⟩

faire un chèque [fɛʀɛ̃ʃɛk] einen Scheck ausstellen ⟨I 9A⟩

cher/chère [ʃɛʀ] lieb, teuer I 8E

chercher qc [ʃɛʀʃe] etw. suchen I 2E

chéri/chérie [ʃeʀi] Liebling ⟨I 9A, 2⟩; II 1E

un **cheval**/des **chevaux** [ɛ̃ʃəval/deʃəvo] ein Pferd/Pferde ⟨I 9⟩; III 5

un **chevalier** [ɛ̃ʃ(ə)valje] ein Ritter III 5

un **cheveu**/des **cheveux** [ʃvø] ein Haar/Haare ⟨II 8A⟩; III 1E

avoir les cheveux noirs [avwaʀleʃvønwaʀ] schwarze Haare haben ⟨II 8A⟩

chez [ʃe] bei I 5E

un **chien** [ɛ̃ʃjɛ̃] ein Hund I 1

un **chiffre** [ɛ̃ʃifʀ] eine Ziffer/Zahl ⟨II 9⟩

la **chlorophylle** [laklɔʀɔfil] das Chlorophyll, das Blattgrün II 7B

le **chocolat** [ləʃɔkɔla] die Schokolade II 5E

choisir qc [ʃwaziʀ] etw. wählen, etw. aussuchen II 4

une **chose** [ynʃoz] eine Sache I 7

quelque chose [kɛlkəʃoz] etwas I 5

les **choux de Bruxelles** *(m., pl.)* [leʃudəbʀy(k)sɛl] der Rosenkohl II 4

un chou à la crème [ɛ̃ʃualakʀɛm] ein Windbeutel II 4

une **chouette** [ynʃwɛt] eine Eule III 2

chouette/chouette [ʃwɛt/ʃwɛt] nett, toll III 2

Chut ! [ʃyt] Pst! I 1

ci-dessus [sidəsy] (weiter) oben II 2, 9

une **cigarette** [ynsigaʀɛt] eine Zigarette III 1, 12

un **cinéma** [ɛ̃sinema] ein Kino I 5E

un **cirque** [ɛ̃siʀk] ein Zirkus III 3E

une **classe** [ynklas] eine Klasse I 1, 3

en classe [ãklas] im Unterricht ⟨I 6A, 9⟩

classer qc [klase] etw. einordnen II 1, 6

une **clé** [ynkle] ein Schlüssel ⟨III M1⟩

fermer qc à clé [fɛʀme … akle] etw. abschließen ⟨III M1⟩

cliquer sur qc [klike] auf etw. klicken ⟨III M2⟩

un **clown** [ɛ̃klun] ein Clown III 3E

un **club** [ɛ̃klœb] ein Klub; *(hier)* eine Freizeitgruppe/AG I 4E

un club de dessin [ɛ̃klœbdədesɛ̃] AG Zeichnen, Arbeitsgemeinschaft Zeichnen I 4E

un club de lecture [ɛ̃klœbdəlɛktyʀ] eine Lesegruppe, eine Lese-AG I 7, 16

un **coca** [ɛ̃kɔka] eine Cola I 8, 13

une **colère** [ynkɔlɛʀ] ein Zorn, eine Wut I 3B

être en colère [ɛtʀãkɔlɛʀ] wütend sein I 3B

un **collège** [ɛ̃kɔlɛʒ] ein «Collège» *(weiterführende Schule für alle 11- bis 15-Jährigen)* I 1

coller qc [kɔle] etw. (an)kleben I 2

une **colonie de vacances**
[ynkɔlɔnidvakãs] ein Ferienlager ⟨I 9E⟩
combien (de) [kõbjɛ̃] wie viel I 8
une **comédie musicale**
[ynkɔmedimyzikal] ein Musical, eine
Show III 4E
comme [kɔm] als I 6E; I 8E
comme [kɔm] da, weil II 5
comme ça [kɔmsa] so, auf diese Weise
II 1E
commencer qc [kɔmãse] etw. anfan-
gen I 8
commencer à faire qc [kɔmãse] an-
fangen etw. zu tun II 2, 3
commencer par qc [kɔmãse] mit etw.
beginnen, mit etw. anfangen III 5, 5
comment [kɔmã] wie I 1
communiquer (avec qn) [kɔmynike]
(mit jdn.) kommunizieren, Nachrich-
ten austauschen II 6E
complet/complète [kõplɛ/kõplɛt] voll-
ständig III 3
comprendre qc [kõpRãdR] etw. verste-
hen I 8
compter qc [kõte] etw. zählen I 4, 2
un **concert** [ɛ̃kõsɛR] ein Konzert ⟨I 9B⟩;
II 2
un **concours** [ɛ̃kõkuR] ein Wettbewerb
⟨III M3⟩
un **conducteur**/une **conductrice**
[ɛ̃kõdyktœR/ynkõdyktRis] ein Fahrer/
eine Fahrerin II 3A
conduire qn/qc [kõdɥiR] jdn./etw. fah-
ren; jdn./etw. führen II 7B; (hier)
jdn. bringen ⟨III M3⟩
conduire qn à bon port [kõdɥi …
abõpɔR] jdn. in den sicheren Hafen
führen ⟨III M2⟩
connaître qc [kɔnɛtR] etw. kennen
II 3A
se **connecter** [səkɔnɛkte] sich einlog-
gen ⟨III M2⟩
un **conseil** [ɛ̃kõsɛj] ein Rat, ein Rat-
schlag III 1, 8
consoler qn [kõsɔle] jdn. trösten III 5E
construire qc [kõstRɥiR] etw. bauen
II 7B
contacter qn [kõtakte] mit jdm. in Ver-
bindung treten II 7E
un **conte** [ɛ̃kõt] eine Erzählung ⟨III M3, 6⟩
content/contente [kõtã/kõtãt] zufrie-
den, glücklich I 7
être content(e) de faire qc [ɛtRəkõtã/
kõtãt] zufrieden sein etw. zu tun,
sich freuen etw. zu tun I 8E

continuer [kõtinɥe] weitermachen,
fortfahren I 8
continuer à faire qc [kõtinɥe] etw.
weitermachen/fortfahren etw. zu
tun II 4
le **contraire** (de) [ləkõtRɛR] das Gegen-
teil (von) I 8, 14
un **contrat** [ɛ̃kõtRa] ein Vertrag III 4
contre [kõtR] gegen I 3A, 3
contrôler qn/qc [kõtRole] jdn./etw.
kontrollieren III 3
un **contrôleur**/une **contrôleuse**
[ɛ̃kõtRolœR/ynkõtRoløz] ein Kontrol-
leur/eine Kontrolleurin III 3
un **copain** (fam.) [ɛ̃kɔpɛ̃] ein Freund
(ugs.) I 3E
copier qc [kɔpje] etw. kopieren, ab-
schreiben II 6, 6
une **copine** (fam.) [ynkɔpin] eine
Freundin (ugs.) I 3E
un **coq** [ɛ̃kɔk] ein Hahn I 7E
un **coquillage** [ɛ̃kɔkijaʒ] eine Muschel
⟨I 9E⟩; III 1, 11
un **corbeau** [ɛ̃kɔRbo] ein Rabe
⟨II 9, 10⟩
une **corde** [ynkɔRd] ein Seil I 4
cordial/cordiale [kɔRdjal] herzlich
II 4, 11
Cordialement [kɔRdjalmã] Herzliche
Grüße (Grußformel in einem persön-
lichen Brief) I 8E
correct/correcte [kɔRɛkt/kɔRɛkt] rich-
tig, korrekt I 8
un **correspondant**/une **correspon-
dante** [ɛ̃kɔRɛspõdã/ynkɔRɛspõdãt] ein
Brieffreund/eine Brieffreundin; ein
Austauschpartner/eine Austausch-
partnerin ⟨I 9A, 7⟩; II 2, 10
une **côte** [ynkot] eine Küste III 5E
à **côté** [akote] daneben, nebenan
⟨I 9A⟩; II 3A
se **coucher** [səkuʃe] sich schlafen legen,
sich hinlegen III 5
une **couleur** [ynkulœR] eine Farbe
I 7, 13
un **coup de téléphone** [ɛ̃kudətelefɔn]
ein (Telefon)Anruf I 8E
le **coup de foudre** [ləkudfudR] Liebe
auf den ersten Blick II 3A
couper qc [kupe] etw. schneiden I 6B;
etw. schneiden, (hier) etw. unterbre-
chen (die Verbindung) II 6
une **cour** [ynkuR] ein Hof I 2
le **courage** [ləkuRaʒ] der Mut III 4
courir [kuRiR] laufen, rennen II 2

un **cours** [ɛ̃kuR] eine Unterrichtsstun-
de II 4
en cours [ãkuR] im Unterricht II 4
faire les **courses** (f., pl.) [fɛRlekuRs] ein-
kaufen II 5E
court/courte [kuR/kuRt] kurz ⟨II 8B, 9⟩;
III 1E
un **cousin**/une **cousine** [ɛ̃kuzɛ̃/ynkuzin]
ein Cousin/eine Cousine I 5E
craindre qn/qc [kRɛ̃dR] jdn./etw. fürch-
ten III 5
un **crayon** [ɛ̃kRɛjõ] ein Bleistift I 2
la **crème chantilly** [lakRɛmʃãtiji] die
Schlagsahne II 5E
une **crêpe** [ynkRɛp] eine Crêpe (Pfann-
kuchen) ⟨I 9A, 4⟩; II 2E
une **crêperie** [ynkRɛpRi] eine Crêperie
⟨I 9B⟩; III 5
crier [kRije] schreien I 4
croire a qn/qc [kRwaR] an jdn./etw.
glauben II 6
une **croquette** [ynkRɔkɛt] eine Krokette
(hier) Trockenfutter für Katzen I 6A
une **cuisine** [ynkɥizin] eine Küche
I 3E
un **cuisinier**/une **cuisinière** [ɛ̃kɥizinje/
ynkɥizinjɛR] ein Koch I 5E; ⟨III M1, 7⟩
une **culture** [ynkyltyR] eine Kultur
⟨III M3E⟩
curieux/curieuse [kyRjø/kyRjøz] neu-
gierig; (hier) merkwürdig ⟨II 8A⟩
un **cyberprojet** [ɛ̃sibɛRpRɔʒɛ] ein Inter-
netprojekt, ein Online-Projekt ⟨III M2E⟩
un **cycliste**/une **cycliste** [ɛ̃siklist/
ynsiklist] ein Radfahrer/eine Radfah-
rerin ⟨I 9A⟩

D

d'abord [dabɔR] zuerst I 3E
d'accord [dakɔR] einverstanden, o.k.
I 2E
Tu es d'accord? [tyɛdakɔR] Bist du
einverstanden? I 2
une **dame** [yndam] eine Dame I 5
dangereux/dangereuse [dãʒRø/dãʒRøz]
gefährlich II 4
dans [dã] in I 2E
la **danse** [ladãs] das Tanzen/der Tanz
I 4
danser [dãse] tanzen II 2E
un **danseur**/une **danseuse** [ɛ̃dãsœR/
yndãsøz] ein Tänzer/eine Tänzerin
⟨I 9A⟩

une **date** [yndat] ein Datum **I 8, 12**
de/d' [də] von/aus **I 1**
un **début** [ɛ̃deby] ein Anfang **III 5**
débuter [debyte] anfangen, Anfänger sein **I 4**
décembre *(m.)* [desɑ̃bʀ] Dezember **I 7, 6**
déclarer qc à qn [deklaʀe] jdm. etw. erklären **III 5**
une **découverte** [yndekuvɛʀt] eine Entdeckung ⟨**I 9E**⟩; **II 1E**
découvrir qc [dekuvʀiʀ] etw. entdecken **II 7B**
décrire qc [dekʀiʀ] etw. beschreiben **II 7A, 5**
une **définition** [yndefinisjɔ̃] eine Definition, eine Beschreibung **II 7A, 5**
un **degré** [ɛ̃dəgʀe] ein Grad **II 1**
il fait trente degrés [ilfɛtʀɑ̃tdəgʀe] es sind 30 Grad **II 1**
dehors [dəɔʀ] draußen ⟨**II 8B, 3**⟩; **III 4**
déjà [deʒa] schon **I 3B**
délicieux/délicieuse [delisjø/delisjøz] köstlich **II 5**
demain [dəmɛ̃] morgen **I 6A**
demander qc à qn [dəmɑ̃de] jdn. etwas fragen **I 6A**
demander à qn de faire qc [dəmɑ̃de] jdn. darum bitten etwas zu tun **II 4, 6**
demander à qn si [dəmɑ̃de] jdn. fragen, ob **I 8**
demander pardon à qn [dəmɑ̃depaʀdɔ̃] sich bei jdm. entschuldigen **III 1**
un **déménagement** [ɛ̃demenaʒmɑ̃] ein Umzug, ein Wohnungswechsel **II 2**
déménager [demenaʒe] umziehen **II 1**
un **déménageur** [ɛ̃demenaʒœʀ] ein Möbelpacker **II 2, 12**
une **demi-heure** [ynd(ə)mijœʀ] eine halbe Stunde ⟨**I 9A**⟩; **III 2**
faire **demi-tour** [dəmituʀ] wenden, umdrehen **II 7A, 6**
le **départ** [lədepaʀ] die Abfahrt, der Aufbruch **I 8**
un **département** [ɛ̃depaʀtəmɑ̃] ein Departement **III 2, 5**
depuis [dəpɥi] seit **I 8, 2**
depuis que *(Konjunktion)* [dəpɥikə] seit **III 1**
dernier/dernière [dɛʀnje/dɛʀnjɛʀ] letzter/letzte/letztes **II 2, 3**
derrière [dɛʀjɛʀ] hinter **I 2**

descendre [desɑ̃dʀ] hinuntergehen/aussteigen **II 2E**
désirer qc [deziʀe] etw. wünschen **I 8**
un **dessert** [ɛ̃desɛʀ] ein Nachtisch **II 4**
un **dessin** [ɛ̃desɛ̃] eine Zeichnung **I 2**
un **dessinateur** [ɛ̃desinatœʀ] ein Zeichner **I 6E**
dessiner qc [desine] etw. zeichnen **I 2**
détester qc [detɛste] etw. verabscheuen/überhaupt nicht mögen **II 4**
détruire qc [detʀɥiʀ] etw. zerstören ⟨**III M1**⟩
le **deuxième**/la **deuxième** [lədøzjɛm/ladøzjɛm] der zweite/die zweite/das zweite **II 5, 11**
devant [dəvɑ̃] vor *(örtlich)* **I 2**
devenir qn/qc [dəvəniʀ] jd./etw. werden ⟨**II 8A**⟩; **III 4**
deviner qc [dəvine] etw. erraten ⟨**II 8A, 8**⟩; **III 4E**
une **devinette** [yndəvinɛt] ein Rätsel **II 3A, 5**
un **devoir** [ɛ̃dəvwaʀ] eine (Haus)Aufgabe ⟨**I 6A, 9**⟩; **I 7, 15**
devoir faire qc [dəvwaʀ] etw. tun müssen **II 2**
un **dialogue** [ɛ̃djalɔg] ein Dialog **I 1, 3**
une **dictée** [yndikte] ein Diktat ⟨**III M3**⟩
un **dictionnaire** [ɛ̃diksjɔnɛʀ] ein Wörterbuch ⟨**I 9B**⟩; **II 7E**
dieu *(m.)* [djø] Gott **I 6A**
Mon Dieu! [mɔ̃djø] Mein Gott! **I 6A**
une **différence** [yndifeʀɑ̃s] ein Unterschied **II 6, 10**
différent/différente [difeʀɑ̃/difeʀɑ̃t] anders **I 7, 15**
difficile [difisil] schwierig **II 5**
dimanche *(m.)* [dimɑ̃ʃ] Sonntag, am Sonntag **I 6E**
dingue/dingue *(fam.)* [dɛ̃g/dɛ̃g] bekloppt *(ugs.)* **III 1**
dire qc à qn [diʀ] jdm. etw. sagen **I 8**
Dis donc! *(fam.)* [didɔ̃k] Sag bloß! *(ugs.)* ⟨**III M3**⟩
dire qc dans sa barbe [dɑ̃sabaʀb] etw. undeutlich sagen **II 7A**
dire à qn que ... [diʀ] jdm. sagen, dass ... **I 8**
en direct [ɑ̃diʀɛkt] „live" **III 4**
direct/directe [diʀɛkt/diʀɛkt] direkt ⟨**III M1**⟩
un **directeur**/une **directrice** [ɛ̃diʀɛktœʀ/yndiʀɛktʀis] ein Direktor/eine Direktorin **II 3A, 3**

discuter [diskyte] sich unterhalten/diskutieren **I 3A**
une **dispute** [yndispyt] ein Streit **III 1, 1**
se disputer avec qn [sədispyte] sich mit jdm. streiten **II 7B**
un **dixième** [ɛ̃dizjɛm] ein Zehntel **III 3**
un **docteur** [ɛ̃dɔktœʀ] ein Doktor, ein Arzt **II 7B, 4**
Dommage! [dɔmaʒ] Schade! **III 1**
donc [dɔ̃k] also **III 1**
donner qc à qn [dɔne] jdm. etw. geben **I 6A**
dont [dɔ̃] *(hier)* darunter ⟨**III M1**⟩
dont [dɔ̃] wovon **III 2**
dormir [dɔʀmiʀ] schlafen ⟨**I 9A**⟩; **II 1**
le **dos** [lədo] der Rücken **II 1E**
une **douleur** [yndulœʀ] ein Schmerz **II 7B**
draguer qn *(fam.)* [dʀage] jdn. anbaggern, jdn. anmachen *(ugs.)* **III 1**
droit *(Adv.)* [dʀwa] geradewegs; *(hier)* direkt **III 5E**
à **droite** [adʀwat] (nach) rechts **I 5**
drôle [dʀol] lustig **I 8**
un drôle de nom [ɛ̃dʀoldənɔ̃] ein komischer Name ⟨**II 8A**⟩
un **duc**/une **duchesse** [ɛ̃dyk/yndyʃɛs] ein Herzog/eine Herzogin **III 2**
dur/dure [dyʀ] hart **II 4, 7**
un **DVD** [ɛ̃devede] eine DVD **II 3B**

E

l'**eau** *(f.)* [lo] das Wasser **I 7**
une eau minérale [ynomineʀal] ein Mineralwasser **II 5**
un **éclair** [ɛ̃neklɛʀ] ein Blitz **II 7B**
une **école** [ynekɔl] eine Schule **I 4E**
l'**écoute** *(f.)* [lekut] das (Zu)Hören **II 7B, 6**
écouter qn [ekute] jdm. zuhören **I 3B**
un **écran** [ɛ̃nekʀɑ̃] ein Bildschirm, eine Leinwand **II 6**
écrire qc [ekʀiʀ] etw. schreiben **I 7**
un **écrivain**/une **femme écrivain** [ɛ̃nekʀivɛ̃/ynfamekʀivɛ̃] ein Schriftsteller/eine Schriftstellerin ⟨**III M3**⟩
égal/égale [egal/egal] gleich; *(hier)* gleichgültig ⟨**II 9, 9**⟩
une **église** [ynegliz] eine Kirche ⟨**II 9**⟩; **III 2E**
un **élève**/une **élève** [ɛ̃nelɛv/ynelɛv] ein Schüler/eine Schülerin **I 4**

s'éloigner [selwaɲe] sich entfernen **II 7B**

un e-mail [ɛnimɛl] eine E-Mail **I 4, 8**

embrasser qn [ãbʀase] jdn. küssen, jdn. umarmen ⟨**I 9A**⟩; **II 1E**

une émission [ynemisjõ] eine (Fernseh) Sendung ⟨**III M1, 5**⟩; ⟨**III M3**⟩

un emploi du temps [ɛ̃nãplwadytã] ein Stundenplan **III 3, 1**

emporter qc [ãpɔʀte] etw. mitnehmen ⟨**I 9B**⟩

en [ã] *(verschiedene Bedeutungen)* **I 1**

en direct [ãdiʀɛkt] „live" **III 4**

en plus [ãplys] außerdem, zusätzlich **I 4**

en roller [ãʀɔlœʀ] auf Rollschuhen **I 4, 12**

j'**en** prends deux kilos [ʒãpʀãdøkilo] Ich nehme (davon) zwei Kilo. **II 5**

encore [ãkɔʀ] noch, schon wieder **I 4, 11**

s'endormir [sãdɔʀmiʀ] einschlafen **III 3**

un endroit [ɛ̃nãdʀwa] ein Ort, eine Stelle ⟨**II 9, 8**⟩

énerver qn [enɛʀve] jdn. aufregen **II 2**

en face de qn/qc [ãfas] gegenüber von jdm./etw. **III 5**

un enfant [ɛ̃nãfã] ein Kind **I 3A, 3**

un enfant du voyage [ɛ̃nãfãdyvwajaʒ] ein Zirkuskind **III 3E**

un enfer [ɛ̃nãfɛʀ] eine Hölle ⟨**III M3**⟩

d'enfer [dãfɛʀ] Höllen-, Riesen- ⟨**III M3**⟩

enfin [ãfɛ̃] schließlich, endlich **I 5**

engagé/engagée [ãgaʒe] engagiert **III 4**

énormément [enɔʀmemã] sehr; unheimlich viel **III 5**

enregistrer qc [ãʀəʒistʀe] etw. aufnehmen, etw. aufzeichnen **III 4**

ensemble [ãsãbl] zusammen **I 1**

ensuite [ãsɥit] dann, danach **II 5**

entendre qc [ãtãdʀ] etw. hören **I 8**

s'entraîner [sãtʀene] trainieren, üben **III 3**

entre [ãtʀ] zwischen ⟨**I 9A**⟩; **II 3A, 9**

une entrée [ynãtʀe] ein Eingang **I 1E**; *(hier)* eine Vorspeise **II 5**

entrer [ãtʀe] eintreten, betreten, hereinkommen **I 2**

avoir **envie** [avwaʀãvi] Lust haben **I 4**

avoir envie de faire qc [avwaʀãvi] Lust haben, etw. zu tun **I 6B**

faire envie à qn [feʀãvi] jdn. neidisch machen **III 2**

envoyer qc à qn [ãvwaje] jdm. etw. schicken **II 2**

une épice [ynepis] ein Gewürz **III 2**

une équipe [ynekip] eine Mannschaft, ein Team **II 3E**

l'escalade *(f.)* [lɛskalad] das Klettern **I 4E**

un escalier [ɛ̃nɛskalje] eine Treppe **II 2**

un escargot [ɛ̃nɛskaʀgo] eine Schnecke **III 2E**

espagnol/espagnole [ɛspaɲɔl] spanisch **I 7E**

espérer qc [ɛspeʀe] etw. hoffen ⟨**II 9**⟩; **III 4**

essayer qc [eseje] etw. versuchen ⟨**III M2**⟩

l'est *(m.)* [lɛst] der Osten **III 2E**

est-ce que [ɛskə] *Frageformel* **I 5**

et [e] und **I 1E**

un étage [ɛ̃netaʒ] ein Stockwerk, eine Etage **I 3E**

une étagère [ynetaʒɛʀ] ein Regal **I 2**

une étape [ynetap] eine Etappe ⟨**II 9**⟩

l'été *(m.)* [lete] der Sommer **I 7, 6**

éteindre qc [etɛ̃dʀ] etw. ausmachen, etw. ausschalten **III 5**

une étoile [ynetwal] ein Stern **II 1E**

un étranger/une étrangère [ɛ̃netʀãʒe/ynetʀãʒɛʀ] ein Ausländer/eine Ausländerin **III 3**

être [ɛtʀ] sein **I 3A**

être désolé(e) [ɛtʀədezɔle] jdm. Leid tun **II 2**

être en train de faire qc [ɛtʀãtʀɛ̃dəfɛʀ] gerade etw. tun **II 4**

euh [ø] äh … *(Ausdruck des Zögerns)* **I 1**

un euro/des euros [ɛ̃nøʀo/dezøʀo] ein Euro/Euros **I 7, 8**

évident/évidente [evidã/evidãt] klar, offensichtlich **III 5**

éviter qc [evite] etw. vermeiden **I 7, 17**

exact/exacte [egza(kt)/egzakt] genau **III 3**

exactement [ɛgzaktəmã] genau *(Adv.)* ⟨**II 9**⟩

une excursion [ynɛkskyʀsjõ] ein Ausflug **III 2**

s'excuser [sɛkskyze] sich entschuldigen **III 1, 9**

un exemple [ɛ̃nɛgzãpl] ein Beispiel **I 1, 1**

par exemple [paʀɛgzãpl] zum Beispiel **II 3B**

un exercice [ɛ̃nɛgzɛʀsis] eine Übung **I 4**

une explication [ynɛksplikasjõ] eine Erklärung **III 1, 9**

expliquer qc à qn [ɛksplike] jdm. etw. erklären **I 8**

un exposé [ɛ̃nɛkspoze] ein Referat **II 4**

une exposition [ynɛkspozisjõ] eine Ausstellung ⟨**III M2**⟩

une expression [ynɛkspʀesjõ] ein Ausdruck **III 2, 6**

F

fabriquer qc [fabʀike] etw. herstellen ⟨**II 9E**⟩

en face de qn/qc [ãfas] gegenüber von jdm./etw. ⟨**II 8A**⟩; **III 5**

facile [fasil] leicht **I 4**

avoir **faim** *(f.)* [avwaʀfɛ̃] Hunger haben **I 8**

faire qc [fɛʀ] etw. machen **I 4E**

faire [fɛʀ] *(hier)* messen ⟨**III M1**⟩

faire du sport [fɛʀdyspɔʀ] Sport treiben **I 4E**

faire attention [fɛʀatãsjõ] aufpassen, Acht geben **I 5**

il fait chaud [ilfɛʃo] es ist warm, es ist heiß ⟨**I 9A**⟩; **II 1**

il fait beau [ilfɛbo] es ist schönes Wetter **II 1**

il fait trente degrés [ilfɛtʀãtdəgʀe] es sind 30 Grad **II 1**

faire la tête *(fam.)* [fɛʀlatɛt] schmollen, sauer sein *(ugs.)* **II 2**

faire envie à qn [feʀãvi] jdn. neidisch machen **III 2**

en fait [ãfɛt] tatsächlich **III 2, 4**

falloir [falwaʀ] brauchen, müssen **II 5**

il faut que [ilfo] man muss, es ist nötig, dass ⟨**II 9**⟩

il faut qc à qn [ilfo] jd. braucht etw. **II 5**

il faut qc [ilfo] man braucht etw. **II 5**

il faut faire qc [ilfo] man muss etw. tun **II 5**

une famille [ynfamij] eine Familie **I 3A**

un fan/une fan [ɛ̃fan/ynfan] ein Fan **II 3E**

la farine [lafaʀin] das Mehl **II 5E**

fatigué/fatiguée [fatige] müde **II 6**

une faute [ynfot] ein Fehler **I 7, 17**

C'est (de) sa faute. [sɛdəsafot] Das ist seine/ihre Schuld. **II 7B**

LISTE DES MOTS

faux/fausse [fo/fos] falsch I 2, 1
une **fée** [ynfe] eine Fee III 5
une **femme** [ynfam] eine Frau, eine
  Ehefrau I 3B
une **fenêtre** [ynfənɛtʀ] ein Fenster III 5
fermer qc [fɛʀme] etw. schließen
  ⟨II 8A⟩; III 5E
  fermer qc à clé [fɛʀme … akle] etw.
  abschließen ⟨III M1⟩
un **festival** [ɛ̃fɛstival] Festspiele, ein
  Festival ⟨II 9E⟩
une **fête** [ynfɛt] ein Fest I 4, 11
fêter qc [fɛte] etw. feiern ⟨II 9⟩; ⟨III M2⟩
un **feu**/des **feux** [ɛ̃fø/defø] ein Feuer;
  (hier) Ampel II 7A, 6
  Au feu! [ofø] Es brennt! ⟨III M1⟩
un **feu d'artifice** [ɛ̃fødaʀtifis] ein Feuer-
  werk ⟨I 9B⟩
une **feuille** [ynfœj] ein Blatt II 7B
février *(m.)* [fevʀije] Februar I 7, 6
un **fil** [ɛ̃fil] ein Faden, eine Schnur II 7B
un **filet à mots** [ɛ̃filɛamo] ein Vokabel-
  netz III 1, 5
une **fille** [ynfij] ein Mädchen I 1
un **film** [ɛ̃film] ein Film I 5, 13
filmer qn/qc [filme] jdn./etw. filmen III 4
un **fils** [ɛ̃fis] ein Sohn II 6, 11
la **fin** [lafɛ̃] das Ende, der Schluss II 1, 7
  une fin de semaine [ynfɛ̃dəsəmɛn] ein
  Wochenende ⟨III M3⟩
  à la fin [alafɛ̃] schließlich, am Ende
  II 1, 7
une **finale** [ynfinal] ein Finale ⟨III M3⟩
finalement [finalmɑ̃] schließlich, zum
  Schluss ⟨II 9⟩; III 5
finir qc [finiʀ] etw. beenden II 4
  finir par qc [finiʀ] mit etw. aufhören
  III 5, 5
le **flamand** [ləflamɑ̃] das Flämische
  (niederländische Sprache) ⟨II 9, 5⟩;
  ⟨III M3E⟩
une **flamme** [ynflam] eine Flamme
  ⟨III M1⟩
flasher sur qn/qc *(fam.)* [flaʃe] auf
  jdn./etw. abfahren *(ugs.)* III 1
une **flûte** [ynflyt] eine Flöte I 3B
une **fois** [ynfwa] einmal I 4, 11
  36 fois *(fam.)* [tʀɑ̃tsifwa] zig Mal
  (ugs.) I 6B
  pour une fois que [puʀynfwakə] wenn
  … (schon) einmal II 6
le **foot(ball)** [ləfut(bɔl)] der Fußball *(als
  Sportart)* I 4E
jouer au foot [ʒweofut] Fußball spielen
  I 4

une **forêt** [ynfɔʀɛ] ein Wald II 7A
une **forme** [ynfɔʀm] eine Form I 3A, 3
  la bonne forme [labɔnfɔʀm] die rich-
  tige Form I 3A, 3
former qc [fɔʀme] etw. gründen III 4
fort/forte [fɔʀ/fɔʀt] stark III 1E
un **forum de discussion**
  [ɛ̃fɔʀɔmdədiskysjɔ̃] ein (Diskussions)-
  Forum *(im Internet)* III 4
un **fou**/une **folle** [ɛ̃fu/ynfɔl] ein Ver-
  rückter/eine Verrückte II 7B
fou/fol/folle [fu/fɔl/fɔl] verrückt I 6B
une **foule** [ynful] eine (Menschen)
  Menge II 6
qn **se fout** de qc *(fam.)* [səfu] etw. ist
  jdm. schnuppe *(ugs.)* ⟨II 9, 9⟩
  Je m'en fous! *(fam.)* [ʒəmɑ̃fu] Das ist
  mir schnuppe! *(ugs.)* III 3
un **Franc** [ɛ̃fʀɑ̃] ein Franke ⟨II 9⟩
le **français** [ləfʀɑ̃sɛ] das Französische
  ⟨I 9A⟩; II 2, 7
  un Français/une Française [ɛ̃fʀɑ̃sɛ/
  ynfʀɑ̃sɛz] ein Franzose/eine Franzö-
  sin II 4, 4
  le français standard [ləfʀɑ̃sɛstɑ̃daʀ]
  das Standardfranzösisch *(frz. Hoch-
  sprache)* III 1, 10
français/française [fʀɑ̃sɛ/fʀɑ̃sɛz] fran-
  zösisch I 1, 7
franco-allemand/franco-allemande
  [fʀɑ̃koalmɑ̃/fʀɑ̃koalmɑ̃d] deutsch-
  französisch ⟨III M2, 9⟩
francophone/francophone [fʀɑ̃kofɔn/
  fʀɑ̃kofɔn] französischsprachig
  ⟨III M3E⟩
un **frère** [ɛ̃fʀɛʀ] ein Bruder I 3A, 4
des **frites** *(f., pl.)* [defʀit] Pommes frites
  I 8
froid/froide [fʀwa/fʀwad] kalt II 1
  un froid de canard *(fam.)*
  [ɛ̃fʀwadəkanaʀ] eine Hundekälte
  (ugs.) ⟨III M3⟩
  j'ai froid [ʒefʀwa] mir ist kalt II 1
le **fromage** [ləfʀɔmaʒ] der Käse II 5
un **fruit** [ɛ̃fʀɥi] eine Frucht, eine Obst-
  sorte II 5
fumer [fyme] rauchen III 1, 12

G

un **gag** [ɛ̃gag] ein Gag *(witziger Einfall)*
  ⟨II 9⟩
gagner qc [gaɲe] etw. gewinnen II 6;
  (hier) etw. verdienen II 6, 6

un **garage** [ɛ̃gaʀaʒ] eine Garage, eine
  Autowerkstatt II 3A
un **garçon** [ɛ̃gaʀsɔ̃] ein Junge I 1
garder qc [gaʀde] etw. behalten
  ⟨II 8B⟩; etw. bewachen; *(hier)* etw.
  bewahren ⟨III M3E⟩
une **gare** [yngaʀ] ein Bahnhof I 7
un **gâteau**/des **gâteaux** [ɛ̃gato/degato]
  ein Kuchen/Kuchen I 7
à **gauche** [agoʃ] (nach) links I 5
un **Gaulois**/une **Gauloise** [ɛ̃golwa/
  yngolwaz] ein Gallier/eine Gallierin
  ⟨I 9, 8⟩
gaulois/gauloise [golwa/golwaz] gal-
  lisch ⟨I 9, 8⟩
une **gendarmerie** [ynʒɑ̃daʀməʀi] eine
  Polizeiwache ⟨III M1⟩
génial *(fam.)* [ʒenjal] genial, super, toll
  (ugs.) I 6B
les **gens** *(m., pl.)* [leʒɑ̃] die Leute
  II 1, 7
gentil/gentille [ʒɑ̃ti/ʒɑ̃tij] nett III 1E
la **géographie** [laʒeɔgʀafi] die Geogra-
  phie, die Erdkunde II 4
une **glace** [ynglas] ein Eis II 5, 1
une **gomme** [yngɔm] ein Radiergummi
  I 2
la **gorge** [lagɔʀʒ] die Kehle, der Hals
  II 7B, 4
goûter qc [gute] etw. probieren, etw.
  kosten II 5
grâce à qn/qc [gʀas] durch jdn./etw.
  III 4
un **gramme** [ɛ̃gʀam] ein Gramm II 5, 5
grand/grande [gʀɑ̃/gʀɑ̃d] groß I 7E
une **grand-mère** [yngʀɑ̃mɛʀ] eine
  Großmutter I 7
un **grand-père** [ɛ̃gʀɑ̃pɛʀ] ein Großva-
  ter ⟨I 9A⟩; II 5
des **grands-parents** *(m.)* [degʀɑ̃paʀɑ̃]
  Großeltern I 7
un **gratin** [ɛ̃gʀatɛ̃] ein Auflauf II 4
gratuit/gratuite [gʀatɥi/gʀatɥit] kos-
  tenlos, gratis II 3A
Ce n'est pas grave. [sənɛpagʀav] Das ist
  nicht schlimm. I 4
grimper [gʀɛ̃pe] klettern I 4
la **grippe** [lagʀip] die Grippe II 7B, 4
gris/grise [gʀi/gʀiz] grau I 7, 4
gros/grosse [gʀo/gʀos] dick II 4
un **groupe** [ɛ̃gʀup] eine Gruppe I 4
une **guerre** [yngɛʀ] ein Krieg III 5
un **guide**/une **guide** [ɛ̃gid/yngid] ein
  Führer/eine Führerin II 7A
une **guitare** [yngitaʀ] eine Gitarre I 3A

une guitare électrique [yngitaʀelɛktʀik] eine elektrische Gitarre **I 3A**

un **guitariste**/une **guitariste** [ɛ̃gitaʀist/yngitaʀist] ein Gitarrist/eine Gitarristin ⟨**II 8B**⟩

un **gymnase** [ɛ̃ʒimnaz] eine Turnhalle **I 4**

H

habiter [abite] wohnen **I 3E**

s'habituer à qn/qc [sabitɥe] sich an jdn./etw. gewöhnen **III 3**

halluciner *(fam.)* [alysine] völlig abdrehen *(ugs.)* **III 4**

une **halte** [ynalt] ein Halt, eine Rast **II 7A**

en **haut** [ão] oben, nach oben **I 4**

hé [e] he, du da **III 5**

Hein? *(fam.)* [ɛ̃] Wie? *(ugs.)* **I 2**
… , hein? [ɛ̃] … ja?, … nicht wahr? **I 4**

l'**herbe** *(f.)* [lɛʀb] das Gras; *(hier)* das Kraut **III 2**
des herbes de Provence *(f.)* Kräuter der Provence **II 5**

une **heure** [ynœʀ] eine Stunde **I 5**
A quelle heure? [akɛlœʀ] Um wie viel Uhr? **I 5, 11**
Il est quelle heure? [ilɛkɛlœʀ] Wie viel Uhr ist es? **I 5, 11**
Vous avez l'heure? [vuzavelœʀ] Wie viel Uhr ist es? **I 5**

heureusement [øʀøzmã] glücklicherweise *(Adv.)* ⟨**II 9**⟩; **III 3E**

heureux/**heureuse** [øʀø/øʀøz] glücklich ⟨**II 8A, 2**⟩; **III 3E**

hier [jɛʀ] gestern **II 1E**

une **histoire** [ynistwaʀ] eine Geschichte **I 3B**

l'**histoire-géographie** [listwaʀʒeɔgʀafi] Geschichte und Erdkunde **III 3**

l'**hiver** *(m.)* [livɛʀ] der Winter **I 7, 6**

le **hockey sur glace** [lɔɔkɛsyʀglas] das Eishockey ⟨**III M3**⟩

un **homme** [ɛ̃nɔm] ein Mann **I 5**

un **hôpital** [ɛ̃nɔpital] ein Krankenhaus **II 7B**

un **horaire** [ɛ̃nɔʀɛʀ] ein Fahrplan, ein Stundenplan **I 7, 8**

C'est l'horreur! [sɛlɔʀœʀ] Es ist schrecklich! **I 3A, 6**
avoir horreur de qc [avwaʀɔʀœʀ] etw.

verabscheuen/nicht ausstehen können **II 4**

un **hôtel** [ɛ̃nɔtɛl/ɛ̃nɔtɛl] ein Hotel **I 5, 12**

un **hôtel de ville** [ɛ̃nɔtɛldəvil] ein Rathaus **I 5, 12**

huitante [ɥitãt] achtzig *(Belgien und Schweiz)* ⟨**II 9, 5**⟩

hyper [ipɛʀ] hyper-, über- *(Vorsilbe)* **III 1**

I

ici [isi] hier **I 2**

une **idée** [ynide] eine Idee **I 3A**

des **idées noires** *(f., pl,)* [dezidenwaʀ] düstere Gedanken **II 2**

une **île** [ynil] eine Insel **III 5E**

il y a deux semaines [ilja] (jetzt) vor zwei Wochen ⟨**II 8B**⟩
il y a [ilja] es gibt, es ist, es sind **I 3E**

une **image** [ynimaʒ] ein Bild **I 5, 15**

imaginer qc [imaʒine] sich etw. (aus)denken **II 1, 1**

imiter qc [imite] etw. nachahmen **II 3A**

important/**importante** [ɛ̃pɔʀtã/ɛ̃pɔʀtãt] wichtig **II 3B**

un **Indien**/une **Indienne** [ɛ̃nɛ̃djɛ̃/ynɛ̃djɛn] ein Inder/eine Inderin; ein Indianer/eine Indianerin ⟨**III M3**⟩

indien/**indienne** [ɛ̃djɛ̃/ɛ̃djɛn] indisch, indianisch ⟨**III M3**⟩

indiquer qc à qn [ɛ̃dike] jdm. etw. anzeigen, jdm. eine Angabe machen **II 4, 5**

une **infirmerie** [ynɛ̃fiʀməʀi] die Krankenstation **III 3**

une **information** [ynɛ̃fɔʀmasjõ] eine Information **I 8E**

installer qc [ɛ̃stale] etw. aufstellen, etw. installieren **II 6**

un **instrument** [ɛ̃nɛ̃stʀymã] ein Instrument **III 4E**

interdire à qn de faire qc [ɛ̃tɛʀdiʀ] jdm. verbieten etw. zu tun **III 1, 9**

intéressant/**intéressante** [ɛ̃teʀesã/ɛ̃teʀesãt] interessant **II 4, 9**

intéresser qn [ɛ̃teʀese] jdn. interessieren **II 2**
s'intéresser à qc [sɛ̃teʀese] sich für etw. interessieren ⟨**II 8A**⟩; ⟨**III M3, 2**⟩

Internet *(m.)* [ɛ̃tɛʀnɛt] Internet *(n.)* **I 3B**

sur Internet [syʀɛ̃tɛʀnɛt] im Internet **I 3B**

une **interview** [ynɛ̃tɛʀvju] ein Interview **I 3A, 4**

un **intrus** [ɛ̃ntʀy] ein Eindringling **II 5, 1**

inventer qc [ɛ̃vãte] etw. erfinden ⟨**II 9E**⟩; **III 2, 7**

inviter qn [ɛ̃vite] jdn. einladen **I 6B, 4**

un **Italien**/une **Italienne** [ɛ̃nitaljɛ̃/ynitaljɛn] ein Italiener/eine Italienerin **II 3A**

italien/**italienne** [italjɛ̃/italjɛn] italienisch **II 1, 8**

J

jaloux/**jalouse** (de qn) [ʒalu/ʒaluz] eifersüchtig (auf jdn.) **II 7B**

une **jambe** [ynʒãb] ein Bein **II 7B**

un **jambon** [ɛ̃ʒãbõ] ein Schinken **III 2**

janvier *(m.)* [ʒãvje] Januar **I 7, 6**

un **jardin** [ɛ̃ʒaʀdɛ̃] ein Garten **II 1**

jaune [ʒon] gelb **I 7, 4**

le **jazz** [lədʒaz] der Jazz *(Musikstil)* **II 2**

un **jean** [ɛ̃dʒin] eine Jeans, ein Paar Jeans ⟨**I 9A**⟩; ⟨**II 8B, 9**⟩; **III 1**

jeter qc [ʒəte] etw. werfen ⟨**III M1**⟩

un **jeu** [ɛ̃ʒø] ein Spiel **I 1, 4**
un jeu vidéo/des jeux vidéo [ɛ̃ʒøvideo] ein Videospiel/Videospiele **I 4E**

jeudi *(m.)* [ʒødi] Donnerstag **I 7**

un **jeune**/une **jeune** [ɛ̃ʒœn/ynʒœn] ein Jugendlicher/eine Jugendliche **II 3A, 9**

jeune/**jeune** [ʒœn/ʒœn] jung **II 3A, 9**

joli/**jolie** [ʒoli/ʒoli] hübsch **I 7**

jouer [ʒwe] spielen **I 3A**
jouer à [ʒwea] spielen *(Spiel)* **I 7**
jouer de [ʒwedə] spielen *(Instrument)* **I 7**

un **jour** [ɛ̃ʒuʀ] ein Tag **I 3A; I 3A**

un **journal**/des **journaux** [ɛ̃ʒuʀnal/deʒuʀno] eine Zeitung/Zeitungen **I 7**
un journal [ɛ̃ʒuʀnal] *(hier)* eine Nachrichtensendung ⟨**III M1**⟩
un journal de bord [ɛ̃ʒuʀnaldəbɔʀ] ein Logbuch; *(hier)* ein Reisebericht **III 2E**

un **journaliste**/une **journaliste** [ɛ̃ʒuʀnalist/ynʒuʀnalist] ein Journalist/eine Journalistin ⟨**I 9B, 6**⟩; **II 7B, 6** une **journée** [ynʒuʀne] ein Tag, ein Tagesablauf **I 5**, 4

juillet (m.) [ʒɥije] Juli **I 7**, 6

juin (m.) [ʒɥɛ̃] Juni **I 7**, 6

un **jus** [ɛʒy] ein Saft **II 5**

le jus d'orange [ləʒydɔʀɑ̃ʒ] der Orangensaft **II 5**

jusque [ʒysk] bis ⟨**I 9A**⟩; **II 6**

juste [ʒyst] gerecht **II 4**, 7

K

un **kilo** [ɛ̃kilo] ein Kilo **II 5**

un **kilomètre** [ɛ̃kilɔmɛtʀ] ein Kilometer ⟨**I 9A**⟩; **II 2**

à cinq kilomètres de [asɛ̃kilɔmɛtʀdə] fünf Kilometer entfernt von ⟨**I 9A**⟩

un **kir** [ɛ̃kiʀ] ein Kir (ein Mischgetränk aus Weißwein und Johannisbeerlikör) **III 2**, 4

L

là [la] da, dort **I 2**

là-bas [laba] dort(hin), da(hin) **II 1**

un **laboratoire** [ɛ̃labɔʀatwaʀ] ein Labor(atorium) **III 3**, 6

laisser qc [lese] etw. (zurück)lassen **III 5**

le **lait** [lɔlɛ] die Milch **II 5E**

une **lampe** [ynlɑ̃p] eine Lampe **III 5**

une **langue** [ynlɑ̃g] eine Sprache **I 8**

une **leçon** [ynləsɔ̃] eine Lektion **III 1**

la **lecture** [lalɛktyʀ] die Lektüre, das Lesen **I 7**, 16

un **légume** [ɛ̃legym] ein Gemüse **II 5**

le **lendemain** [ləlɑ̃dmɛ̃] am darauf folgenden Tag **I 8**

lequel/laquelle/lesquels/lesquelles [ləkɛl/lakɛl/lekɛl/lekɛl] welcher/welche/welches (Relativpronomen) **III 2**

une **lettre** [ynlɛtʀ] ein Brief **I 8E**; **III 4**, 2

se lever [sələve] aufstehen; (hier) sich erheben, (Wind) aufkommen **II 7B**

une **libération** [ynlibeʀasjɔ̃] eine Befreiung **II 4**, 11

une **librairie** [ynlibʀɛʀi] eine Buchhandlung **I 5**

libre [libʀ] frei **III 3**

un **lieu**/des **lieux** [ɛ̃ljø] ein Ort ⟨**III M1**, 1⟩

une **ligne** [ynliɲ] eine (Verkehrs)Linie **I 5**

lire qc [liʀ] etw. lesen **I 7**

une **liste** [ynlist] eine Liste **I 2**, 12

un **lit** [ɛ̃li] ein Bett **I 3A**

un **livre** [ɛ̃livʀ] ein Buch **I 5**

un livre de cuisine [ɛ̃livʀdəkɥizin] ein Kochbuch **I 5**

un **logiciel** [ɛ̃lɔʒisjɛl] eine Software, ein (Computer)Programm ⟨**III M2**⟩

loin [lwɛ̃] weit **II 1**

long/longue [lɔ̃/lɔ̃g] lang **I 7**

longtemps [lɔ̃tɑ̃] lange (Adv.) **III 3**

le **loto** [lɔloto] das Lotto ⟨**II 9**⟩

lourd/lourde [luʀ/luʀd] schwer; (hier) umfangreich **III 2**

une **lumière** [ynlymjɛʀ] ein Licht **III 5**

lundi (m.) [lɛ̃di] Montag **I 7**, 6

des **lunettes** (f., pl.) [delynɛt] eine Brille ⟨**II 8A**⟩; **III 1E**

des **lunettes de soleil** (f., pl.) [delynɛtdəsɔlɛj] eine Sonnenbrille **III 1E**

un **lutin** [ɛ̃lytɛ̃] ein Lausejunge; (hier) ein Kobold **III 5**

le **luxembourgeois** [ləlyksɑ̃buʀʒwa] das Luxemburgische (deutscher Dialekt) ⟨**II 9**, 5⟩

un **lycée** [ɛ̃lise] ein Gymnasium **III 2E**

M

une **machine** [ynmaʃin] eine Maschine **I 6A**, 5

madame … [madam] Frau … **I 1**

mademoiselle … [madmwazɛl] Fräulein … **I 1**, 3

un **magasin** [ɛ̃magazɛ̃] ein Geschäft, ein Laden **I 2**

faire les magasins (fam.) [fɛʀlemagazɛ̃] die Geschäfte abklappern (ugs.) **II 3B**

la **magie** [maʒi] die Zauberei **III 5**

magique/magique [maʒik/maʒik] magisch, zauberhaft **III 5**

le **magret de canard** [ləmagʀɛdəkanaʀ] die Entenbrust **II 5**, 1

mai (m.) [mɛ] Mai **I 7**

un **maillot de bain** [ɛ̃majodbɛ̃] ein Badeanzug ⟨**I 9A**⟩

une **main** [ynmɛ̃] eine Hand **III 5**

maintenant [mɛ̃tnɑ̃] jetzt **I 2**

mais [mɛ] aber **I 1**

une **maison** [ynmɛzɔ̃] ein Haus **I 3E**

à la maison [alamɛzɔ̃] zu Hause **I 4E**

avoir **mal** au ventre [avwaʀmalovɑ̃tʀ] Bauchweh haben ⟨**I 9A**⟩

avoir **mal** [avwaʀmal] Schmerzen haben **II 3B**

mal [mal] schlecht (Adv.) **I 1**, 3

Ça va mal. [savamal] Es geht schlecht. **I 1**, 3

malade [malad] krank **II 4E**

tomber malade [tɔ̃bemalad] krank werden ⟨**II 8A**⟩

malheureusement [maløʀøzmɑ̃] unglücklicherweise, leider (Adv.) ⟨**II 9**⟩; **III 2**, 3

malheureux/malheureuse [maløʀø/maløʀøz] unglücklich **III 3**

maman (f.) [mamɑ̃] Mama, Mutti **I 3E**

mamie (f.) (fam.) [mami] Oma (ugs.) **I 7**

manger qc [mɑ̃ʒe] etw. essen **I 6A**

manquer [mɑ̃ke] fehlen **II 5**

manqué/manquée [mɑ̃ke] verpasst, fehlgeschlagen **II 6**

un **marchand**/une **marchande** [ɛ̃maʀʃɑ̃/ynmaʀʃɑ̃d] ein Händler/eine Händlerin **II 5**

un **marché** [ɛ̃maʀʃe] ein Markt ⟨**I 9A**⟩; **II 5**

marcher [maʀʃe] gehen, laufen; (hier) funktionieren **II 2**

mardi (m.) [maʀdi] Dienstag **I 7**, 6

la **marée** [lamaʀe] die Gezeiten (pl.) **III 5**

un **mari** [ɛ̃maʀi] ein Ehemann **I 3B**

un **mariage** [ɛ̃maʀjaʒ] eine Hochzeit ⟨**II 9**⟩

un **marié**/une **mariée** [maʀje] ein Bräutigam/eine Braut ⟨**II 9**⟩

se marier [səmaʀje] jdn. heiraten ⟨**II 9**⟩

un **Marocain**/une **Marocaine** [ɛ̃maʀɔkɛ̃/ynmaʀɔkɛn] ein Marokkaner/eine Marokkanerin ⟨**III M3E**⟩

marocain/marocaine [maʀɔkɛ̃/maʀɔkɛn] marokkanisch ⟨**I 9A**⟩; ⟨**III M3E**⟩

marquer qc [maʀke] etw. markieren, etw. anzeigen; (hier) etw. schreiben **I 2**

en **avoir marre** de qc [ɑ̃navwaʀmaʀ] von etw. die Nase voll haben (ugs.) **II 4**

marron (inv.) [maʀɔ̃] (kastanien)braun **I 7**, 4

mars (m.) [maʀs] März **I 7**, 6

un **Martiniquais**/une **Martiniquaise** [ɛ̃maʀtinikɛ/ynmaʀtinikɛz] ein Martinikaner/eine Martinikanerin ⟨**III M3E**⟩

un **match** [ɛ̃matʃ] ein Wettkampf, ein Spiel **II 3E**

le **matériel** [ləmateʀiɛl] das Material, die Ausrüstung **II 4, 8**

les **maths** *(f., pl.) (fam.)* [lemat] Mathe *(ugs.)* **II 4**

une **matière** [ynmatjɛʀ] ein Unterrichtsfach **III 3**

un **matin** [ɛ̃matɛ̃] ein Morgen ⟨**I 9A**⟩; **II 1E**

le **matin** [ləmatɛ̃] morgens ⟨**I 9A**⟩; **II 1E**

mauvais/mauvaise [movɛ/movɛz] schlecht **I 7**

un **mec** *(fam.)* [ɛ̃mɛk] ein Typ *(ugs.)* **III 1E**

un **mécanicien**/une **mécanicienne** [ɛ̃mekanisjɛ̃/ynmekanisjɛn] ein Mechaniker/eine Mechanikerin **II 1**

méchant/méchante [meʃɑ̃/meʃɑ̃t] gemein, böse **III 5**

un **médecin** [ɛ̃medsɛ̃] ein Arzt/eine Ärztin **I 6E**

une **médiathèque** [ynmedjatɛk] eine Mediathek *(Ort, an dem man verschiedene Medien wie z. B. Bücher, CD-ROM, Video oder Internet benutzen kann.)* **II 3A**

le **meilleur**/la **meilleure** [ləmɛjœʀ/lamɛjœʀ] der beste/die beste/das beste ⟨**II 8A**⟩
meilleur/meilleure [mɛjœʀ/mɛjœʀ] besser *(Steigerungsform von «bon»)* **III 1**

mélanger qc [melɑ̃ʒe] etw. mischen ⟨**I 8B**⟩

le **même**/la **même** [ləmɛm/lamɛm] derselbe/dieselbe/dasselbe ⟨**I 9B**⟩; **II 4, 2**

même [mɛm] sogar ⟨**I 9A**⟩; **II 1E**

un **menhir** [ɛ̃menir] ein Menhir, ein Hinkelstein **III 5E**

un **menu** [ɛ̃məny] ein Menü **II 5**

la **mer** [lamɛʀ] das Meer ⟨**I 9E**⟩; **II 7E**

merci [mɛʀsi] danke **I 1**

mercredi *(m.)* [mɛʀkʀədi] Mittwoch **I 4**

une **mère** [ynmɛʀ] eine Mutter **I 6A, 5**

Mesdames, Messieurs, … [medammesjø] Sehr geehrte Damen und Herren, … **II 4, 11**

un **message** [ɛ̃mesaʒ] eine Mitteilung, eine Nachricht **II 6**

une **météorologie** [lameteoʀɔlɔʒi] die Wettervorhersage **II 1, 9**

un **métier** [ɛ̃metje] ein Beruf **I 6E**
un métier de rêve [ɛ̃metjedəʀɛv] ein Traumberuf **III 4E**

un **mètre** [ɛ̃mɛtʀ] ein Meter **II 6, 8**

le **métro** [ləmetʀo] die Metro, die U-Bahn in Paris **I 5**

mettre qc [mɛtʀ] etw. legen, etw. setzen, etw. stellen; etw. anziehen ⟨**I 9B**⟩; **II 1**
mettre la table [mɛtʀlatabl] den Tisch decken **II 1**
mettre qc en relief [mɛtʀɑ̃ʀəljɛf] etw. hervorheben **II 7A, 4**

le **Midi** [ləmidi] der Süden *(Frankreichs)* ⟨**III M1E**⟩

le **midi** [ləmidi] der Mittag **I 5E**
à midi [amidi] um 12 Uhr mittags, mittags **I 5E**

mieux [mjø] besser *(Adv.)* **III 3**

mignon/mignonne [miɲɔ̃/miɲɔn] süß, niedlich **II 3B**

mille [mil] tausend ⟨**I 9B**⟩; **II 2**

un **million** [ɛ̃miljɔ̃] eine Million **III 3**

mince [mɛ̃s] dünn ⟨**II 8A**⟩

minuit [minɥi] Mitternacht, 12 Uhr nachts **I 5E**

une **minute** [ynminyt] eine Minute **II 2**

la **mode** [lamɔd] die Mode **II 3A**

moi [mwa] ich *(betont)* **I 1E**

moins [mwɛ̃] weniger ⟨**II 8A**⟩; **III 1E**
moins beau que [mwɛ̃bokə] weniger schön als **III 1E**

un **mois** [ɛ̃mwa] ein Monat **I 3A**

une **moitié** [ynmwatje] eine Hälfte **III 3**
à moitié [amwatje] zur Hälfte **III 3**

le **monde** [ləmɔ̃d] die Welt **III 2**
beaucoup de monde [bokudmɔ̃d] viele Leute **I 7**

monsieur … [məsjø] Herr … **I 1**

une **montagne** [ynmɔ̃taɲ] ein Berg, ein Gebirge ⟨**I 9E**⟩; **II 1**
à la montagne [alamɔ̃taɲ] in den Bergen **II 7A**

monter [mɔ̃te] steigen, einsteigen **I 5**

une **montre** [ynmɔ̃tʀ] eine Armbanduhr ⟨**II 9E**⟩

montrer qc à qn [mɔ̃tʀe] jdm. etw. zeigen **II 4E**

se **moquer** de qn [səmɔke] sich über jdn. lustig machen **III 1**

le **moral** [ləmɔʀal] die Stimmung, die innere Verfassung **II 2**

la **mort** [lamɔʀ] der Tod **III 5**
être mort(e) [ɛtʀəmɔʀ(t)] gestorben sein, tot sein **III 2, 7**

un **mot** [ɛ̃mo] ein Wort **I 1, 4**
un mot-clé [ɛ̃mokle] ein Schlüsselwort **I 7, 10**

mourir [muʀiʀ] sterben **III 4**

la **moutarde** [lamutaʀd] der Senf **III 2E**

un **moyen de transport** [ɛ̃mwajɛ̃dətʀɑ̃spɔʀ] ein Verkehrsmittel ⟨**I 5, 2**⟩

le **Moyen Âge** [ləmwajɛnaʒ] das Mittelalter **III 2**

un **mur** [ɛ̃myʀ] eine Mauer, eine Wand **I 4**
un mur d'escalade [ɛ̃myʀdeskalad] eine Kletterwand **I 4**

un **musée** [ɛ̃myze] ein Museum **II 1**

un **musicien**/une **musicienne** [ɛ̃myzisjɛ̃/ynmyzisjɛn] ein Musiker/eine Musikerin **II 6**

la **musique** [lamyzik] die Musik **I 3A**
la musique rock [lamyzikʀɔk] die Rockmusik **I 3A**

N

la **natation** [lanatasjɔ̃] das Schwimmen **I 4E**

une **nationalité** [ynasjɔnalite] eine Nationalität ⟨**III M3E**⟩

la **nature** [lanatyʀ] die Natur **I 2**

ne … rien [nə…ʀjɛ̃] nichts **I 6A**

être **né(e)** [ɛtʀəne] geboren werden **II 5**

nécessaire/nécessaire [nesesɛʀ/nesesɛʀ] notwendig, erforderlich ⟨**III M2**⟩

la **neige** [lanɛʒ] der Schnee ⟨**III M3**⟩

ne … jamais [nə … ʒamɛ] nie, niemals **I 6A**

ne … pas [nə … pa] nicht **I 4**

ne … pas de [nə … padə] kein/keine *(bei Mengen)* **I 7**

ne … pas du tout [nə … padytu] überhaupt nicht **II 1**

ne … pas encore [nə … pazɑ̃kɔʀ] noch nicht **II 1**

ne … pas non plus [nə … panɔ̃ply] auch nicht **II 1**

ne … personne [nə … pɛʀsɔn] niemand **II 5**

ne … plus [nə … ply] nicht mehr **I 6A**

ne … plus jamais [nə … plyʒamɛ] nie mehr **III 1**

ne … que [nə … kə] nur **II 2**

nerveux/nerveuse [nɛʀvø/nɛʀvøz] nervös ⟨**III M3**⟩

un **neveu** [ɛ̃nəvø] ein Neffe ⟨**II 9**⟩

un **nez** [ɛ̃ne] eine Nase **III 2**

un **niveau** [ɛ̃nivo] ein Niveau **III 4**

faire qc **au noir** [fɛʀ … onwaʀ] etw. „schwarz" machen *(ohne Berechtigung)* **III 3**

LISTE DES MOTS

noir/noire [nwaʀ/nwaʀ] schwarz **I 7**
un **nom** [ɛ̃nõ] ein Name **I 7, 14**
un **nombre** [ɛ̃nõbʀ] eine Zahl ⟨**I 9B, 5**⟩; **II 2, 11**
non [nõ] nein **I 1**
le **nord** [lənɔʀ] der Norden **III 2E**
normal/normale [nɔʀmal/nɔʀmal] normal **III 3**
une **note** [ynnɔt] eine Note **I 8**
  prendre des notes [pʀɑ̃dʀdenɔt] Notizen machen **II 2, 2**
une **nouille** [ynnuj] eine Nudel **II 4**
  une nouille *(fam.)* [ynnuj] *(hier)* eine Tranfunzel *(ugs.)* **III 1**
un **nouveau** [ɛ̃nuvo] ein Neuer **I 1**
nouveau/nouvel/nouvelle [nuvo/nuvɛl/nuvɛl] neu **II 3B**
une **nouvelle** [ynnuvɛl] eine Nachricht, eine Neuigkeit **II 2**
novembre *(m.)* [nɔvɑ̃bʀ] November **I 7, 6**
un **nuage** [ɛ̃nyaʒ] eine Wolke **II 1, 9**
une **nuit** [ynnɥi] eine Nacht **II 4**
une **nuit blanche** [ynnɥiblɑ̃ʃ] eine schlaflose Nacht **III 2**
qc est **nul/nulle** *(fam.)* [nyl] etw. ist blöd, etw. bringt's nicht *(ugs.)* **II 2**
numérique/numérique [nymeʀik/nymeʀik] digital **III 2**
un **numéro de téléphone** [ɛ̃nymeʀodətelefɔn] eine Telefonnummer **I 6B, 4**

O

un **objet** [ɛ̃nɔbʒɛ] ein Gegenstand; Betreff *(Angabe des Themas in einem offiziellen Brief)* **II 4, 11**
s'occuper de qn/qc [sɔkype] sich mit jdm./etw. beschäftigen, sich um jdn./etw. kümmern **III 3**
octobre *(m.)* [ɔktɔbʀ] Oktober **I 7, 6**
un **œil/des yeux** [ɛ̃nœj/dezjø] ein Auge/Augen ⟨**II 8A**⟩; **III 1E**
  avoir les yeux bleus [avwaʀlezjøblø] blaue Augen haben ⟨**II 8A**⟩
un **œuf/des œufs** [ɛ̃nœf/dezø] ein Ei/Eier **II 5E**
un **office de tourisme** [ɛ̃nɔfisdətuʀism] ein Fremdenverkehrsamt **II 7E**
offrir qc à qn [ɔfʀiʀ] jdm. etw. anbieten **III 4**
un **oiseau/des oiseaux** [ɛ̃nwazo/dezwazo] ein Vogel/Vögel **I 7E**

un **oncle** [ɛ̃nõkl] ein Onkel **I 7**
On y va! [õniva] Gehen wir!, Auf geht's! **I 6B**
un **orage** [ɛ̃nɔʀaʒ] ein Gewitter **II 7B**
une **orange** [ynɔʀãʒ] eine Orange **II 5E**
orange *(inv.)* [ɔʀãʒ] orange **I 7, 4**
un **ordinateur** [ɛ̃nɔʀdinatœʀ] ein Computer **I 3A**
une **ordonnance** [ynɔʀdɔnãs] ein Rezept *(vom Arzt)* **II 7B, 4**
un **ordre** [ɛ̃nɔʀdʀ] eine Reihenfolge **I 3A, 4**
  le bon ordre [ləbɔnɔʀdʀ] die richtige Reihenfolge **I 4, 1**
une **oreille** [ynɔʀɛj] ein Ohr ⟨**II 9E**⟩; **III 1, 11**
organiser qc [ɔʀganize] etw. organisieren **I 8E**
une **origine** [ynɔʀiʒin] ein Ursprung, eine Herkunft ⟨**II 8B**⟩; **III 5, 5**
ou [u] oder **I 4**
où [u] wo **I 2**
où [u] wo *(Relativpronomen)* **II 3A**
ou bien … ou bien [ubjɛ̃ … ubjɛ̃] entweder … oder **III 1**
oublier qc [ublije] etw. vergessen **I 6B**
l'**ouest** *(m.)* [lwɛst] der Westen **III 2E**
Ouf! [uf] Uff! **II 4**
oui [wi] ja **I 1**
un **ours** [ɛ̃nuʀs] ein Bär **II 7E**
ouvrir qc [uvʀiʀ] etw. öffnen **I 7**

P

une **page** [ynpaʒ] eine Seite **I 2, 12**
le **pain** [ləpɛ̃] das Brot **II 5**
  un pain d'épice [ɛ̃pɛ̃depis] ein Gewürzbrot **III 2**
un **palais** [ɛ̃palɛ] ein Palast **III 2**
la **panique** [lapanik] die Panik **II 7B**
un **pantalon** [ɛ̃pɑ̃talõ] eine Hose **I 7**
papa *(m.)* [papa] Papa, Vati **I 1**
une **papeterie** [ynpapɛtʀi] ein Schreibwarengeschäft **I 2**
papi *(m.) (fam.)* [papi] Opa *(ugs.)* **I 7**
un **papier** [ɛ̃papje] ein Papier **I 2**
un **paquet** [ɛ̃pakɛ] ein Paket **II 2**
par cœur [paʀkœʀ] auswendig **I 6B**
  par semaine [paʀsəmɛn] pro Woche, wöchentlich ⟨**I 9A, 11**⟩; **I 4, 2**
  par exemple [paʀɛgzɑ̃pl] zum Beispiel **I 3B**
  par e-mail [paʀimɛl] per E-Mail **II 4, 4**

un **paradis** [ɛ̃paʀadi] ein Paradies **I 2**
un **parapluie** [ɛ̃paʀaplɥi] ein Regenschirm **II 1, 10**
un **parc** [ɛ̃paʀk] ein Park **II 1E**
parce que [paʀskə] weil **I 5E**
un **parc national** [ɛ̃paʀknasjɔnal] ein Nationalpark **II 4, 11**
par contre [paʀkõtʀ] hingegen, dagegen **III 2**
un **parcours** [ɛ̃paʀkur] eine Strecke; ein Durchgang **II 7B**
Pardon. [paʀdõ] Verzeihung., Entschuldigung. **I 4, 12**
les **parents** *(m.)* [lepaʀã] die Eltern **I 3A**
parfait/parfaite [paʀfɛ/paʀfɛt] perfekt, tadellos **III 5, 8**
parler à qn [paʀle] mit jdm. sprechen, zu jdm. sprechen **I 6A**
  parler de qc [paʀle] über etw. sprechen **II 3B**
  Tu parles! *(fam.)* Von wegen! *(ugs.)* **II 6**
participer à qc [paʀtisipe] an etw. teilnehmen ⟨**III M3**⟩
une **partie** [ynpaʀti] ein Teil **I 2, 7**
partir [paʀtiʀ] weggehen, abfahren ⟨**I 9A**⟩; **II 1**
  partir en vacances [paʀtiʀãvakãs] in die Ferien/in den Urlaub fahren ⟨**I 9A**⟩
à partir de [apaʀtiʀdə] von … an **III 1**
partout [paʀtu] überall **II 3A**
passer qc [pase] *(hier)* etw. verbringen *(einen Tag)* **II 1**
  passer [pase] vorbeigehen, -fahren, -kommen **II 3A**
  se passer [səpase] geschehen, sich ereignen **II 7B**
  passer [pase] *(hier)* laufen, spielen (im Radio) ⟨**II 8A, 5**⟩
  passer à la télé [pasealatele] einen Fernsehauftritt haben **III 4E**
un **pâtissier/une pâtissière** [ɛ̃patisje/ynpatisjɛʀ] ein Konditor/eine Konditorin ⟨**II 9**⟩
pauvre/pauvre [povʀ/povʀ] arm **II 3B**
payer qc [peje] etw. bezahlen **I 8**
un **pays** [ɛ̃pei] ein Land **II 4E**
un **paysan/une paysanne** [ɛ̃peizã/ynpeizan] ein Bauer/eine Bäuerin ⟨**II 8B, 3**⟩
le **péage** [ləpeaʒ] die Mautstelle **III 2**
la **pêche** [lapɛʃ] die Fischerei **III 5E**
peindre qc [pɛ̃dʀ] etw. anmalen, etw. anstreichen **III 5**

la **peinture** [lapɛ̃tyʀ] die Farbe *(zum Anmalen)* II 3A

une **pellicule** [ynpelikyl] ein Film I 8

pendant [pɑ̃dɑ̃] während I 6B

pendant ce temps [pɑ̃dɑ̃sətɑ̃] währenddessen, während dieser Zeit II 5

pendant que *(Konjunktion)* [pɑ̃dɑ̃kə] während ⟨II 8B⟩; III 1

penser à qn [pɑ̃se] an jdn. denken II 3B

perdre qc [pɛʀdʀ] etw. verlieren II 2

un **père** [ɛ̃pɛʀ] ein Vater I 4

la **permanence** [lapɛʀmanɑ̃s] die beaufsichtigte Freistunde II 4

un **personnage** [ɛ̃pɛʀsɔnaʒ] eine Figur/ eine Persönlichkeit II 4, 3

une **personne** [ynpɛʀsɔn] eine Person II 3E

petit/petite [pəti/pətit] klein I 7E

un **petit-déjeuner** [ɛ̃pətideʒœne] ein Frühstück II 4

peu [pø] wenig I 7

un peu de [ɛ̃pødə] ein wenig *(bei Mengen)* I 7

la **peur** [lapœʀ] die Angst I 4

N'aie pas peur! [nepapœʀ] Hab keine Angst! III 5

avoir peur de faire qc [avwaʀpœʀ] Angst haben etw. zu tun I 6B

faire peur à qn [fɛʀpœʀ] jdm. Angst machen II 5

peut-être [pøtɛtʀ] vielleicht I 8

une **pharmacie** [ynfaʀmasi] eine Apotheke; ein Medikamentenschrank, eine Hausapotheke III 2

une **photo** [ynfoto] ein Foto I 2E

prendre qc en photo [pʀɑ̃dʀɑ̃foto] etw. fotografieren ⟨I 9A, 11⟩

une **photographie** [ynfɔtɔgʀafi] eine Fotografie III 2

photographier qn/qc [fɔtɔgʀafje] jdn./ etw. fotografieren ⟨III M2⟩

une **phrase** [ynfʀaz] ein Satz I 2, 10

un **piano** [ɛ̃pjano] ein Klavier, ein Piano I 4E

une **pièce** [ynpjɛs] ein Zimmer I 3E

un **pied** [ɛ̃pje] ein Fuß II 7B

à pied [apje] zu Fuß III 2

C'est le pied! *(fam.)* [sɛləpje] Das ist der Hammer! *(ugs.)* III 2

un **pilote**/une **pilote** [ɛ̃pilɔt/ynpilɔt] ein Pilot/eine Pilotin II 3A, 3

un **pion** [ɛ̃pjɔ̃] eine Aufsichtsperson II 4

un **pique-nique** [ɛ̃piknik] ein Picknick II 5, 12

une **piscine** [ynpisin] ein Schwimmbad, ein Schwimmbecken II 2

un **pistolet** [ɛ̃pistɔlɛ] eine Pistole III 5E

une **place** [ynplas] ein Platz I 2

une **plage** [ynplaʒ] ein Strand ⟨I 9E⟩; ⟨II 9⟩; III 1E

sur la plage [syʀlaplaʒ] am Strand III 1E

se plaindre de qn/qc [səplɛ̃dʀ] sich über jdn./etw. beschweren, sich über jdn./etw. beklagen III 5

plaire à qn [plɛʀ] jdm. gefallen II 3A

un **plaisir** [ɛ̃pleziʀ] ein Vergnügen, eine Freude ⟨II 9⟩

un **plan** [ɛ̃plɑ̃] ein Plan, *(hier)* Stadtplan I 5

un **planétarium** [ɛ̃planetaʀjɔm] ein Planetarium II 1E

se planter [səplɑ̃te] abstürzen ⟨III M2⟩

un **plat principal** [ɛ̃plapʀɛ̃sipal] ein Hauptgericht II 5

le **plâtre** [ləplatʀ] der Gips; der Gipsverband II 7B

plein de/**pleine** de [plɛ̃/plɛn] voll mit III 2

pleurer [plœʀe] weinen II 7A

pleuvoir [pløvwaʀ] regnen II 1

il pleut [ilplø] es regnet II 1

la **pluie** [laplɥi] der Regen ⟨I 9B⟩; II 7A

plus [ply/plys] mehr ⟨II 8A⟩; III 1E

en plus [ɑ̃plys] außerdem, zusätzlich I 4

le plus … possible [ləply … pɔsibl] möglichst, so … wie möglich III 3

plusieurs *(inv.)* einige ⟨III M1⟩

plutôt [plyto] eher ⟨III M2⟩

une **poche** [ynpɔʃ] eine Tasche; eine Hosentasche III 1, 7; III 1, 7

un **poème** [ɛ̃pɔɛm] ein Gedicht II 2, 4

un **poète** [ɛ̃pɔɛt] ein Dichter/eine Dichterin II 6, 2

un **point** [ɛ̃pwɛ̃] ein Punkt II 7A, 6

un **poisson** [ɛ̃pwasɔ̃] ein Fisch II 1E

le **poivre** [ləpwavʀ] der Pfeffer II 5E

la **police** [lapɔlis] die Polizei I 4, 12

un **policier** [ɛ̃pɔlisje] ein Polizist I 4, 12

une **pomme** [ynpɔm] ein Apfel II 5

une **pomme de terre** [ynpɔmdətɛʀ] eine Kartoffel II 5

un **pompier**/une **femme pompier** [ɛ̃pɔ̃pje/ynfampɔ̃pje] ein Feuerwehrmann/eine Feuerwehrfrau ⟨III M1E⟩

les **pompiers** *(m., pl.)* [lepɔ̃pje] die Feuerwehr ⟨III M1E⟩

un **pont** [ɛ̃pɔ̃] eine Brücke II 7B

le **pop** [ləpɔp] der Pop ⟨II 8B⟩; III 4

un **port** [ɛ̃pɔʀ] ein Hafen III 1

un **portable** [ɛ̃pɔʀtabl] *(hier)* ein Mobiltelefon, ein Handy I 5

une **porte** [ynpɔʀt] eine Tür I 2

un **porte-bonheur**/des **porte-bonheurs** [ɛ̃pɔʀt(ə)bɔnœʀ] ein Glücksbringer ⟨II 9⟩; III 2

un **porte-monnaie**/des **porte-monnaies** [ɛ̃pɔʀtmɔnɛ] ein Geldbeutel I 5

porter qc [pɔʀte] etw. tragen I 7

un **portrait** [ɛ̃pɔʀtʀɛ] ein Porträt, Abbild I 7, 15

poser qc [poze] etw. stellen, setzen, legen I 2

une **position** [ynpozisjɔ̃] die Stellung III 3, 7

prendre position sur qn/qc [pʀɑ̃dʀəpozisjɔ̃] zu jdm./etw. Stellung beziehen III 3, 7

possible/possible [pɔsibl/pɔsibl] möglich ⟨II 9, 9⟩; III 2, 8

le plus … possible [ləply … pɔsibl] möglichst, so … wie möglich III 3

la **poste** [lapɔst] die Post II 2

un **pote**/une **pote** *(fam.)* [ɛ̃pɔt/ynpɔt] ein Kumpel *(ugs.)* III 4

une **poubelle** [ynpubɛl] ein Mülleimer I 2

une **poule** [ynpul] ein Huhn, eine Henne I 7E

un **poulet** [ɛ̃pulɛ] ein Huhn, ein Hühnchen III 2

pour [puʀ] für I 2E; wegen I 3A; nach I 7

pour une fois que [puʀynfwakə] wenn … (schon) einmal II 6; II 6

un **pour cent** *(inv.)* [ɛ̃puʀsɑ̃] ein Prozent III 3

pour faire qc [puʀfɛʀ] um etw. zu tun I 5

pourquoi [puʀkwa] warum I 5E

c'est pourquoi [sepuʀkwa] deshalb ⟨II 9⟩; III 1

tu pourrais [typuʀɛ] du könntest *(Form des Verbs «pouvoir»)* ⟨I 9B⟩

pourtant [puʀtɑ̃] trotzdem III 1

pouvoir [puvwaʀ] können I 6B

pouvoir faire qc etw. tun können I 6B

la **pratique** [lapʀatik] die Praxis, die Ausübung I 1

pratique/pratique [pʀatik/pʀatik] praktisch II 3B, 2

préféré/préférée [pʀefeʀe] bevorzugt, Lieblings- II 6, 3

préférer qc [pʀefeʀe] etw. vorziehen, etw. lieber mögen II 5 préférer faire qc etw. lieber tun **II 5**

le **premier**/la **première** [ləpʀəmje/lapʀəmjɛʀ] der erste/die erste/das erste **I 7, 6**; *(hier)* als Erster/als Erste **II 2E**

prendre qc [pʀɑ̃dʀ] etw. nehmen **I 7**
prendre une photo de qn/qc [pʀɑ̃dʀynfoto] ein Foto von jdm./etw. machen **I 8**

un **prénom** [ɛ̃pʀeno] ein Vorname **I 1**

préparer qc [pʀepaʀe] etw. vorbereiten **I 4**

près de [pʀɛdə] nahe bei etw., neben etw. **I 8E**

présenter qc à qn [pʀezɑ̃te] jdm. etw. vorstellen **II 4**

prêt/prête [pʀɛ/pʀɛt] fertig, bereit **II 2**

un **principal**/une **principale** [ɛ̃pʀɛ̃sipal/ynpʀɛ̃sipal] ein Schuldirektor/eine Schuldirektorin ⟨**II 8B**⟩

le **printemps** [ləpʀɛ̃tɑ̃] der Frühling **I 7**
au printemps [opʀɛ̃tɑ̃] im Frühling **I 7**

une **prison** [ynpʀizo] ein Gefängnis ⟨**III M1**⟩

un **prix** [ɛ̃pʀi] ein Preis **II 6**

un **problème** [ɛ̃pʀɔblɛm] ein Problem **I 3A**
pas de problème [padpʀɔblɛm] kein Problem **I 6B**

un **procès-verbal** [ɛ̃pʀɔsɛvɛʀbal] ein Strafzettel **III 3**

prochain/prochaine [pʀɔʃɛ̃/pʀɔʃɛn] nächster/nächste/nächstes **II 7B, 2**

un **professeur** [ɛ̃pʀɔfɛsœʀ] ein Lehrer/eine Lehrerin **I 1**

profiter de qn/qc [pʀɔfite] jdn./etw. (aus)nutzen ⟨**III M3**⟩

un **programme** [ɛ̃pʀɔgʀam] ein Programm **II 3B**

un **projet** [ɛ̃pʀɔʒɛ] ein Projekt, ein Vorhaben **I 8E**

se **promener** [səpʀɔmne] spazieren gehen **II 7B**

proposer qc [pʀɔpoze] etw. vorschlagen ⟨**II 8B**⟩
proposer à qn de faire qc [pʀɔpoze] jdm. vorschlagen, etw. zu tun **III 1**

un **propriétaire**/une **propriétaire** [ɛ̃pʀɔpʀijetɛʀ/ynpʀɔpʀijetɛʀ] ein Eigentümer/eine Eigentümerin **I 3A**

un **proverbe** [ɛ̃pʀɔvɛʀb] ein Sprichwort **II 4, 9**

une **province** [ynpʀɔvɛ̃s] eine Provinz ⟨**III M3, 3**⟩

une **publicité** [ynpyblisite] eine Wer-

bung, ein Werbespot **I 6A**

puis [pɥi] dann **I 4**

un **pull** *(fam.)* [ɛ̃pyl] ein Pulli *(ugs.)* ⟨**I 9A**⟩

Q

quand [kɑ̃] wann **I 5**

quand [kɑ̃] wenn, als *(zeitlich)* ⟨**I 9A**⟩; **II 1**

un **quart** [ɛ̃kaʀ] ein Viertel **III 3**

un **quartier** [ɛ̃kaʀtje] ein Stadtviertel **I 2E**

que [kə] den, die, das *(Relativpronomen, Objekt)* **I 8; II 3A**

Que … ? *(Fragepronomen)* [kə] Was … ? **I 2**

que [kə] dass *(Konjunktion)* **I 8**

un **Québécois**/une **Québécoise** [ɛ̃kebekwa/ynkebekwaz] ein Quebecer/eine Quebecerin ⟨**III M3E**⟩

québécois/québécoise [kebekwa/kebekwaz] aus Quebec ⟨**III M3**⟩

quel/quels/quelle/quelles [kɛl] welcher/welche/welches *(Fragebegleiter)* **II 3B**
A quelle heure? [akɛlœʀ] Um wie viel Uhr? **I 5, 11**
Il est quelle heure? [ilɛkɛlœʀ] Wie viel Uhr ist es? **I 5, 11**
Quelle horreur! *(fam.)* [kɛlɔʀœʀ] Wie grässlich/schrecklich! *(ugs.)* **I 3A**
Tu as quel âge? [tyakɛlaʒ] Wie alt bist du? **I 4**
Quelle chance! [kɛlʃɑ̃s] Welch ein Glück! **I 5E**
Quelle histoire! [kɛlistwaʀ] Was für eine Geschichte! **I 4**

quelques *(pl.)* [kɛlk(ə)] einige, wenige **III 4**

quelque chose [kɛlkəʃoz] etwas **I 5**

quelqu'un [kɛlkɛ̃] jemand **II 4, 6**

Qu'est-ce que … ? [kɛskə] Was … ? **I 5**

Qu'est-ce que c'est? [kɛskəsɛ] Was ist das? **I 2E**

Qu'est-ce qui … ? [kɛski] Was … ? *(Fragepronomen, Subjekt ist eine Sache)* **II 7E**

Qu'est-ce qu'il y a? [kɛskilja] Was gibt es? **I 3A, 6**

une **question** [ynkɛstjo] eine Frage **I 1, 1**

qui [ki] der, die, das *(Relativpronomen, Subjekt)* **I 8**

Qui … ? [ki] Wer … ? **I 1**
Qui est-ce? [kiɛs] Wer ist das? **I 1**
Qui est-ce qui … ? [kiɛski] Wer…? *(Fragepronomen, Subjekt ist eine Person)* **II 7E**
Qui est-ce que … ? [kiɛskə] Wen…? *(Fragepronomen, Objekt ist eine Person)* **II 7E**

quitter qc [kite] etw. verlassen **I 2**

un **quiz** [ɛ̃kwiz] ein Quiz ⟨**III M3, 3**⟩

Quoi? [kwa] Was? **I 3E**

R

raconter qc [ʀakote] etw. erzählen **I 3A**

la **radio** [laʀadjo] das Radio, der Rundfunk **I 6A**

une **raison** [ynʀezo] ein Grund **III 2**
avoir raison [avwaʀʀezo] Recht haben ⟨**II 9**⟩

ramasser qc [ʀamase] etw. aufheben, etw. einsammeln **I 2**

ranger [ʀɑ̃ʒe] aufräumen **II 5E**

le **rap** [ləʀap] der Rap *(Musikstil)* **I 7, 15**

rapide/rapide [ʀapid/ʀapid] schnell **III 3**

rater qc [ʀate] etw. verpassen **II 4**

rattraper qn/qc [ʀatʀape] jdn./etw. (wieder) einholen **III 5, 7**

une **réaction** [ynʀeaksjo] eine Reaktion **II 4, 10**

un **réalisateur** [ɛ̃ʀealizatœʀ] ein (Film)-Regisseur **I 6E**

un **rebelle**/une **rebelle** [ɛ̃ʀəbɛl/ynʀəbɛl] ein Rebell/eine Rebellin; *(hier) (Name einer Schülerzeitung)* **III 3**

rebelle/rebelle [ʀəbɛl/ʀəbɛl] *(Adj.)* aufrührerisch **III 4**

une **recette** [ynʀəsɛt] ein Rezept *(Küche)* **II 5E**

recevoir qc [ʀəsəvwaʀ] etw. empfangen **II 2**

reconnaître qc [ʀəkɔnɛtʀ] etw. wieder erkennen **II 3A**

la **récréation** [laʀekʀeasjo] die Pause **II 4**

refaire qc [ʀəfɛʀ] etw. erneuern, etw. neu machen, etw. noch einmal machen **II 3A**

réfléchir [ʀefleʃiʀ] nachdenken, überlegen **II 4**

regarder qc [ʀəgaʀde] etw. sehen, etw. ansehen, etw. betrachten **I 2E**

une **région** [ynʀeʒjõ] eine Region **II 1**

une **règle** [ynʀɛgl] eine Regel ⟨**I 6A, 10**⟩; ⟨**III M2, 2**⟩

une **reine** [ynʀɛn] eine Königin ⟨**III M2**⟩

remercier qn [ʀəmɛʀsje] sich bei jdm. bedanken ⟨**I 9A**⟩; ⟨**II 9**⟩

un **renard** [ɛ̃ʀənaʀ] ein Fuchs ⟨**II 9, 10**⟩

une **rencontre** [ynʀãkõtʀ] eine Begegnung, ein Treffen **I 8E**

rencontrer qn [ʀãkõtʀe] jdn. treffen, jdm. begegnen **I 8E**

un **rendez-vous** [ɛ̃ʀãdevu] eine Verabredung, ein Termin **I 4, 3**

avoir rendez-vous [avwaʀʀãdevu] eine Verabredung haben, einen Termin haben **I 4, 3**

la **rentrée** [laʀãtʀe] der Schul(jahres)beginn **III 3**

rentrer [ʀãtʀe] heimgehen, heimkommen **II 1, 2**

une **réparation** [ynʀeparasjõ] eine Reparatur **II 3A**

repartir [ʀəpaʀtiʀ] (wieder) weggehen; *(hier)* wegfahren **III 5**

un **repas** [ɛ̃ʀəpa] ein Essen, eine Mahlzeit **I 7**

répéter qc [ʀepete] etw. wiederholen **II 5, 2**

une **répétition** [ynʀepetisjõ] eine Probe **III 4**

répondre à qn [ʀepõdʀ] jdm. antworten **I 8**

une **réponse** [ynʀepõs] eine Antwort **I 2, 8**

un **reportage** [ɛ̃ʀəpɔʀtaʒ] eine Reportage **II 2, 5**

représenter qn/qc [ʀəpʀesãte] jdn./etw. vertreten ⟨**III M3**⟩

réserver qc [ʀesɛʀve] etw. reservieren ⟨**II 9**⟩

respecter qc [ʀɛspɛkte] etw. achten **I 2**

un **restaurant** [ɛ̃ʀɛstoʀã] ein Restaurant **I 5E**

un **reste** [ɛ̃ʀɛst] ein Rest **II 2**

rester [ʀɛste] bleiben **I 3A**

un **résultat** [ɛ̃ʀezylta] ein Ergebnis ⟨**III M3**⟩

un **résumé** [ɛ̃ʀezyme] eine Zusammenfassung ⟨**I 9A, 1**⟩; **II 1**

résumer qc [ʀezyme] etw. zusammenfassen **III 1, 1**

un **retard** [ɛ̃ʀətaʀ] eine Verspätung **II 2**

être en retard [ɛtʀãʀətaʀ] sich verspäten **II 2**

retourner [ʀətuʀne] zurückkehren ⟨**III M3**⟩

retrouver qc [ʀətʀuve] etw. wieder finden **II 2**

retrouver qn [ʀətʀuve] jdn. wieder finden; *(hier)* jdn. treffen **III 1**

réussir à faire qc [ʀeysiʀ] gelingen, etw. zu tun, etw. fertigbringen **II 4**

un **rêve** [ɛ̃ʀɛv] ein Traum **I 6B, 8**

faire un rêve [fɛʀɛ̃ʀɛv] träumen **I 6B, 8**

un métier de rêve [ɛ̃metjedəʀɛv] ein Traumberuf **III 4E**

se réveiller [səʀeveje] aufwachen **III 5**

revenir [ʀəvəniʀ] zurückkommen **II 1**

rêver de qc [ʀɛve] von etw. träumen **I 3A**

revoir qc [ʀəvwaʀ] jdn. wiedersehen **II 3A**

Au revoir! [ɔʀvwaʀ] Auf Wiedersehen! **I 1**

riche/riche [ʀiʃ/ʀiʃ] reich **III 4**

De rien. [dəʀjɛ̃] Bitte!, Gern geschehen. ⟨**I 9A**⟩; **II 7E**

rigoler *(fam.)* [ʀigɔle] lachen *(ugs.)* **I 8**

une **rime** [ynʀim] ein Reim **I 1, 6**

rire [ʀiʀ] lachen **II 4**

la **rive droite** [laʀivdʀwat] das rechte Flussufer **I 5E**

la rive gauche [laʀivgoʃ] das linke Flussufer **I 5E**

une **robe** [ynʀɔb] ein Kleid **I 7**

un **rocher** [ɛ̃ʀɔʃe] ein Fels ⟨**I 9E**⟩

un **roi** [ɛ̃ʀwa] ein König **II 5, 11**

un **rôle** [ɛ̃ʀol] eine Rolle **I 6B, 6**

le **roller** [ləʀɔlœʀ] das Rollschuhlaufen, das Rollerskaten **I 4E**

en roller [ãʀɔlœʀ] auf Rollschuhen **I 4, 12**

un **Romain**/une **Romaine** [ɛ̃ʀɔmɛ̃/ ynʀɔmɛn] ein Römer/eine Römerin ⟨**II 9, 8**⟩

romain/romaine [ʀɔmɛ̃/ʀɔmɛn] römisch ⟨**II 9, 8**⟩; **III 2, 10**

un **roman** [ɛ̃ʀɔmã] ein Roman **II 4, 13**

un **roman policier** [ɛ̃ʀɔmãpɔlisje] ein Kriminalroman **III 5, 3**

le **romanche** [ləʀɔmãʃ] das Rätoromanische *(Sprache in der Schweiz)* ⟨**II 9E**⟩

romanche [ʀɔmãʃ] rätoromanisch ⟨**II 9E**⟩

rose *(inv.)* [ʀoz] rosa **II 2**

rouge/rouge [ʀuʒ/ʀuʒ] rot **I 7, 4**

rouler [ʀule] fahren **III 5**

une **route** [ynʀut] eine (Land)Straße **III 2, 2**

une **rue** [ynʀy] eine Straße **I 1**

dans la rue [dãlaʀy] auf der Straße **I 5**

le **rugby** [ləʀygbi] das Rugby *(Ballspiel)* **II 3E**

une **ruine** [ynʀɥin] eine Ruine **III 2, 10**

S

le **sable** [ləsabl] der Sand **III 1, 11**

un **sac à dos** [ɛ̃sakado] ein Rucksack **II 1E**

une **salade** [ynsalad] ein Salat **II 5E**

un **saladier** [ɛ̃saladje] eine Salatschüssel **II 5**

sale [sal] schmutzig **I 2**

une **salle** [ynsal] ein Saal **II 2**

une salle de classe [ynsaldəklas] ein Klassenzimmer **I 2, 4**

une salle à manger [ynsalamãʒe] ein Esszimmer **I 3E**

une salle de bains [ynsaldəbɛ̃] ein Badezimmer **I 3E**

une salle de permanence [ynsaldəpɛʀmanãs] Aufenthaltsraum **II 4**

saluer qn [salɥe] jdn. (be)grüßen **II 3E**

Salut! *(fam.)* [saly] Hallo!, Grüß' dich! *(ugs.)* **I 1E; I 1**

Salutations distinguées! [salytasjõdistɛ̃ge] Mit freundlichen Grüßen! *(Grußformel)* ⟨**III M2**⟩

Salutations cordiales. [salytasjõkɔʀdjal] Mit herzlichen Grüßen *(Grußformel)* **II 4, 11**

samedi *(m.)* [samdi] Samstag, am Samstag **I 5E**

un **sandwich** [ɛ̃sãdwitʃ] ein Sandwich **II 2, 7**

sans [sã] ohne **I 4**

sans rien faire [sãʀjɛ̃fɛʀ] ohne etw. zu tun **II 7B**

la **santé** [la sãte] die Gesundheit **II 5**

A ta santé! [atasãte] Auf dein Wohl!, Prost! **II 5**

sauf [sof] außer **II 4**

sauver qn/qc [sove] jdn./etw. retten ⟨**III M1**⟩

savoir [savwaʀ] wissen **I 6B**

savoir faire qc [savwaʀfɛʀ] etw. tun können *(wissen, wie es geht)* **I 6B** un **saxophone** [ɛ̃saksɔfɔn] ein Saxofon **III 4E**

un **saxophoniste**/une **saxophoniste** [ɛ̃saksɔfɔnist/ynsaksɔfɔnist] ein Saxofonspieler/eine Saxofonspielerin **III 4**

une **scène** [ynsɛn] eine Szene **I 1, 3; II 6**
sur scène [syRsɛn] auf der Bühne ⟨**II 8E**⟩

une **science** [ynsiɑ̃s] eine Wissenschaft **II 4**

sec/sèche [sɛk/sɛʃ] trocken ⟨**III M1**⟩

une **seconde** [ynsəgɔ̃d] eine Sekunde ⟨**II 9**⟩; **III 5**

Au **secours!** [oskuR] Hilfe! **I 5**

un **séjour** [ɛ̃seʒuR] ein Aufenthalt ⟨**II 8B**⟩

le **sel** [ləsɛl] das Salz **II 5E**

une **semaine** [ynsəmɛn] eine Woche **I 8**

un **Sénégalais**/une **Sénégalaise** [ɛ̃senegalɛ/ynsenegalɛz] ein Senegalese/eine Senegalesin ⟨**III M3E**⟩

sénégalais/sénégalaise [senegalɛ/senegalɛz] senegalesisch ⟨**III M3E**⟩

un **sentiment** [ɛ̃sɑ̃timɑ̃] ein Gefühl **II 3A, 8**

se **sentir** [səsɑ̃tiR] sich fühlen **III 3**
sentir qc [sɑ̃tiR] etw. riechen, fühlen ⟨**III M2**⟩

septembre (m.) [sɛptɑ̃bR] September **I 7, 6**

sérieux/sérieuse [seRjø/seRjøz] ernst(haft), seriös **III 5**

Est-ce que vous seriez d'accord? [səRje] Wären Sie einverstanden? ⟨**II 8B, 2**⟩

seul/seule [sœl/sœl] allein **II 6E**

seulement [sœlmɑ̃] nur **III 3E**

un **short** [ɛ̃ʃɔRt] Shorts (pl.) **III 1E**

si [si] doch **I 4**

si [si] ob **I 8**; wenn, falls **II 7B**

si seulement … [sisœlmɑ̃] wenn doch nur … ⟨**III M1**⟩

un **siècle** [ɛ̃sjɛkl] ein Jahrhundert ⟨**II 8A**⟩; **III 2**

une **sieste** [ynsjɛst] ein Mittagsschlaf **III 2**

une **signature** [ynsiɲatyR] eine Unterschrift ⟨**I 9A, 7**⟩

signer qc [siɲe] etw. unterschreiben **II 1**

le **silence** [ləsilɑ̃s] die Ruhe, die Stille **I 1**

s'il te plaît [siltəplɛ] bitte (wenn man jdn. duzt) **I 6B, 6**

s'il vous plaît [silvuplɛ] bitte (wenn man mehrere Personen anspricht oder jdn. siezt) **I 5**

un **singe** [ɛ̃sɛ̃ʒ] ein Affe **III 3**

un **single** [ɛ̃siŋgœl] eine Single ⟨**III M3, 4**⟩

un **site** [ɛ̃sit] eine Website ⟨**III M2**⟩

une **situation** [ynsityasjɔ̃] eine Situation **I 2, 7**

un **sketch** [ɛ̃skɛtʃ] ein Sketch **III 1, 7**

le **ski** [ləski] das Skifahren **II 1**
une station de ski [ynstasjɔ̃dəski] ein Skiort ⟨**II 9E**⟩

un **SMS** [ɛ̃ɛsɛmɛs] eine SMS **II 5, 2**

une **sœur** [ynsœR] eine Schwester **I 3A, 4**

la **soif** [laswaf] der Durst **II 5**
avoir soif [avwaRswaf] Durst haben **II 5**

soigner qn/qc [swaɲe] jdn./etw. pflegen **III 2**

un **soir** [ɛ̃swaR] ein Abend **I 3A**
ce soir [səswaR] heute abend ⟨**I 9A, 2**⟩

le **soir** [ləswaR] abends **I 3A**

une **soirée** [ynswaRe] ein Abend **III 1**

le **soleil** [ləsɔlɛj] die Sonne ⟨**I 9A**⟩; **II 1**
il y a du soleil [iljadysɔlɛj] es ist sonnig ⟨**I 9A**⟩; **II 1**

une **solution** [ynsɔlysjɔ̃] eine Lösung **I 3A**

un **sondage** [ɛ̃sɔ̃daʒ] eine Umfrage **III 3, 2**

sonner [sɔne] klingeln **I 3B**

une **sortie** [ynsɔRti] Ausgang **II 3A**

sortir (de qc) [sɔRtiR] (aus etw.) hinausgehen, hinausfahren; ausgehen ⟨**I 9A**⟩; **II 1**

A tes **souhaits!** [ateswɛ] Gesundheit! **II 5, 6**

un **souk** [ɛ̃suk] ein Souk (ein arabischer Markt) ⟨**I 9A**⟩

souligner qc [suliɲe] etw. unterstreichen **III 1, 3**

sourd/sourde [suR/suRd] taub **II 2, 4**

un **sourire** [ɛ̃suRiR] ein Lächeln **III 3**

une **souris** [ynsuRi] eine Maus **II 4**

sous [su] unter **I 2**

un **sous-marin** [ɛ̃sumaRɛ̃] ein Unterseeboot, U-Boot **II 1E**

un **souvenir** [ɛ̃suvniR] eine Erinnerung, ein Andenken **I 8, 5**

souvent [suvɑ̃] oft **I 4**

le **sport** [ləspɔR] der Sport **I 4E**
faire du sport [fɛRdyspɔR] Sport treiben **I 4E**

un **sportif**/une **sportive** [ɛ̃spɔRtif/ynspɔRtiv] ein Sportler/eine Sportlerin ⟨**I 9A**⟩

sportif/sportive [spɔRtif/spɔRtiv] sportlich **I 7**

un **square** [ɛ̃skwaR] eine (kleine) Grünanlage **I 2**

un **stade** [ɛ̃stad] ein (Sport)Stadion **II 3E**

un **stage** [ɛ̃staʒ] ein Praktikum **III 1**
un stage de voile [ɛ̃staʒdəvwal] ein Segelkurs **III 1**

un **standard** [ɛ̃stɑ̃daR] ein Standard **III 1, 10**

une **star** [ynstaR] ein Star **I 6A**

une **station** [ynstasjɔ̃] eine Station, eine Haltestelle **I 5**
une station de ski [ynstasjɔ̃dəski] ein Skiort ⟨**II 9E**⟩

une **station-service** [ynstasjɔ̃sɛRvis] eine Tankstelle **III 2**

une **statue** [ynstaty] eine Statue ⟨**II 9E**⟩

une **stratégie** [ynstrateʒi] eine Strategie (eine Technik, die man anwendet, um ein Ziel zu erreichen) **I 1, 5**

un **studio** [ɛ̃stydjo] ein (Aufnahme)Studio **I 6A**

un **succès** [ɛ̃syksɛ] ein Erfolg **III 4**

le **sucre** [ləsykR] der Zucker, das Zuckerstück **II 5E**

le **sud** [ləsyd] der Süden **II 7E**
au sud de [osyddə] südlich von **II 7E**

un **Suisse**/une **Suisse** [ɛ̃sɥis/ynsɥis] ein Schweizer/eine Schweizerin ⟨**II 9E**⟩

suisse/suisse [sɥis/sɥis] schweizerisch ⟨**II 9E**⟩

la **suite** [lasɥit] die Fortsetzung **I 5, 15**

suivant/suivante [sɥivɑ̃/sɥivɑ̃t] folgender/folgende/folgendes **II 4, 8**

suivre qn/qc [sɥivR] jdm./etw. folgen **III 4**

un **sujet** [ɛ̃syʒɛ] ein Subjekt; (hier) ein Thema **III 1, 5**

super (inv.) [sypɛR] super, toll **I 2**

un **supermarché** [ɛ̃sypɛRmaRʃe] ein Supermarkt **II 6**

sûr/sûre [syR/syR] sicher **II 3A**

sur [syR] über/auf **I 2E**
un élève sur deux [ɛ̃nelɛvsyRdø] jeder zweite Schüler **III 3, 8**

sûrement [syRmɑ̃] sicher, sicherlich (Adv.) **II 4, 9**

une **surprise** [ynsyRpRiz] eine Überraschung **II 3A**

surtout [syʀtu] vor allem **I 4**

les **SVT** [lɛɛsvete] Biologie, Naturkunde **II 4**

un **symbole** [ɛ̃sɛ̃bɔl] ein Symbol; *(hier)* ein Wahrzeichen **III 2**

sympa [sɛ̃pa] nett *(ugs.)* **I 1**

un **synonyme** [ɛ̃sinɔnim] ein Synonym **III 5, 7**

T

une **table** [yntabl] ein Tisch **I 7**
   à table [atabl] bei Tisch, am Tisch **I 7**

un **tableau**/des **tableaux** [ɛ̃tablo] eine Tafel, eine Tabelle/Tafeln, Tabellen **I 6A, 8**

une **tante** [yntɑ̃t] eine Tante **I 7**

tant mieux [tɑ̃mjø] umso besser **II 3B**

tard [taʀ] spät **II 2, 6**

une **tarte aux pommes** [yntaʀtopɔm] ein Apfelkuchen **II 5, 7**

un **taxi** [ɛ̃taksi] ein Taxi **I 5**

la **techno** [latɛkno] der Techno *(Musikstil)* ⟨**II 8A, 3**⟩

la **technologie** [latɛknɔlɔʒi] die Technologie; *(hier)* der technisch-naturwissenschaftliche Unterricht **III 3, 6**

un **téléphone** [ɛ̃telefɔn] ein Telefon **I 3B**

téléphoner [telefɔne] telefonieren **I 3A**
   téléphoner à qn [telefɔne] mit jdm. telefonieren/jdn. anrufen **I 6A**

la **télé-réalité** [lateleʀealite] das Reality-TV **III 4, 8**

la **télévision** [latelevizjɔ̃] das Fernsehen **I 3A**

la **température** [latɑ̃peʀatyʀ] die Temperatur **II 1, 9**

une **tempête** [yntɑ̃pɛt] ein Sturm ⟨**I 9B**⟩

le **temps** [lətɑ̃] die Zeit **I 7**; ⟨**I 9A, 7**⟩ **II 1**
   de temps en temps [dətɑ̃zɑ̃tɑ̃] von Zeit zu Zeit, manchmal ⟨**II 8A, 5**⟩

Tenez! [təne] Na sowas! *(wenn man jdn. siezt)* ⟨**I 9, 9**⟩

le **tennis** [lətenis] das Tennis **II 6, 4**

terminer qc [tɛʀmine] etw. beenden, etw. fertigstellen ⟨**I 9B**⟩; ⟨**III M2**⟩

un **terrain de camping** [ɛ̃tɛʀɛ̃dəkɑ̃piɲ] ein Campingplatz **II 7E**

la **terre** [latɛʀ] die Erde **II 4**

un **test** [ɛ̃tɛst] ein Test **II 6, 10**

une **tête** [yntɛt] ein Kopf **II 2**

faire la tête *(fam.)* [fɛʀlatɛt] schmollen, sauer sein *(ugs.)* **II 2**

un **texte** [ɛ̃tɛkst] ein Text **I 1**

le **TGV** [ləteʒeve] der TGV *(französischer Hochgeschwindigkeitszug)* **I 7**

le **théâtre** [ləteatʀ] das Theater **I 4E**

un **thon** [ɛ̃tɔ̃] ein Thunfisch **III 5E**

un **ticket** [ɛ̃tikɛ] ein Fahrschein; *(hier)* ein (Kassen)Beleg **III 2**

Tiens. [tjɛ̃] Sieh mal da!, Na sowas! **I 1**

un **tiers** [ɛ̃tjɛʀ] ein Drittel **III 3, 8**

timide/**timide** [timid/timid] schüchtern ⟨**II 8B**⟩; **III 1E**

un **tiroir** [ɛ̃tiʀwaʀ] eine Schublade **III 5E**

un **titre** [ɛ̃titʀ] ein Titel **I 8, 1**

toi [twa] du *(betont)* **I 1E**

un **toit** [ɛ̃twa] ein Dach **III 2**

une **tomate** [yntɔmat] eine Tomate **II 5E**

tomber [tɔ̃be] fallen **II 2**
   tomber malade [tɔ̃bemalad] krank werden ⟨**II 8A**⟩

le **tonnerre** [lətɔnɛʀ] der Donner **II 7B**

tôt [to] früh *(Adv.)* ⟨**II 9, 7**⟩

total/**totale** [tɔtal/tɔtal] vollständig ⟨**III 5, 8**⟩

toujours [tuʒuʀ] immer **I 6E**; **II 4, 12**

une **tour** [yntuʀ] ein Turm **I 5E**

un **tour** [ɛ̃tuʀ] eine Tour, ein Rundgang **II 3A**

C'est mon tour. [sɛmɔ̃tuʀ] Ich bin dran./Ich bin an der Reihe. **I 7**

un **touriste**/une **touriste** [ɛ̃tuʀist/ynturist] ein Tourist/eine Touristin **I 5**

tourner [tuʀne] abbiegen, drehen **I 5**
   tourner qc [tuʀne] etw. (um)drehen **I 6A**

tout/**toute**/**tous**/**toutes** [tu/tut/tus/tut] ganz, alle + *Nomen* ⟨**I 9B**⟩; **II 4**
   tous, toutes *(als Begleiter)* [tu/tut] alle *(+ Nomen)* **II 4**

tout [tu] alles **I 8E**

tout à coup [tutaku] plötzlich **I 4**

tout à l'heure [tutalœʀ] vorhin, eben; gleich, nachher **II 3A**

tout de suite [tudsɥit] sofort **I 7**

tout droit [tudʀwa] geradeaus **I 5**

tout le monde [tulmɔ̃d] alle, jeder, alle Welt ⟨**I 9B**⟩; **II 4**

le **trac** [lətʀak] das Lampenfieber **III 4**

une **trace** [yntʀas] eine Spur **II 7A**

une **traduction** [yntʀadyksjɔ̃] eine Übersetzung **I 8, 3**

un **train** [ɛ̃tʀɛ̃] ein Zug **I 7**

tranquille [tʀɑ̃kil] ruhig, brav **III 3**

un **travail**/des **travaux** [ɛ̃tʀavaj/detʀavo] eine Arbeit/Arbeiten **I 6B, 9**

travailler [tʀavaje] arbeiten **I 4, 12**
   travailler sur qc [tʀavaje] etw. erarbeiten, an etw. arbeiten **II 5, 13**

traverser qc [tʀavɛʀse] etw. überqueren **I 5**

un **tremblement de terre** [ɛ̃tʀɑ̃mbləmɑ̃dətɛʀ] ein Erdbeben ⟨**II 8B**⟩

très [tʀɛ] sehr **I 6A**

un **trimestre** [ɛ̃tʀimɛstʀ] ein Trimester **II 3B**

triste [tʀist] traurig **II 2**

trop [tʀo] zu viel **I 7**
   C'est trop! *(fam.)* [sɛtʀo] Das gibt's ja nicht! *(ugs.)* **III 4**

un **trou** [ɛ̃tʀu] ein Loch **II 7B**

trouver qc [tʀuve] etw. finden **I 2E**
   se trouver [sətʀuve] sich befinden **II 7B**

un **t-shirt** [ɛ̃tiʃœʀt] ein T-Shirt ⟨**I 9A**⟩; ⟨**II 8B, 9**⟩; **III 1E**

tuer qn [tɥe] jdn. töten, jdn. umbringen ⟨**II 9**⟩

un **type** [ɛ̃tip] ein Typ **III 4**

U

unique [ynik] einzig *(hier)* einzeln ⟨**II 8B, 5**⟩

V

les **vacances** *(f., pl.)* [levakɑ̃s] die Ferien, der Urlaub ⟨**I 9E**⟩; **II 1**
   partir en vacances [paʀtiʀɑ̃vakɑ̃s] in die Ferien fahren, in den Urlaub fahren ⟨**I 9A**⟩
   en vacances [ɑ̃vakɑ̃s] in den Ferien **II 5**

une **vache** [ynvaʃ] eine Kuh **I 7E**
   La vache! *(fam.)* [lavaʃ] Donnerwetter! *(ugs.)* ⟨**II 9, 9**⟩

une **vague** [ynvag] eine Welle ⟨**I 9E**⟩

un **vélo** [ɛ̃velo] ein Fahrrad ⟨**I 9A**⟩; **II 1, 2**

un **vendeur**/une **vendeuse** [ɛ̃vɑ̃dœʀ/ynvɑ̃døz] ein Verkäufer/eine Verkäuferin ⟨**III M1, 7**⟩

vendre qc [vɑ̃dʀ] etw. verkaufen **I 8**

vendredi *(m.)* [vãdʀədi] Freitag **I 7**
venir [vəniʀ] kommen ⟨**I 9B**⟩; **II 1**
  venir chercher qn [vəniʀʃɛʀʃe] jdn. abholen kommen ⟨**I 9B**⟩; ⟨**III M2**⟩
  venir de faire qc [vəniʀdəfɛʀ] gerade etw. getan haben **II 4**
  venir voir qn [vəniʀvwaʀ] jdn. besuchen (kommen) ⟨**II 9**⟩
le vent [ləvã] der Wind ⟨**I 9B**⟩; **II 7A**
le ventre [ləvãtʀ] der Bauch ⟨**I 9A**⟩; **II 7B, 4**
  avoir mal au ventre [avwaʀmalovãtʀ] Bauchweh haben ⟨**I 9A**⟩
un verbe [ẽvɛʀb] ein Verb **I 2E**
le verlan [ləvɛʀlã] das Verlan **III 3**
un verre [ẽvɛʀ] ein Glas **I 7**
vers [vɛʀ] gegen, in Richtung ⟨**III M1**⟩
vert/verte [vɛʀ/vɛʀt] grün **I 7, 4**
un vestiaire [ẽvɛstjɛʀ] eine Garderobe **II 1E**
un vêtement [ẽvɛtmã] ein Kleidungsstück ⟨**I 9A**⟩; **II 7A**
vide [vid] leer **I 2**
une vidéo [ynvideo] ein Video **I 4E**
la vie [lavi] das Leben ⟨**I 6A, 2**⟩; **I 7, 10**
vieux/vieil/vieille [vjø/vjɛj/vjɛj] alt **II 3B**
un village [ẽvilaʒ] ein Dorf **I 7**
une ville [ynvil] eine Stadt **I 8**
  en ville [ãvil] in der Stadt, in die Stadt **II 2, 2**; ⟨**I 9E**⟩
le vin [ləvẽ] der Wein **II 5**
un virage [ẽviʀaʒ] eine Kurve **III 5**
un visage [ləvizaʒ] ein Gesicht **III 5**
une visite [ynvizit] ein Besuch **II 2**
visiter qc [vizite] etw. besichtigen **I 3A**
vite *(Adv.)* [vit] schnell **I 2**
  Un peu moins vite, s'il vous plaît. [ẽpømwẽvit] Ein bisschen langsamer, bitte. **I 8, 14**
Vive … ! [viv] Es lebe … ! ⟨**I 9A, 6**⟩
vivre [vivʀ] leben **II 3E**
le vocabulaire [ləvɔkabylɛʀ] der Wortschatz **I 2, 12**
voici [vwasi] hier ist **I 1**
voilà [vwala] da ist; *(hier)* Na also., Jetzt haben wir's. *(ugs.)* **I 4**
  le voilà [ləvwala] da ist er **I 5**
  Voilà pour aujourd'hui. [vwalapuʀoʒuʀdɥi] Das ist alles für heute. **I 8E**
la voile [lavwal] das Segel, das Segeln **III 1**
voir qc [vwaʀ] etw. sehen ⟨**I 9B**⟩; **II 1**
  vous verrez [vuveʀe] ihr werdet sehen/Sie werden sehen ⟨**II 9**⟩

un voisin/une voisine [ẽvwazẽ/ynvwazin] ein Nachbar/eine Nachbarin **I 3A**
une voiture [ynvwatyʀ] ein Auto **I 1**
  en voiture [ãvwatyʀ] mit dem Auto **I 7**
une voix [ynvwa] eine Stimme **III 5**
un vol [ẽvɔl] ein Flug **II 3A, 3**
voler qc [vɔle] etw. stehlen **I 5**
un voleur [ẽvɔlœʀ] ein Dieb **I 5**
  Au voleur! [ovɔlœʀ] Haltet den Dieb! **I 5**
le volley [ləvɔlɛ] der Volleyball **III 1E**
vouloir qc [vulwaʀ] etw. wollen **I 6B**
  vouloir faire qc [vulwaʀfɛʀ] etw. tun wollen **I 6B**
  je voudrais [ʒəvudʀɛ] ich möchte gerne **I 6B, 7**
un voyage [ẽvwajaʒ] eine Reise ⟨**II 9E**⟩; **III 2E**
voyager [vwajaʒe] fahren, reisen **III 3**
vrai [vʀɛ] wahr, richtig **I 2, 1**
vraiment [vʀɛmã] wirklich **III 3**

W

les W.-C. *(m., pl.)* [levese] die Toilette, das WC **I 3E**
un week-end [ẽwikɛnd] ein Wochenende **I 7**
le wolof [ləwɔlɔf] das Wolof *(westafrikanische Sprache)* **II 4, 11**

Y

y [i] dort, dorthin **II 7B**

Z

en zigzag [ãzigzag] im Zickzack ⟨**II 9E**⟩
Zut! *(fam.)* [zyt] Mist! *(ugs.)* **I 2**

Prénoms masculins

Adrien [adʀijẽ] **I 5E**
Alain [alẽ] **II 1, 5**
Antonin [ãtɔnẽ] **III 5E**
Arnaud [aʀno] **III 1, 3**
Babaka [babaka] **III 3**
Bodo [bɔdo] **III 3**
Bruno [bʀyno] **I 7**

Christian [kʀistjã] **I 1**
Christophe [kʀistɔf] **I 7, 12**
David [david] **III 1**
Fabien [fabjẽ] **II 3E**
Florian [flɔʀjã] **III 2, 9**
Franck [fʀãk] **II 3B, 7**
Frédéric [fʀedeʀik] **III 5, 7**
Grégory [gʀegɔʀi] **II 6E**
Jacques [ʒak] **I 8E**
Jean-Loup [ʒãlu] **II 6**
Jérémie [ʒeʀemi] **II 4**
Julien [ʒyljẽ] **I 1, 2**
Kevin [kevin] ⟨**II 8B, 7**⟩
Laurent [lɔʀã] ⟨**II 8B**⟩; **III 1E**
Loïc [loik] ⟨**I 9A, 11**⟩; **III 1, 3**
Luc [lyk] **I 7, 12**
Marc [maʀk] **I 7**
Marco [maʀko] **II 4E**
Nathan [natã] **III 3E**
Nicolas [nikɔla] **II 3E**
Olivier [ɔlivje] **II 6, 4**
Pascal [paskal] ⟨**II 8A, 5**⟩
Patrick [patʀik] **I 2, 10**
Philippe [filip] **I 7, 12**
Pierre [pjɛʀ] **I 4, 8**
Roberto [ʀɔbɛʀto] **II 1, 2**
Socrate [sɔkʀat] ⟨**II 8B, 8**⟩
Théo [teo] **I 1E**
Thomas [toma] **I 1E**
Valentin [valãtẽ] **I 3E**
Valérian [valeʀjã] **III 5E**
Victor [viktɔʀ] **I 1E**
Wahid [waid] ⟨**II 8A, 3**⟩
Yan [jan] ⟨**I 9A**⟩; **III 5, 3**

Prénoms féminins

Adeline [adlin] **II 4**
Amandine [amãdin] **I 1E**
Amélie [ameli] **I 1, 2**
Anne [an] **I 7, 12**
Annie [ani] **II 7E**
Barbara [baʀbaʀa] **III 2E**
Caroline [kaʀɔlin] **I 1, 2**
Cécile [sesil] **II 2**
Charlotte [ʃaʀlɔt] **III 1E**
Chloé [kloe] **II 3B, 7**
Christelle [kʀistɛl] **II 3B, 2**
Coco [kɔko] **III 2**
Edith [edit] **I 6B, 9**
Elodie [elɔdi] **III 1E**
Emilie [emili] **I 7, 12**
Emma [ɛma] **I 1E**
Geneviève [ʒənvjɛv] ⟨**II 9**⟩

Isabelle [izabɛl] I 7
Julia [ʒylja] I 4, 8
Laura [lɔʀa] ⟨II 9E⟩; III 4, 11
Laure [lɔʀ] III 2
Léa [lea] I 7
Lili [lili] I 7
Lisa [liza] I 7, 12
Louise [lwiz] I 7, 12
Magalie [magali] II 5
Malika [malika] I 1E
Manon [manõ] I 3E
Marie [maʀi] II 3B, 7
Marise [maʀiz] I 7, 12
Mathilde [matild] I 7
Morgane [mɔʀgan] III 5
Nathalie [natali] I 8E
Nouria [nuʀja] III 3
Samira [samiʀa] II 3A
Sonia [sɔnja] II 3B, 2
Sophie [sɔfi] III 2, 7
Sylvie [silvi] III 1, 5
Zoé [zoe] I 7

Noms de famille

Bajot [baʒo] I 6B, 4
Bertaud [bɛʀto] I 1
Bonin [bɔnɛ̃] III 5E
Boulay [bulɛ] I 4
Carbonne [kaʀbɔn] I 3E
Carrère [kaʀɛʀ] III 4
Cestor [sɛstɔʀ] ⟨II 8A, 5⟩
Chapuis [ʃapɥi] II 4E
Dufour [dyfuʀ] I 2, 2
Franconi [fʀãkɔni] III 3E
Fritz [fʀits] III 2E
Gentilli [ʒãtiji] II 3A
Guazzatti [gwadzati] ⟨II 9⟩
Kermorgant [kɛʀmɔʀgã] ⟨I 9A⟩
Leclerc [ləklɛʀ] I 3A
Marcou [maʀku] II 7E
Martin [maʀtɛ̃] II 4
Messadi [mesadi] I 6B, 4
Pajon [paʒõ] I 4, 12
Philibert [filibɛʀ] ⟨II 8E⟩
Rollin [ʀɔlɛ̃] I 2
Salomon [salomõ] I 2
Sarré [saʀe] I 6E

Noms de villes

Antibes [ãtib] III 4
Argelès-Gazost [aʀʒəlɛsgazɔst] II 7E
Arras [aʀas] I 7
Autun [otɛ̃] III 2, 10
Bâle [bal] ⟨II 9E⟩
Beaune [bon] III 2
Berlin [bɛʀlɛ̃] I 1
Brignoles [bʀiɲɔl] ⟨III M1E⟩
Berne [bɛʀn] ⟨II 9E⟩
Biarritz [bjaʀits] ⟨II 9⟩
Blagnac [blaɲak] II 3E
Brest [bʀɛst] ⟨I 9A, 2⟩
Brignoles [bʀiɲɔl] ⟨III M1E⟩
Bruxelles [bʀy(k)sɛl] I 8E
Cannes [kan] III 4
Carcassonne [kaʀkasɔn] II 3A, 10
Carnac [kaʀnak] III 5E
Chapaize [ʃapɛz] III 2E
Dakar [dakaʀ] II 4E
Dijon [diʒõ] III 2E
Fécamp [fekã] III 1E
Fontainebleau [fõtɛnblo] I 4
Genève [ʒənɛv] I 5E
Hambourg [ãbuʀ] II 3A, 3
Isbergues [isbɛʀg] I 7
Locarno [lɔkaʀno] ⟨II 9E⟩
Locmaria [lɔkmaʀja] III 5E
Lorient [lɔʀjã] III 5E
Louhans [luã] III 2
Lourdes [luʀd] II 7B
Lucerne [lysɛʀn] ⟨II 9E⟩
Lyon [ljõ] ⟨II 8B⟩; III 3E
Marrakech [maʀakɛʃ] ⟨I 9A⟩
Marsannay [maʀsanɛ] III 2, 2
Mayence [majãs] III 2E
Montauban [mõtobã] II 7E
Montréal [mõʀeal] ⟨III M3⟩
Montreux [mõtʀø] ⟨II 9E⟩
Montrouge [mõʀuʒ] I 3A
Nice [nis] III 4E
Paris [paʀi] I 1
Penvénan [pɛnvenan] ⟨I 9A⟩
Port-Blanc [pɔʀblã] ⟨I 9A⟩
Ratisbonne [ʀatisbɔn] ⟨II 9, 3⟩
Rennes [ʀɛn] III 5, 8
Rombly [ʀõbli] I 7
rue St-Bernard [laʀysɛ̃bɛʀnaʀ] I 3E
Saint-Cyprien [sɛ̃sipʀijɛ̃] II 3B, 6
Saint-Moritz [sɛ̃mɔʀits] ⟨II 9E⟩
Toulouse [tuluz] ⟨I 9B, 2⟩; II 1
Tréguier [tʀegje] ⟨I 9B⟩
Trestel [tʀɛstɛl] ⟨I 9B⟩
Zurich [zyʀik] ⟨II 9, 2⟩

Noms géographiques

l'Afrique (f.) [lafʀik] II 4
l'Algérie (f.) [lalʒeʀi] ⟨II 8B⟩; III 3
l'Allemagne (f.) [lalmaɲ] I 8
l'Amérique (f.) [lameʀik] ⟨III M3⟩
l'Angleterre (f.) [lãglətɛʀ] ⟨III M3E⟩
l'Atlantique (m.) [latlãtik] II 3A, 3
la Belgique [labɛlʒik] I 8
la Bourgogne [labuʀgɔɲ] ⟨II 9, 8⟩; III 2E
la Bretagne [labʀətaɲ] ⟨I 9B⟩; III 5
le Canada [ləkanada] ⟨III M3E⟩
Chalon-sur-Saône [ʃalõsyʀson] III 2
la Chine [laʃin] ⟨III M3E⟩
la Côte-d'Or [lakot(ə)dɔʀ] III 2E
l'Espagne (f.) [lɛspaɲ] II 7B, 6
les Etats-Unis (m., pl.) [lezetazyni] ⟨III M3E⟩
l'Europe (f.) [løʀɔp] ⟨II 9⟩; III 3E
la France [lafʀãs] I 8E
la Garonne [lagaʀɔn] II 2
la Gaule [lagol] ⟨II 9, 8⟩
l'île de Groix [lildəgʀwa] III 5E
l'Italie (f.) [litali] II 1
la Louisiane [lalwizjan] ⟨III M3E⟩
le Luxembourg [ləlykzãbuʀ] ⟨II 9⟩
le Maroc [ləmaʀɔk] ⟨III M3E⟩
Marseille [maʀsɛj] ⟨III M2E⟩
la Martinique [lamaʀtinik] II 4
la Méditerranée [lamediteʀane] ⟨III M2⟩
le Midi [ləmidi] ⟨III M1E⟩
les Midi-Pyrénées [lemidipiʀene] II 7E
la Nièvre [lanjɛvʀ] III 2E
la Normandie [lanɔʀmãdi] III 1E
les Pyrénées (f., pl.) [lepiʀene] II 3A
le Québec [ləkebɛk] ⟨III M3E⟩
la Saône-et-Loire [lasonelwaʀ] III 2E
la Seine [lasɛn] I 5E
le Sénégal [ləsenegal] II 4E
la Suisse [lasɥis] II 7E
le Var [ləvaʀ] ⟨III M1⟩
le Viêt-nam [ləvjɛtnam] ⟨III M3E⟩
l'Yonne (f.) [ljɔn] III 2E

Noms divers

Aérospatiale [aeʀɔspasjal] II 3A, 2
Airbus [ɛʀbys] II 1
Alésia [alezja] ⟨II 9, 8⟩
l'Arc de triomphe (m.) [laʀkdətʀijõf] I 5E
l'Arche de la Défense (f.) [laʀʃdəladefãs] I 5E
l'Argonaute [laʀgɔnot] II 1E

Astérix [asteʀiks] ⟨II 6, 7⟩
Atlantis [atlãtis] II 1E
le boulevard St-Michel [ləbulvaʀsɛ̃miʃɛl]
 II 1, 2
le canal du Midi [ləkanaldymidi] II 2
le canton des Grisons [ləkãtõdegʀizõ]
 ⟨II 9E⟩
le Capitole [ləkapitɔl] II 2
Casino [kazino] II 2, 6
le Centre Georges Pompidou
 [ləsãtʀʒɔʀʒpõpidu] I 5, 12
Charles de Gaulle-Etoile
 [ʃaʀldəgoletwal] I 5
le Collège Anne Frank [ləkɔlɛʒanfʀãk]
 I 4
la Défense [ladefãs] I 5E
La Dépêche du Midi [ladepɛʃdymidi]
 II 6, 9
Filou [filu] I 6A
le Forum des Halles [lefɔʀɔmdeal]
 I 5E
France-Inter [fʀãsɛ̃tɛʀ] ⟨II 8A, 5⟩
France Télécom [fʀãstelekɔm] II 6, 9
France 3 [fʀãs(ə)tʀwa] III 4
le Futuroscope [ləfytyʀɔskɔp] III 4, 2
la gare du Nord [lagaʀdynɔʀ] I 7
la Géode [laʒeɔd] II 1E
Grand Thon [gʀãtõ] III 5
Gutenberg [gytɛ̃bɛʀ] III 2E
Guyenne [gɥijɛn] II 3A, 2
l'Hôtel-Dieu [lɔtɛldjø] III 2
l'Institut du Monde Arabe
 [lɛ̃stitydymõdaʀab] II 1, 7
le jardin du Luxembourg
 [ləʒaʀdɛ̃dylyksãbuʀ] II 1, 2
le Lac Majeur [ləlakmaʒœʀ] ⟨II 9E⟩
Louis XIV [lwikatɔʀz] ⟨II 6, 7⟩
le Louvre [ləluvʀ] I 5E
la Marseillaise [lamaʀsɛjez] ⟨I 9B⟩
Matou [matu] I 6B
Météo France [meteofʀãs] II 6, 9
le mistral [ləmistʀal] ⟨III M2⟩
Montmartre (m.) [mõmaʀtʀ] II 1, 7
Morzine [mɔʀzin] ⟨I 9E⟩
le Musée d'Orsay [ləmyzedɔʀsɛ] II 1, 7
nice-matin [nismatɛ̃] III 4
Nice-Rugby [nisʀygbi] III 4E
Noël (m.) [nɔɛl] II 1
Notre-Dame [nɔtʀədam] I 5, 12
les Nouvelles Galeries [lenuvɛlgalʀi]
 II 2, 2
Odyssud (f.) [ɔdisyd] II 3A
Okapi [ɔkapi] ⟨II 8B, 7⟩
le Palais des Ducs [ləpalɛdedyk] III 2
Pâques (m. oder f.) [lapak] ⟨III M2⟩

le Parc de la Villette [ləpaʀkdəlavilɛt]
 II 1E
la place d'Arcy [laplasdaʀsi] III 2
la place de la Bastille [laplasdlabastij] I 2
la place Madou [laplasmadu] I 8E
la place Pigalle [laplaspigal] I 5, 9
la pyramide du Louvre [lapiʀamidyluvʀ]
 I 5E
Rex [ʀɛks] II 3B
Rivoli [ʀivɔli] I 5
Roncevaux [ʀõsvo] ⟨II 9⟩
la rue Charles Baudelaire
 [laʀyʃaʀlbodlɛʀ] I 2
la rue de Charonne [laʀydəʃaʀɔn]
 I 6B, 4
la rue Descartes [laʀydekaʀt] I 6B, 4
la rue des Corbières [laʀydekɔʀbjɛʀ] II 4
la rue du Chemin vert [laʀydyʃəmɛ̃vɛʀ]
 I 6B, 4
la rue du Faubourg Saint Antoine
 [laʀydyfobuʀsɛ̃tãtwan] I 2
la rue Richard Lenoir [laʀyʀiʃaʀlənwaʀ]
 I 3E
la rue St-Rome [laʀysɛ̃ʀɔm] II 3B
la rue Trousseau [laʀytʀuso] I 1
la Saint-Valentin [lasɛ̃valãtɛ̃] ⟨III M2, 6⟩
la salle Nougaro [lasalnugaʀo] II 2
les Sarrasins [lesaʀasɛ̃] ⟨II 9⟩
le square Trousseau [ləskwaʀtʀuso] I 2
St-Michel [sɛ̃miʃɛl] I 5, 12
le Tour de France [lətuʀdəfʀãs] ⟨I 9A⟩
la tour Eiffel [latuʀɛfɛl] I 5E
TV5 Monde [tevesɛ̃kmõd] ⟨III M1, 11⟩
la Villette [lavilɛt] II 1E
Zebda [zɛbda] II 2
Zen Zila [zɛnzila] ⟨II 8A⟩

Noms de personnes connues

Azouz Begag [azuzbəgag] ⟨II 8B⟩
Jacques Brel [ʒakbʀɛl] I 8E
Carla Bruni [kaʀlabʀyni] (frz. Sängerin,
 geb. 1968) II 6, 10
Jules César [ʒylsezaʀ] ⟨II 9, 8⟩
Charlemagne [ʃaʀləmaɲ] ⟨II 9⟩
Agatha Christie [agatakʀisti] II 4, 3
Gérard Depardieu [ʒeʀaʀdəpaʀdjø]
 I 5, 14
Gustave Eiffel [gystavɛfɛl] ⟨II 6, 7⟩
Mylène Farmer [milɛnfaʀmɛʀ] (frz. Sän-
 gerin, geb. 1961) II 6, 10
Jean de la Fontaine [ʒãdəlafõtɛn]
 ⟨II 9, 10⟩

Serge Gainsbourg [sɛʀʒgɛ̃sbuʀ] II 6, 10
Henri Guillaumet [gijomɛ] II 3A
Johnny Hallyday [dʒonialidɛ] (frz. Sän-
 ger, geb. 1943) II 6, 10
Henri IV [ãʀikatʀ] II 5, 11
Jésus-Christ [ʒezykʀi] ⟨II 9, 8⟩
Khaled [kalɛd] ⟨I 9B, 2⟩; II 6, 10
K-Maro [kamaro] ⟨III M3, 4⟩
René Magritte [ʀənemagʀit] I 8, 5
Jean Mermoz [ʒãmɛʀmoz] II 3E
Napoléon [napoleõ] ⟨II 6, 7⟩
Nicéphore Niepce [nisefɔʀnjɛps] III 2
Edith Piaf [editpjaf] (frz. Sängerin,
 1925-1963) II 6, 10
Renaud [ʀəno] ⟨II 8E⟩
Roland [ʀɔlã] ⟨II 9⟩
Antoine de Saint-Exupéry
 [ãtwandəsɛ̃tɛgzypeʀi] II 3A, 3
Malika Secouss [malikasəkus] (Comicfi-
 gur) ⟨III M2, 5⟩
Léopold Sédar Senghor
 [leɔpɔlsedaʀsɛ̃gɔʀ] II 4, 11
Georges Simenon [ʒɔʀʒsim(ə)nõ] (belg.
 Schriftsteller, 1903-1983) II 4, 3
Rachid Taha [ʀaʃidtaa] ⟨II 8B⟩
Audrey Tautou [odʀɛtotu] II 3B
Rodolphe Toepffer [ʀɔdɔlftœpfɛʀ]
 ⟨II 9E⟩
Henri de Toulouse-Lautrec
 [ãʀidətuluzlotʀɛk] II 7E
Vercingétorix [vɛʀsɛ̃ʒetɔʀiks] ⟨II 9, 8⟩
Roch Voisine [ʀɔkvwazin] ⟨II 8A⟩
Zazie [zazi] (frz. Sängerin, geb. 1964)
 II 6, 10
Zinedine Zidane [zinedinzidan] ⟨II 6, 7⟩

– Die deutsch-französische Wortliste führt die wichtigsten Lernwörter aus *Découvertes* Band 1–3 auf. Der Wortschatz aus den ⟨Album⟩- und ⟨Plateau⟩-Teilen sowie aus den Lektionen ⟨I,9⟩; ⟨II,8⟩ und ⟨II,9⟩ wird hier nicht aufgeführt.

A

abbiegen tourner I 5
ein Abend un soir I 3A
    abends le soir I 3A
    ein Abend (im Verlauf) une soirée III 1
    heute Abend ce soir II 3B
ein Abenteuer une aventure II 7E
aber mais I 1
abfahren partir II 1
auf jdn./etw. abfahren flasher sur qn/ qc III 1
die Abfahrt, der Aufbruch le départ I 8
jdn. abholen (kommen) venir chercher qn ⟨III M2⟩
das Abitur le baccalauréat III 4E
eine Abkürzung une abréviation ⟨III M1, 6⟩
etw. abschließen fermer qc à clé ⟨III M1⟩
etw. abschreiben copier qc II 6, 6
abstürzen se planter ⟨III M2⟩
ein Abwesender/eine Abwesende un absent/une absente III 5, 6
etw. achten respecter qc I 2
eine Adresse une adresse I 3A
ein Affe un singe III 3
ein Akzent, ein Tonfall un accent II 2
ein Album (hier) eine CD un album II 3B
alle (+ Nomen) tous, toutes II 4
alle, jeder, alle Welt tout le monde II 4
allein seul/seule II 6E
alles tout I 8E
als comme I 6E
der Erste/die Erste le premier/la première II 2E
also donc III 1
alt vieux/vieil/vieille II 3B
das Alter l'âge (m.) I 4
ein Amerikaner/eine Amerikanerin un Américain/une Américaine ⟨III M3E⟩
eine Ampel un feu/des feux II 7A, 6
jdn. anbaggern, jdn. anmachen (ugs.) draguer qn (fam.) III 1
jdm. etw. anbieten offrir qc à qn III 4
ein Andenken un souvenir I 8, 5
ein anderer/eine andere un autre/une autre I 6B

etw. anderes autre chose II 4, 6
anders différent/différente I 7, 15
anders autrement ⟨III M3⟩
ein Anfang un début III 5
etw. anfangen commencer qc I 8
eine Angelegenheit une affaire I 8
jdn. angreifen attaquer qn III 5
die Angst la peur I 4
jdn. anhalten arrêter qn I 5
    anhalten s'arrêter III 2
(an)kommen arriver I 4
etw. ankündigen annoncer qc II 5
eine Ankunft une arrivée ⟨III M2, 1⟩
etw. anmalen, etw. anstreichen peindre qc III 5
eine Anmut, ein Reiz une grâce III 4
jdn. anrempeln bousculer qn I 5
ein Anruf un coup de téléphone I 8E
jdn. anrufen téléphoner à qn I 6A
    jdn. (an)rufen appeler qn II 5
etw. ansehen regarder qc I 2E
eine Antwort une réponse I 2, 8
jdm. antworten répondre à qn I 8
eine Anzeige, eine Annonce une annonce I 3E
jdm. etw. anzeigen, jdm. eine Angabe machen indiquer qc à qn II 4, 5
etw. anziehen mettre qc II 1
ein Apfel une pomme II 5
ein Apfelkuchen une tarte aux pommes II 5, 7
eine Apotheke; ein Medikamentenschrank, eine Hausapotheke une pharmacie III 2
ein Apparat un appareil I 8E
April avril (m.) I 7, 6
ein Araber/eine Araberin un Arabe/ une Arabe III 3
das Arabische l'arabe (m.) III 3
eine Arbeit un travail/des travaux I 6B, 9
arbeiten travailler I 4, 12
ein Arbeitszimmer; (hier) ein Schreibtisch un bureau III 5E
ein Argument un argument II 1, 1
arm pauvre II 3B
ein Arm un bras II 7B, 4
ein Artikel un article II 4, 12
ein Arzt/eine Ärztin un médecin I 6E
auch aussi I 2E
auch nicht ne … pas non plus II 1

auf, über sur I 2E
    auf Deutsch en allemand I 1
Aufenthaltsraum une salle de permanence II 4
eine (Haus)Aufgabe un devoir I 7, 15
etw. aufhalten, stoppen arrêter qc ⟨III M1⟩
etw. aufheben ramasser qc I 2; I 2
aufhören etw. zu tun arrêter de faire qc II 1, 5
ein Auflauf un gratin II 4
etw. aufnehmen, etw. aufzeichnen enregistrer qc III 4
aufpassen faire attention I 5
aufräumen ranger II 5E
jdn. aufregen énerver qn II 2
aufstehen; (hier) (Wind) aufkommen se lever II 7B
etw. aufstellen, installieren installer qc II 6
aufwachen se réveiller III 5
ein Auge/Augen un œil/des yeux III 1E
August août (m.) I 7, 6
ein Ausdruck une expression III 2, 6
ein Ausflug une excursion III 2
ein Ausgang une sortie II 3A
ausgehen sortir (de qc) II 1
ein Ausländer/eine Ausländerin un étranger/une étrangère III 3
etw. ausmachen, etw. ausschalten éteindre qc III 5
das Aussehen l'air (m.) III 1E
außer sauf II 4
außerdem en plus I 4
aussteigen descendre II 2E
eine Ausstellung une exposition ⟨III M2⟩
auswendig par cœur I 6B
ein Auto une voiture I 1
eine Autobahn une autoroute III 2
eine Autowerkstatt un garage II 3A

B

ein Babysitter/eine Babysitterin un baby-sitter/une baby-sitter ⟨III M1, 6⟩
eine Bäckerei une boulangerie II 5
baden se baigner III 1
ein Badezimmer une salle de bains I 3E

ein Bahnhof une gare I 7

bis bald à bientôt I 8E, 7

ein Ball un ballon II 3B

eine Banane une banane II 5E

eine (Sitz)Bank un banc I 2

ein Bär un ours II 7E

ein Bart une barbe II 6

der Bauch le ventre II 7B, 4

etw. bauen construire qc II 7B

ein Baum un arbre I 2

etw. beenden finir qc II 4

beenden, fertigstellen terminer qc
⟨III M2⟩

sich befinden se trouver II 7B

eine Befreiung une libération II 4, 11

jdm. begegnen rencontrer qn I 8E

eine Begegnung, ein Treffen une ren-
contre I 8E

jdn. begleiten accompagner qn I 8E

bei chez I 5E

jdm. Beifall klatschen applaudir qn
II 4

ein Bein une jambe II 7B

zum Beispiel par exemple II 3B

bereit, fertig prêt/prête II 2

ein Berg une montagne II 1

ein Beruf un métier I 6E

sich beruhigen se calmer ⟨III M1⟩

berühmt célèbre/célèbre ⟨III M3⟩

**sich mit jdm./etw. beschäftigen, sich
um jdn./etw. kümmern** s'occuper de
qn/qc III 3

etw. beschreiben décrire qc II 7A, 5

eine Beschreibung une définition
III 2, 6

**sich über jdn./etw. beschweren, sich
über jdn./etw. beklagen** se plaindre
de qn/qc III 5

etw. besichtigen visiter qc I 3A

jdn. besiegen battre qn III 5

besser (Steigerungsform von «bon»)
meilleur/meilleure III 1

besser (Adv.) mieux III 3

ein Besuch une visite II 2

etw. betrachten regarder qc I 2E

ein Bett un lit I 3A

bevorzugt, Lieblings- préféré/préférée
II 6, 3

etw. bewachen; (hier) **etw. bewahren**
garder qc ⟨III M3E⟩

sich bewegen bouger I 6A

etw. bezahlen payer qc I 8

eine Bibliothek une bibliothèque
I 6B, 7

ein Bild une image I 5, 15

ein Bildschirm un écran II 6

etw. (fest)binden attacher qc I 4

bis jusque II 6

von … bis de … à I 5E

Bitte!, Gern geschehen. De rien.
II 7E

bitten demander à qn de faire qc
II 4, 6

ein Blatt une feuille II 7B

blau bleu/bleue I 7

bleiben rester I 3A

ein Bleistift un crayon I 2

ein Blitz un éclair II 7B

etw. ist blöd, etw. bringt's nicht (ugs.)
qc est nul/nulle (fam.) II 2

ein Bonbon un bonbon III 2

ein Boot un bateau/des bateaux II 2

jd. braucht etw. il faut qc à qn II 5

man braucht etw. il faut qc II 5

etw. brauchen avoir besoin de qc
II 7A

(kastanien)braun marron (inv.) I 7, 4

Es brennt! Au feu! ⟨III M1⟩

ein Brief une lettre I 8E

ein Brieffreund/eine Brieffreundin un
correspondant/une correspondante
II 2, 10

eine Brille des lunettes (f., pl.) III 1E

jdm. etw. bringen apporter qc à qn
II 6E

das Brot le pain II 5

eine Brücke un pont II 7B

ein Bruder un frère I 3A, 4

ein Buch un livre I 5

eine Buchhandlung une librairie I 5

(hier) ein Buchstabe une lettre III 4, 2

eine Bühne une scène II 6

ein Bus un bus I 5

die Butter le beurre II 5E

C

ein Café un café II 1, 2

ein Campingplatz un terrain de cam-
ping II 7E

eine CD/CDs un CD/des CD I 4, 11

ein Comic(Heft) une BD/des BD (= une
bande dessinée) I 5

ein Computer un ordinateur I 3A

ein Cousin/eine Cousine un cousin/
une cousine I 5E

D

da, weil comme II 5

ein Dach un toit III 2

danach après I 5

danke merci I 1

dann puis I 4

dann, danach ensuite II 5

das ça I 2

Das gibt's ja nicht! (ugs.) C'est trop!
(fam.) III 4

dass (Konjunktion) que I 8

derselbe/dieselbe/dasselbe le même/la
même II 4, 2

ein Datum une date I 8, 12

den Tisch decken mettre la table II 1

eine Definition une définition III 2, 6

sich etw.(aus)denken imaginer qc
II 1, 1

an jdn. denken penser à qn II 3B

denn car I 7, 7

ein Departement un département
III 2, 5

auf Deutsch en allemand I 1

deutsch-französisch franco-allemand/
franco-allemande ⟨III M2, 9⟩

Dezember décembre (m.) I 7, 6

ein Dichter/eine Dichterin un poète
II 6, 2

dick gros/grosse II 4

ein Dieb un voleur I 5

Dienstag mardi (m.) I 7, 6

dieser/diese/dieses (Demonstrativ-
begleiter) ce/cet/cette/ces II 3B

digital numérique III 2

ein Diktat une dictée ⟨III M3⟩

direkt direct/directe ⟨III M1⟩

ein Direktor/eine Direktorin un direc-
teur/une directrice II 3A, 3

diskutieren discuter I 3A

doch si I 4

ein Doktor, ein Arzt un docteur
II 7B, 4

der Donner le tonnerre II 7B

Donnerstag jeudi (m.) I 7

ein Dorf un village I 7

dort, da là I 2

dort(hin), da(hin) là-bas II 1

dort, dorthin y II 7B

draußen, im Freien dehors III 4

etw. (um)drehen tourner qc I 6A

ein Drittel un tiers III 3, 8

du (betont) toi I 1E

dumm bête I 7

eine Dummheit une bêtise II 4

durch jdn./etw. grâce à qn/qc III 4
Durst haben avoir soif II 5

E

ein Ehemann un mari I 3B
eher plutôt ⟨III M2⟩
ein Ei un œuf/des œufs II 5E
eifersüchtig (auf jdn.) jaloux/jalouse
  (de qn) II 7B
ein Eigentümer/eine Eigentümerin un
  propriétaire/une propriétaire I 3A
ein Eingang une entrée I 1E
jdn./etw. (wieder) einholen rattraper
  qn/qc III 5, 7
einige plusieurs *(inv.)* ⟨III M1⟩
einige, wenige quelques *(pl.)* III 4
einkaufen faire les courses II 5E
jdn. einladen inviter qn I 6B, 4
sich einloggen se connecter ⟨III M2⟩
einmal une fois I 4, 11
einordnen classer qc II 1, 6
etw. einsammeln ramasser qc I 2
einschlafen s'endormir III 3
einsteigen monter I 5
eintreten entrer I 2
einverstanden, o.k. d'accord I 2E
ein Eis une glace II 5, 1
das Eishockey le hockey sur glace
  ⟨III M3⟩
die Eltern les parents *(m.)* I 3A
ein Empfang; *(hier)* **eine Auftaktseite**
  un accueil III 4
etw. empfangen recevoir qc II 2
das Ende, der Schluss la fin II 1, 7
  am Ende, schließlich à la fin II 1, 7
endlich enfin I 5
engagiert engagé/engagée III 4
englisch anglais/anglaise I 8; III 3, 2
etw. entdecken découvrir qc II 7B
eine Entdeckung une découverte II 1E
eine Ente un canard II 5
sich entfernen s'éloigner II 7B
sich entschuldigen s'excuser III 1, 9
  sich bei jdm. entschuldigen deman-
  der pardon à qn III 1
Entschuldigung. Pardon. I 4, 12
die Erde la terre II 4
etwas erfinden inventer qc III 2, 7
ein Erfolg un succès III 4
ein Ergebnis un résultat ⟨III M3⟩
eine Erinnerung un souvenir I 8, 5
jdm. etw. erklären expliquer qc à qn
  I 8; III 5

eine Erklärung une explication III 1, 9
etw. erneuern refaire qc II 3A
ernst(haft), seriös sérieux/sérieuse
  III 5
etw. erraten deviner qc III 4E
der erste/die erste/das erste le pre-
  mier/la première I 7, 6
jdn. erwischen attraper qn I 5
etw. erzählen raconter qc I 3A
eine Erzählung un conte ⟨III M3, 6⟩
etw. essen manger qc I 6A
ein Essen un repas I 7
ein Esszimmer une salle à manger I 3E
etwas quelque chose I 5
eine Eule une chouette III 2

F

ein Faden un fil II 7B
fahren aller I 5E
  jdn. fahren; jdn. führen conduire qn
  II 7B
  fahren rouler III 5
  jdn./etw. fahren; *(hier)* **jdn. bringen**
  conduire qn/qc ⟨III M3⟩
fahren, reisen voyager III 3
ein Fahrer/eine Fahrerin un conduc-
  teur/une conductrice II 3A
eine Fahrkarte un billet I 7
ein Fahrplan un horaire I 7, 8
ein Fahrrad un vélo II 1, 2
ein Fahrschein; *(hier)* **Kassenbeleg** un
  ticket III 2
ein Fall un cas ⟨III M2⟩
fallen tomber II 2
eine Familie une famille I 3A
jdn. (ein)fangen attraper qn I 5
eine Farbe une couleur I 7, 13
  die Farbe *(zum Anmalen)* la pein-
  ture II 3A
Februar février *(m.)* I 7, 6
fehlen manquer II 5
ein Fehler une faute I 7, 17
etw. feiern fêter qc ⟨III M2⟩
ein Fenster une fenêtre III 5
die Ferien, der Urlaub les vacances *(f.,*
  pl.) II 1
das Fernsehen la télévision I 3A
  ein Fernsehsender une chaîne de
  télévision II 6
  einen Fernsehauftritt haben passer
  à la télé III 4
  Das ist unser erster Fernsehauftritt.
  C'est notre première télé. III 4

fertig, bereit prêt/prête II 2
etw. (fest)binden attacher qc I 4
ein Fest une fête I 4, 11
jdn. festnehmen arrêter qn I 5
ein Feuer un feu/des feux II 7A, 6
die Feuerwehr les pompiers *(m., pl.)*
  ⟨III M1E⟩
ein Feuerwehrmann/eine Feuerwehr-
  frau un pompier/une femme pom-
  pier ⟨III M1E⟩
eine Figur, eine Persönlichkeit un per-
  sonnage II 4, 3
ein Film (Kino) un film I 5, 13
  ein Film (Foto) une pellicule I 8
jdn./etw. filmen filmer qn/qc III 4
ein Finale une finale ⟨III M3⟩
etw. finden trouver qc I 2E
ein Fisch un poisson II 1E
die Fischerei la pêche III 5E
das Flämische *(niederländische Spra-*
  che) le flamand ⟨III M3E⟩
eine Flamme une flamme ⟨III M1⟩
eine Flasche une bouteille I 2
eine Flöte une flûte I 3B
ein Flug un vol II 3A, 3
ein Flughafen un aéroport ⟨III M2⟩;
  ⟨III M3⟩
ein Flugzeug un avion II 1
folgen suivre qn III 4
folgender/folgende/folgendes suivant/
  suivante II 4, 8
eine Form une forme I 3A, 3
ein (Diskussions)Forum un forum de
  discussion III 4
die Fortsetzung la suite I 5, 15
ein Foto une photo I 2E
  ein Foto von etw. machen prendre
  une photo de qc I 8
ein Fotoapparat un appareil photo I 8
eine Fotografie une photographie III 2
jdn./etw. fotografieren photographier
  qn/qc ⟨III M2⟩
eine Frage une question I 1, 1
jdn. etwas fragen demander qc à qn
  I 6A
  jdn. fragen, ob demander à qn si I 8
ein Franzose/eine Französin un
  Français/une Française II 4, 4
französisch français/française I 7E
  das Französische le français II 2, 7
französischsprachig francophone
  ⟨III M3E⟩
eine Frau une femme I 3B
frei libre III 3
im Freien, draußen dehors III 4

die beaufsichtigte Freistunde la permanence II 4

Freitag vendredi *(m.)* I 7

ein Freund/eine Freundin *(ugs.)* un copain/une copine *(fam.)* I 3E

  ein Freund/eine Freundin un ami/une amie I 5

Mit freundlichen Grüßen! *(Grußformel)* Salutations distinguées! ⟨III M2⟩

eine Frucht un fruit II 5

der Frühling le printemps I 7

ein Frühstück un petit-déjeuner II 4

sich fühlen se sentir III 3

jdn. führen; jdn. fahren conduire qn II 7B

ein Führer/eine Führerin un guide/une guide II 7A

funktionieren, gehen marcher II 2

für pour I 2E

jdn./etw. fürchten craindre qn/qc III 5

fürchterlich terrible ⟨III M1⟩

ein Fuß un pied II 7B

  zu Fuß à pied III 2

G

ganz, alle *(+ Nomen)* tout, toute II 4

eine Garage un garage II 3A

eine Garderobe un vestiaire II 1E

ein Garten un jardin II 1

eine Gaststätte une brasserie II 5, 7

jdm. etw. geben donner qc à qn I 6A

geboren werden être né(e) II 5

gebrochen cassé/cassée II 7B

ein Geburtstag un anniversaire I 7E

ein Gedicht un poème II 2, 4

gefährlich dangereux/dangereuse II 4

jdm. gefallen plaire à qn II 3A

ein Gefängnis une prison ⟨III M1⟩

ein Gefühl un sentiment II 3A, 8

gegen contre I 3A, 3

  gegen, in Richtung vers ⟨III M1⟩

ein Gegenstand; Betreff *(Angabe des Themas in einem offiziellen Brief)* un objet II 4, 11

das Gegenteil (von) le contraire (de) I 8, 14

gegenüber von jdm./etw. en face de qn/qc III 5

gehen, fahren aller I 5E

  gehen aller I 5E

  gehen, laufen; *(hier)* funktionieren marcher II 2

gelb jaune I 7, 4

das Geld l'argent *(m.)* II 6, 6

ein Geldbeutel un porte-monnaie/des porte-monnaies I 5

gelingen etw. zu tun réussir à faire qc II 4

gemein, böse méchant/méchante III 5

ein Gemüse un légume II 5

genau exact/exacte III 3

die Geographie/die Erdkunde la géographie II 4

geradewegs; *(hier)* direkt droit *(Adv.)* III 5E

gerade etw. getan haben venir de faire qc II 4

geradeaus tout droit I 5

gerade etw. tun être en train de faire qc II 4

gerecht juste II 4, 7

etw. gerne tun aimer faire qc I 6B

ein Geschäft, ein Laden un magasin I 2

geschehen, sich ereignen se passer II 7B

  etw. geschieht jdm., etw. passiert jdm. qc arrive à qn II 7A

ein Geschenk un cadeau/des cadeaux I 7

eine Geschichte une histoire I 3B

Geschichte und Erdkunde l'histoire-géographie *(f.)* III 3

ein Gesicht un visage III 5

gestern hier II 1E

die Gesundheit la santé II 5

Gesundheit! A tes souhaits! II 5, 6

ein Getränk une boisson II 5

etw. gewinnen gagner qc II 6

ein Gewitter un orage II 7B

sich an jdn./etw. gewöhnen s'habituer à qn/qc III 3

ein Gewürz une épice III 2

der Gips; Gipsverband le plâtre II 7B

eine Gitarre une guitare I 3A

ein Glas un verre I 7

etw. glauben croire qc II 6

gleich, nachher tout à l'heure II 3A

das Glück, die Chance la chance I 5E

glücklich heureux/heureuse III 3E

glücklicherweise heureusement III 3E

ein Glücksbringer un porte-bonheur III 2

ein Grad un degré II 1

das Gras; *(hier)* das Kraut l'herbe *(f.)* III 2

grau gris/grise I 7, 4

die Grippe la grippe II 7B, 4

groß grand/grande I 7E

Großeltern des grands-parents *(m.)* I 7

eine Großmutter une grand-mère I 7

ein Großvater un grand-père II 5

grün vert/verte I 7, 4

ein Grund une raison III 2

etw. gründen former qc III 4

eine Gruppe un groupe I 4

Mit freundlichen Grüßen! *(Grußformel)* Salutations distinguées! ⟨III M2⟩

jdn. (be)grüßen saluer qn II 3E

gut bon/bonne I 7

gut bien I 2, 3

ein Gymnasium un lycée III 2E

H

ein Haar/Haare un cheveu/des cheveux III 1E

haben avoir I 4

Hab keine Angst! N'aie pas peur! III 5

ein Hafen un port III 1

ein Hahn un coq I 7E

eine halbe Stunde une demi-heure III 2

eine Hälfte une moitié III 3

ein Halt, eine Haltestelle un arrêt II 3A

  ein Halt une halte II 7A

Das ist der Hammer! *(ugs.)* C'est le pied! *(fam.)* III 2

eine Hand une main III 5

ein Händler un marchand/une marchande II 5

hart dur/dure II 4, 7

ein Hauptgericht un plat principal II 5

eine Hauptstadt une capitale II 1

ein Haus une maison I 3E

ein Heft un cahier I 2, 3

heimgehen, heimkommen rentrer II 1, 2

heiß, warm chaud/chaude II 1

ein Hektar un hectare ⟨III M1⟩

jdm. helfen aider qn I 6A

ein Hemd une chemise I 7

der Herbst l'automne *(m.)* I 7, 6

hereinkommen entrer I 2

etw. hervorheben mettre qc en relief II 7A, 4

herzlich cordial/cordiale II 4, 11

ein Herzog/eine Herzogin un duc/une duchesse III 2

heute aujourd'hui I 4

  heute Abend ce soir II 3B

  heute Morgen ce matin II 3B

hier ici I 2
Hilfe! Au secours! I 5
hinausgehen sortir (de qc) II 1
hingegen, dagegen par contre III 2
sich hinlegen, sich ausstrecken s'allonger III 1
hinter derrière I 2
hinuntergehen, aussteigen descendre II 2E
etw. hinzufügen ajouter qc II 5
die Hitze la chaleur II 6
ein Hof une cour I 2
etw. hoffen espérer qc III 4
etw. holen aller chercher qc I 6B
eine Hölle un enfer ⟨III M3⟩
Höllen-, Riesen- d'enfer ⟨III M3⟩
etw. hören entendre qc I 8
eine Hose un pantalon I 7
ein Hotel un hôtel I 5, 12
hübsch joli/jolie I 7
ein Huhn, eine Henne une poule I 7E
  ein Huhn, ein Hühnchen un poulet III 2
ein Hund un chien I 1
eine Hundekälte (ugs.) un froid de canard (fam.) ⟨III M3⟩
Hunger haben avoir faim (f.) I 8

I

eine Idee une idée I 3A
immer toujours I 6E
in à I 1; dans I 2E
  in Frankreich en France II 1
  in(nerhalb von) fünf Stunden en cinq heures II 2
ein Inder/eine Inderin; ein Indianer/eine Indianerin un Indien/une Indienne ⟨III M3⟩
eine Insel une île III 5E
ein Instrument un instrument III 4E
interessant intéressant/intéressante II 4, 9
jdn. interessieren intéresser qn II 2
  sich für etw. interessieren s'intéresser à qc ⟨III M3, 2⟩
Internet (n.) Internet (m.) I 3B
  im Internet sur Internet I 3B
ein Internetprojekt, ein Online-Projekt cyberprojet (m.) ⟨III M2E⟩
ein Interview une interview I 3A, 4
ein Italiener/eine Italienerin un Italien/une Italienne II 3A
italienisch italien/italienne II 1, 8

J

die Jagd la chasse II 4, 9
ein Jahr un an I 4; I 8
ein Jahrhundert un siècle III 2
Januar janvier (m.) I 7, 6
jdn. trösten consoler qn III 5E
eine Jeans, ein Paar Jeans un jean III 1
jedenfalls, auf jeden Fall en tout cas ⟨III M2⟩
jeder/jede/jedes + Nomen chaque II 4
jeder zweite Schüler un élève sur deux III 3, 8
jeder/jede/jedes chacun/chacune III 4, 6
jemand quelqu'un II 4, 6
jener/jene/jenes celui/celle/ceux/celles ⟨III M2⟩
jetzt maintenant I 2
die schwarze Johannisbeere le cassis III 2E
ein Journalist/eine Jounalistin un/une journaliste II 7B, 6
eine Jugendherberge une auberge de jeunesse I 8E
ein Jugendlicher/eine Jugendliche un jeune/une jeune II 3A, 9
ein Jugendlicher/eine Jugendliche un adolescent/une adolescente III 1
Juli juillet (m.) I 7, 6
jung jeune II 3A, 9
ein Junge un garçon I 1
Juni juin (m.) I 7, 6

K

der Kaffee le café II 1, 2
ein Kalender un calendrier I 8
kalt froid/froide II 1
kanadisch canadien/canadienne ⟨III M3E⟩
ein Kanal un canal II 2
ein Kandidat/eine Kandidatin un candidat/une candidate ⟨III M3⟩
eine Kanone un canon III 1E
eine Kantine une cantine I 5E
etw. kaputt machen casser qc ⟨III M1⟩
eine Karte une carte I 6A, 2
eine Kartoffel une pomme de terre II 5
ein Karton un carton I 2
der Käse le fromage II 5
eine Kasse une caisse I 5
eine Katze un chat I 1
etw. kaufen acheter qc I 8

die Kehle la gorge II 7B, 4
kein/keine (bei Mengen) ne … pas de I 7
ein Keller une cave II 2
etw. kennen connaître qc II 3A
ein Kerl (ugs.) un mec (fam.) III 1E
eine Kerze une bougie II 5
ein Kind un enfant I 3A, 3
ein Kino un cinéma I 5E
eine Kirche une église III 2
klar, offensichtlich évident/évidente III 5
eine Klasse une classe I 1, 3
ein Klassenzimmer une salle de classe I 2, 4
ein Klavier un piano I 4E
etw. (an)kleben coller qc I 2
ein Kleid une robe I 7
ein Kleidungsstück un vêtement II 7A
klein petit/petite I 7E
klettern grimper I 4
das Klettern l'escalade (f.) I 4E
auf etw. klicken cliquer sur qc ⟨III M2⟩
klingeln sonner I 3B
ein Koch un cuisinier/une cuisinière I 5E
  ein Koch/eine Köchin un cuisinier/une cuisinière ⟨III M1, 7⟩
komisch, merkwürdig bizarre I 1
(an)kommen arriver I 4
  kommen venir II 1
(mit jdn.) kommunizieren communiquer (avec qn) II 6E
ein König un roi II 5, 11
eine Königin une reine ⟨III M2⟩
können pouvoir I 6B
  etw. tun können (wissen, wie es geht) savoir faire qc I 6B
ein Kontrolleur/eine Kontrolleurin un contrôleur/une contrôleuse III 3
jdn./etw. kontrollieren contrôler qn/qc III 3
ein Konzert un concert II 2
ein Kopf une tête II 2
etw. kopieren copier qc II 6, 6
Das kostet Ça fait … I 7, 8
kostenlos, gratis gratuit/gratuite II 3A
köstlich délicieux/délicieuse II 5
krank malade II 4E
ein Krankenhaus un hôpital II 7B
ein Krankenwagen une ambulance II 7B
eine Kreuzung un carrefour II 7A, 6
ein Krieg une guerre III 5
ein Kriminalroman un roman policier III 5, 3

eine **Krücke** une béquille II 7B
eine **Küche** une cuisine I 3E
ein **Kuchen/Kuchen** un gâteau/des gâteaux I 7
eine **Kugel** une boule I 7
eine **Kuh** une vache I 7E
eine **Kultur** une culture ⟨III M3E⟩
ein **Kumpel** *(ugs.)* un pote/une pote *(fam.)* III 4
ein **Künstler/eine Künstlerin** un artiste/une artiste III 4
eine **Kurve** un virage III 5
kurz court/courte ⟨II 8B, 9⟩; III 1E
ein **Kuss** *(ugs.)* une bise *(fam.)* I 8
jdn. **küssen** embrasser qn II 1E
eine **Küste** une côte III 5E

L

das **Labor(atorium)** un laboratoire III 3, 6
ein **Lächeln** un sourire III 3
lachen *(ugs.)* rigoler *(fam.)* I 8
  lachen rire II 4
ein **Laden** un magasin I 2
eine **Lampe** une lampe III 5
das **Lampenfieber** le trac III 4
das **Land** la campagne I 7E
  ein **Land** un pays II 4E
ein **Landwirt/eine Landwirtin** un agriculteur/une agricultrice ⟨III M1⟩
lang long/longue I 7
lange *(Adv.)* longtemps III 3
Ein bisschen langsamer, bitte. Un peu moins vite, s'il vous plaît. I 8, 14
ein **Lastwagen** un camion II 2, 12
laufen, rennen courir II 2
leben vivre II 3E
das **Leben** la vie I 7, 10
leer vide I 2
etw. **legen** mettre qc II 1
etw. **legen** poser qc I 2
ein **Lehrer/eine Lehrerin** un professeur I 1
leicht facile I 4
jdm. **Leid tun** être désolé(e). II 2
eine **Leinwand** un écran II 6
eine **Lektion** une leçon III 1
etw. **lesen** lire qc I 7
letzter/letzte/letztes dernier/dernière II 2, 3
die **Leute** les gens *(m., pl.)* II 1, 7
ein **Licht** une lumière III 5
lieb, teuer cher/chère I 8E

die **Liebe** l'amour *(m.)* II 3B
  Liebe auf den ersten Blick le coup de foudre II 3A
etw. **lieben, etw. mögen** aimer qc I 2
etw. **lieber mögen** aimer mieux qc III 3
Liebling chéri/chérie II 1E
Lieblings- préféré/préférée II 6, 3
ein **Lied** une chanson I 7
eine **(Verkehrs)Linie** une ligne I 5
(nach) links à gauche I 5
eine **Liste** une liste I 2, 12
ein **Loch** un trou II 7B
eine **Lösung** une solution I 3A
die **Luft**; *(hier)* das **Aussehen** l'air *(m.)* III 1E
  die **Luft** l'air *(m.)* III 1E
Lust haben, etw. zu tun avoir envie de faire qc I 4
lustig drôle I 8

M

etw. **machen** faire qc I 4E
ein **Mädchen** une fille I 1
eine **Mahlzeit** un repas I 7
Mai mai *(m.)* I 7
ein **Mal** une fois I 4, 11
ein **Mann** un homme I 5
eine **Mannschaft, ein Team** une équipe II 3E
etw. **markieren** marquer qc I 2
ein **Markt** un marché II 5
ein **Marokkaner/eine Marokkanerin** un Marocain/une Marocaine ⟨III M3E⟩
ein **Martinikaner/eine Martinikanerin** un Martiniquais/une Martiniquaise ⟨III M3E⟩
März mars *(m.)* I 7, 6
eine **Maschine** une machine I 6A, 5
das **Material, die Ausrüstung** le matériel II 4, 8
Mathe *(ugs.)* les maths *(f., pl.) (fam.)* II 4
eine **Mauer** un mur I 4
eine **Maus** une souris II 4
ein **Mechaniker/eine Mechanikerin** un mécanicien/une mécanicienne II 1
das **Meer** la mer II 7E
das **Mehl** la farine II 5E
eine **Meinung** un avis II 6
ein **Menhir, ein Hinkelstein** un menhir III 5E
eine **(Menschen)Menge** une foule II 6
messen faire ⟨III M1⟩

ein **Meter** un mètre II 6, 8
die **Milch** le lait II 5E
eine **Million** un million III 3
ein **Mineralwasser** une eau minérale II 5
mit avec I 1
jdn. etw. **mitbringen** apporter qc à qn II 6E
Mittag midi I 5E
ein **Mittagsschlaf** une sieste III 2
eine **Mitteilung** un message II 6
das **Mittelalter** le Moyen Age III 2
Mitternacht minuit I 5E
Mittwoch mercredi *(m.)* I 4
ein **Mobiltelefon** un portable I 5
ich möchte gerne je voudrais I 6B, 7
die **Mode** la mode II 3A
etw. **mögen, etw. lieben** aimer qc I 2
  etw. **sehr gerne mögen** adorer qc II 1
  etw. **lieber mögen** aimer mieux qc III 3
möglich possible III 2, 8
ein **Monat** un mois I 3A
Montag lundi *(m.)* I 7, 6
morgen demain I 6A
ein **Morgen** un matin II 1E
  heute Morgen ce matin II 3B
morgens le matin II 1E
müde fatigué/fatiguée II 6
ein **Mülleimer** une poubelle I 2
eine **Muschel** un coquillage III 1, 11
ein **Museum** un musée II 1
die **Musik** la musique I 3A
ein **Musiker/eine Musikerin** un musicien/une musicienne II 6
etw. **tun müssen** devoir faire qc II 2
man muss etw. tun il faut faire qc II 5
der **Mut** le courage III 4
eine **Mutter** une mère I 6A, 5

N

nach après I 5
etw. **nachahmen** imiter qc II 3A
ein **Nachbar/eine Nachbarin** un voisin/une voisine I 3A
nachdenken, überlegen réfléchir II 4
ein **Nachmittag** un après-midi I 4
eine **Nachricht, eine Neuigkeit** une nouvelle II 2
  eine **Nachricht, eine Mitteilung** un message II 6
eine **Nachrichtensendung** un journal ⟨III M1⟩

nächster/nächste/nächstes prochain/ prochaine II 7B, 2
eine Nacht une nuit II 4
ein Nachtisch un dessert II 4
nahe bei, neben etw. près de I 8E
ein Name un nom I 7, 14
eine Nase un nez III 2
eine Nationalität une nationalité ⟨III M3E⟩
die Natur la nature I 2
neben, nebenan à côté II 3A
neben à côté de II 3A
etw. nehmen prendre qc I 7
nervös nerveux/nerveuse ⟨III M3⟩
nett sympa (fam.) I 1; III 1E
nett, toll chouette/chouette III 2
etw. neu machen refaire qc II 3A
  neu nouveau/nouvel/nouvelle II 3B
nicht ne … pas I 4
  nicht mehr ne … plus I 6A
  auch nicht ne … pas non plus II 1
  noch nicht ne … pas encore II 1
  überhaupt nicht ne … pas du tout II 1
nichts ne … rien I 6A
nie, niemals ne … jamais I 6A
niedlich mignon/mignonne II 3B
niemand ne … personne II 5
ein Niveau un niveau III 4
noch encore I 4, 11
der Norden le nord III 2E
normal normal/normale III 3
eine Note une note I 8
Notizen machen prendre des notes II 2, 2
notwendig, erforderlich nécessaire/ nécessaire ⟨III M2⟩
November novembre (m.) I 7, 6
eine Nudel une nouille II 4
eine Nummer un numéro I 6B, 4
nun, jetzt, dann alors I 4
nur seulement III 3E
nur ne … que II 2
etw. (aus)nutzen profiter de qc ⟨III M3⟩

O

ob si I 8
(weiter) oben ci-dessus II 2, 9
  oben, nach oben en haut I 4
oder ou I 4
etw. öffnen ouvrir qc I 7
oft souvent I 4
ohne sans I 4
  ohne etw. zu tun sans rien faire II 7B

ein Ohr une oreille III 1, 11
Oktober octobre (m.) I 7, 6
Oma (ugs.) mamie (f.) (fam.) I 7
ein Onkel un oncle I 7
Opa (ugs.) papi (m.) (fam.) I 7
orange orange (inv.) I 7, 4
eine Orange une orange II 5E
etw. organisieren organiser qc I 8E
ein Ort un lieu/des lieux ⟨III M1, 1⟩
der Osten l'est (m.) III 2E

P

ein Paket un paquet II 2
ein Palast un palais III 2
die Panik la panique II 7B
ein Papier un papier I 2
ein Paradies un paradis I 2
ein Park un parc II 1E
etw. passiert jdm., etw. geschieht jdm. qc arrive à qn I 7A
die Pause la récréation II 4
perfekt, tadellos parfait/parfaite III 5, 8
eine Person une personne II 3E
ein Pfannkuchen une crêpe II 2E
der Pfeffer le poivre II 5E
ein Pferd/Pferde un cheval/des chevaux III 5
jdn./etw. pflegen soigner qn/qc III 2
ein Pilot/eine Pilotin un pilote/une pilote II 3A, 3
eine Pistole un pistolet III 5E
ein Plakat, ein Poster une affiche I 2
ein Plan; (hier) ein Stadtplan un plan I 5
ein Platz une place I 2
plötzlich tout à coup I 4
die Polizei la police I 4, 12
eine Polizeiwache une gendarmerie ⟨III M1⟩
ein Polizist un policier I 4, 12
Pommes frites des frites (f., pl.) I 8
ein Porträt, ein Abbild un portrait I 7, 15
die Post la poste II 2
eine Postkarte une carte postale III 2
ein Praktikum un stage III 1
praktisch pratique II 3B, 2
ein Preis un prix II 6
eine Probe une répétition III 4
etw. probieren, etw. kosten goûter qc II 5
ein Problem un problème I 3A

kein Problem pas de problème I 6B
ein Programm un programme II 3B
ein Projekt, ein Vorhaben un projet I 8E
eine Provinz une province ⟨III M3, 3⟩
ein Prozent un pour cent III 3
ein Punkt un point II 7A, 6

Q

aus Quebec québécois/québécoise ⟨III M3⟩
ein Quebecer/eine Quebecerin un Québécois/une Québécoise ⟨III M3E⟩
ein Quiz un quiz ⟨III M3, 3⟩

R

ein Radiergummi une gomme I 2
am Rande von etw. au bord de qc II 2
eine Rast une halte II 7A
ein Rat, ein Ratschlag un conseil III 1, 8
ein Rathaus un hôtel de ville I 5, 12
ein Rätsel une devinette II 3A, 5
rauchen fumer III 1, 12
eine Reaktion une réaction II 4, 10
ein Rebell/eine Rebellin; (hier) (Name einer Schülerzeitung) un rebelle/une rebelle III 3
(nach) rechts à droite I 5
ein Referat un exposé II 4
ein Regal une étagère I 2
eine Regel une règle ⟨III M2, 2⟩
der Regen la pluie II 7A
ein Regenschirm un parapluie II 1, 10
eine Region une région II 1
ein (Film)Regisseur un réalisateur I 6E
regnen pleuvoir II 1
reich riche/riche III 4
eine Reihenfolge un ordre I 3A, 4
ein Reim une rime I 1, 6
eine Reise un voyage III 2E
ein Reisebus un car III 2E
rennen, laufen courir II 2
eine Reparatur une réparation II 3A
eine Reportage un reportage II 2, 5
etw. respektieren respecter qc I 2
ein Rest un reste II 2
ein Restaurant un restaurant I 5E
jdn./etw. retten sauver qn/qc ⟨III M1⟩
ein Rezept (Küche) une recette II 5E

ein **Rezept** *(vom Arzt)* une ordonnance II 7B, 4

richtig, korrekt correct/correcte I 8

die **richtige Form** la bonne forme I 3A, 3

die **richtige Reihenfolge** le bon ordre I 4, 1

etw. **riechen,** etw. **fühlen** sentir qc ⟨III M2⟩

eine **Rolle** un rôle I 6B, 6

das **Rollerskaten** le roller I 4E

ein **Roman** un roman II 4, 13

rosa rose II 2

rot rouge/rouge I 7, 4

der **Rücken** le dos II 1E

ein **Rucksack** un sac à dos II 1E

jdn. **(an)rufen** appeler qn II 5

die **Ruhe,** die **Gelassenheit** le calme III 5E

die **Ruhe,** die **Stille** le silence I 1

ruhig, brav tranquille III 3

ruhig, still calme III 3

ein **Rundgang,** eine **Tour** un tour II 3A

S

ein **Saal** une salle II 2

eine **Sache** une chose I 7

ein **Saft** un jus II 5

jdm. etw. **sagen** dire qc à qn I 8

Sag bloß! *(ugs.)* Dis donc! *(fam.)* ⟨III M3⟩

ein **Salat** une salade II 5E

das **Salz** le sel II 5E

Samstag samedi *(m.)* I 5E

der **Sand** le sable III 1, 11

ein **Sandwich** un sandwich II 2, 7

ein **Sänger/**eine **Sängerin** un chanteur/une chanteuse II 2

ein **Satz** une phrase I 2, 10

ein **Saxofonspieler/**eine **Saxofonspielerin** un saxophoniste/une saxophoniste III 4

Schade! Dommage! III 1

ein **Schauspieler/**eine **Schauspielerin** un acteur/une actrice I 5, 14

ein **Scherz;** ein **Streich** une blague ⟨III M2⟩

jdm. etw. **schicken** envoyer qc à qn II 2

ein **Schiff** un bateau/des bateaux II 2

ein **Schinken** un jambon III 2

schlafen dormir II 1

sich **schlafen legen,** sich **hinlegen** se coucher III 5

jdn. **schlagen** battre qn III 5

die **Schlagsahne** la crème chantilly II 5E

schlecht mauvais/mauvaise I 7

Das ist nicht schlecht. Ce n'est pas mal. I 4

etw. **schließen** fermer qc III 5E

schließlich enfin I 5

schließlich, zum Schluss finalement III 5

Das ist nicht schlimm. Ce n'est pas grave. I 4

der **Schluss** la fin II 1, 7

ein **Schlüssel** une clé ⟨III M1⟩

ein **Schlüsselwort** un mot-clé I 7, 10

ein **Schmerz** une douleur II 7B

Schmerzen haben avoir mal II 3B

schmollen, sauer sein *(ugs.)* faire la tête *(fam.)* II 2

schmutzig sale I 2

eine **Schnecke** un escargot III 2E

der **Schnee** la neige ⟨III M3⟩

etw. **schneiden** couper qc I 6B

schnell rapide/rapide III 3

schnell *(Adv.)* vite I 2

eine **Schnur** un fil II 7B

die **Schokolade** le chocolat II 5E

schön beau/bel/belle II 3B

es ist schönes Wetter il fait beau II 1

schon déjà I 3B

etw. **schreiben** écrire qc I 7

ein **Schreibwarengeschäft** une papeterie I 2

schreien crier I 4

ein **Schriftsteller/**eine **Schriftstellerin** un écrivain/une femme écrivain ⟨III M3⟩

eine **Schublade** un tiroir III 5E

schüchtern timide/timide III 1E

ein **Schuldirektor/**eine **Schuldirektorin** un principal/une principale ⟨II 8⟩

der **Schul(jahres)beginn** la rentrée III 3

Das ist seine/ihre Schuld. C'est (de) sa faute. II 7B

eine **Schule** une école I 4E

ein **Schüler/**eine **Schülerin** un élève/une élève I 4

schwarz noir/noire I 7

schwer; *(hier)* **umfangreich** lourd/lourde III 2

eine **Schwester** une sœur I 3A, 4

schwierig difficile II 5

ein **Schwimmbad** une piscine II 2

das **Schwimmen** la natation I 4E

das **Segel;** das **Segeln** la voile III 1

etw. **sehen** regarder qc I 2E; II 1

sehr très I 6A

etw. **sehr gern tun** adorer faire qc II 4, 12

sehr; unheimlich viel énormément III 5

ein **Seil** une corde I 4

sein être I 3A

seit depuis I 8, 2

eine **Seite** une page I 2, 12

eine **Sekunde** une seconde III 5

eine **(Fernseh)Sendung** une émission ⟨III M1, 5⟩; ⟨III M3⟩

ein **Senegalese/**eine **Senegalesin** un Sénégalais/une Sénégalaise ⟨III M3E⟩

der **Senf** la moutarde III 2E

September septembre *(m.)* I 7, 6

sich **setzen** s'asseoir III 4

etw. **setzen,** etw. **stellen,** etw. **legen** poser qc I 2

sicher sûr/sûre II 3A

sicherlich, Na klar! bien sûr II 3B

sicher, sicherlich *(Adv.)* sûrement II 4, 9

sich **über jdn. lustig machen** se moquer de qn III 1

singen chanter I 7

eine **Single** un single ⟨III M3, 4⟩

eine **Situation** une situation I 2, 7

ein **Sketch** un sketch III 1, 7

das **Skifahren** le ski II 1

so, auf diese Weise comme ça II 1E

sofort tout de suite I 7

eine **Software,** ein **(Computer)Programm** un logiciel ⟨III M2⟩

sogar même II 1E

ein **Sohn** un fils II 6, 11

der **Sommer** l'été *(m.)* I 7, 6

die **Sonne** le soleil II 1

es ist sonnig il y a du soleil II 1

eine **Sonnenbrille** des lunettes de soleil *(f., pl.)* III 1E

Sonntag dimanche *(m.)* I 6E

spanisch espagnol/espagnole I 7E

spät tard II 2, 6

spazieren gehen se promener II 7B; se balader *(fam.)* III 1

ein **Spiel** un jeu I 1, 4

ein **Spiel,** ein **Wettkampf** un match II 3E

spielen jouer I 3A

eine **Spinne** une araignée II 4

der **Sport** le sport I 4E

Sport treiben faire du sport **I 4E**
sportlich sportif/sportive **I 7**
eine Sprache une langue **I 8**
mit jdm. sprechen, zu jdm. sprechen parler à qn **I 6A**
    über etw. sprechen parler de qc **II 3B**
ein Sprichwort un proverbe **II 4, 9**
eine Spur une trace **II 7A**
ein (Sport)Stadion un stade **II 3E**
eine Stadt une ville **I 8**
    in der Stadt, in die Stadt en ville **II 2, 2**
ein Plan; *(hier)* **ein Stadtplan** un plan **I 5**
ein Stadtviertel un quartier **I 2E**
ein Stadtzentrum un centre-ville **III 2**
ein Star une star **I 6A**
stark fort/forte **III 1E**
etw. stehlen voler qc **I 5**
steigen monter **I 5**
etw. stellen mettre qc **II 1**
die Stellung une position **III 3, 7**
zu jdm./etw. Stellung beziehen prendre position sur qn/qc **III 3, 7**
gestorben sein, tot sein être mort(e) **III 2, 7**
    sterben mourir **III 4**
ein Stern une étoile **II 1E**
die Stille le silence **I 1**
eine Stimme une voix **III 5**
die Stimmung, die innere Verfassung le moral **II 2**
    eine Stimmung, Atmosphäre une ambiance **II 6, 3**
ein Stockwerk, eine Etage un étage **I 3E**
ein Strafzettel un procès-verbal **III 3**
ein Strand une plage **III 1E**
eine Straße une rue **I 1**
    eine (Land)Straße une route **III 2, 2**
eine Strecke; ein Durchgang un parcours **II 7B**
jdn./etw. streicheln caresser qn/qc **III 2**
ein Streit une dispute **III 1, 1**
sich mit jdm. streiten se disputer avec qn **II 7B**
ein Studio un studio **I 6A**
eine Stunde une heure **I 5**
ein Stundenplan un horaire **I 7, 8;** un emploi du temps **III 3, 1**
ein Sturzhelm un casque **I 4**
ein Subjekt un sujet **III 1, 5**
etw. suchen chercher qc **I 2E**

der Süden le sud **II 7E**
    südlich von au sud de **II 7E**
ein Supermarkt un supermarché **II 6**
süß, niedlich mignon/mignonne **II 3B**
ein Symbol; *(hier)* **ein Wahrzeichen** un symbole **III 2**
ein Synonym un synonyme **III 5, 7**
eine Szene une scène **I 1, 3**

T

eine Tafel, eine Tabelle/Tafeln, Tabellen un tableau/des tableaux **I 6A, 8**
ein Tag un jour **I 3A**
    ein Tag, ein Tagesablauf une journée **I 5, 4**
    am darauf folgenden Tag le lendemain **I 8**
ein Tagebuch un journal/des journaux **I 7**
eine Tankstelle une station-service **III 2**
eine Tante une tante **I 7**
tanzen danser **II 2E**
das Tanzen, der Tanz la danse **I 4**
eine Tasche une poche **III 1, 7**
das Taschengeld l'argent de poche *(m.)* **III 1, 7**
eine Tätigkeit une activité **I 4E**
tatsächlich en fait **III 2, 4**
taub sourd/sourde **II 2, 4**
die Technologie; *(hier)* **der technisch-naturwissenschaftliche Unterricht** la technologie **III 3, 6**
ein Teil une partie **I 2, 7**
an etw. teilnehmen participer à qc ⟨**III M3**⟩
ein Telefon un téléphone **I 3B**
mit jdm. telefonieren téléphoner à qn **I 6A**
eine Telefonnummer un numéro de téléphone **I 6B, 4**
ein Teller une assiette **I 3B**
die Temperatur la température **II 1, 9**
teuer, lieb cher/chère **I 8E**
das Theater le théâtre **I 4E**
ein Thema un sujet **III 1, 5**
ein Thunfisch un thon **III 5E**
ein Tier un animal/des animaux **I 4, 8**
ein Tisch une table **I 7**
ein Titel un titre **I 8, 1**
der Tod la mort **III 5**
die Toilette, das WC les W.-C. *(m., pl.)* **I 3E**

eine Tour, ein Rundgang un tour **II 3A**
ein Tourist/eine Touristin un touriste/une touriste **I 5**
etw. tragen porter qc **I 7**
trainieren, üben s'entraîner **III 3**
ein Traum un rêve **I 6B, 8**
von etw. träumen rêver de qc **I 3A**
traurig triste **II 2**
jdn. treffen, jdm. begegnen rencontrer qn **I 8E**
    jdn. treffen; jdn. wieder finden retrouver qn **III 1**
eine Treppe un escalier **II 2**
etw. trinken boire qc **I 7**
trocken sec/sèche ⟨**III M1**⟩
trotzdem pourtant **III 1**
etw. tun müssen avoir besoin de faire qc **III 3**
eine Tür une porte **I 2**
ein Turm une tour **I 5E**
eine Turnhalle un gymnase **I 4**
ein Typ un type **III 4**

U

eine U-Bahnstation une station de métro **I 5**
überall partout **II 3A**
etw. überqueren traverser qc **I 5**
eine Überraschung une surprise **II 3A**
eine Übersetzung une traduction **I 8, 3**
ein U-Boot un sous-marin **II 1E**
übrigens à propos **I 2E**
ein (Fluss)Ufer une rive **I 5E**
Wie viel Uhr ist es? Il est quelle heure? **I 5, 11**
jdn. umarmen embrasser qn **II 1E**
eine Umfrage un sondage **III 3, 2**
umso besser tant mieux **II 3B**
umsteigen changer de train **I 7**
umziehen déménager **II 1**
ein Umzug, ein Wohnungswechsel un déménagement **II 2**
ein Unfall un accident **II 7B**
unglücklich malheureux/malheureuse **III 3**
unglücklicherweise, leider *(Adv.)* malheureusement **III 2, 3**
unten, nach unten en bas **I 4**
unter sous **I 2**
etw. unterbrechen couper qc **II 6**
im Unterricht en cours **II 4**
ein Unterrichtsfach une matière **III 3**
eine Unterrichtsstunde un cours **II 4**

ein **Unterschied** une différence II 6, 10
etw. **unterschreiben** signer qc II 1
etw. **unterstreichen** souligner qc III 1, 3
der **Urlaub, die Ferien** les vacances *(f., pl.)* II 1
ein **Ursprung; eine Herkunft** une origine III 5, 5

V

ein **Vater** un père I 4
eine **Verabredung haben** avoir rendez-vous I 4, 3
etw. **verabscheuen, etw. überhaupt nicht mögen** détester qc II 4
etw. **verabscheuen, nicht ausstehen können** avoir horreur de qc II 4
jdm. **verbieten etw. zu tun** interdire à qn de faire qc III 1, 9
mit jdm. **in Verbindung treten** contacter qn II 7E
etw. **verbrennen** brûler qc II 2, 3
etw. **verbringen** passer qc II 1
etw. **verdienen** gagner qc II 6, 6
etw. **vergessen** oublier qc I 6B
sich **vergnügen** s'amuser II 7B
etw. **verkaufen** vendre qc I 8
ein **Verkäufer/eine Verkäuferin** un vendeur/une vendeuse ⟨III M1, 7⟩
ein **Verkehrsstau** un bouchon I 5
etw. **verlassen** quitter qc I 2
jdn. **verletzen** blesser qn ⟨III M1⟩
sich **in jdn. verlieben** avoir le coup de foudre pour qn/qc II 3A
verliebt amoureux/amoureuse II 3A
ein **Verliebter/eine Verliebte** un amoureux/une amoureuse ⟨III M2, 6⟩
etw. **verlieren** perdre qc II 2
etw. **vermeiden** éviter qc I 7, 17
etw. **verpassen** rater qc II 4
verpasst, fehlgeschlagen manqué/manquée II 6
verrückt fou/fol/folle I 6B
verspätet sein être en retard II 2
eine **Verspätung** un retard II 2
sich **verstecken** se cacher II 7B
etw. **verstehen** comprendre qc I 8
etw. **versuchen** essayer qc ⟨III M2⟩
ein **Vertrag** un contrat III 4
jdn./etw. **vertreten** représenter qn/qc ⟨III M3⟩
viel, sehr beaucoup I 7
viel(e) *(bei Mengen)* beaucoup de I 7
vielleicht peut-être I 8

ein **Vogel** un oiseau/des oiseaux I 7E
ein **Vokabelnetz** un filet à mots III 1, 5
vollständig complet/complète III 3
vollständig total/totale III 5, 8
von, aus de I 1
vor *(zeitlich)*, **vorher** avant II 2
vor *(örtlich)* devant I 2
vor allem surtout I 4
vorankommen avancer ⟨III M1⟩
vorbeigehen, -fahren, -kommen passer II 3A
etw. **vorbereiten** préparer qc I 4
vorhin, eben tout à l'heure II 3A
ein **Vorname** un prénom I 1
der **Vorort** la banlieue I 3A
jdm. **vorschlagen, etw. zu tun** proposer à qn de faire qc III 1
Vorsicht! Attention! I 4
eine **Vorspeise** une entrée II 5
jdm. etw. **vorstellen** présenter qc à qn II 4
etw. **vorziehen** préférer qc II 5

W

etw. **wählen/aussuchen** choisir qc II 4
während *(Präp.)* pendant I 6B
währenddessen *(Adv.)* pendant ce temps II 5
ein **Wald** une forêt II 7A
eine **Wand** un mur I 4
wann quand I 5
warm, heiß chaud/chaude II 1
auf jdn. warten attendre qn I 8
warum pourquoi I 5E
Was? Quoi? I 3E
Was … ? Qu'est-ce que …? I 5
Was ist das? Qu'est-ce que c'est? I 2E
Was gibt es? Qu'est-ce qu'il y a? I 3A, 6
das **Wasser** l'eau *(f.)* I 7
eine **Website** un site ⟨III M2⟩
etw. **wechseln** changer de qc II 1
ein **Weg** un chemin I 5, 12
wegen pour I 3A
weggehen partir II 1
(wieder) weggehen; *(hier)* **wegfahren** repartir III 5
weil parce que I 5E
der **Wein** le vin II 5
weinen pleurer II 7A
weiß blanc/blanche I 7
weit *(Adv.)* loin II 1
weitermachen, fortfahren continuer à faire qc I 8

welcher/welche/welches *(Relativpronomen)* lequel/laquelle/lesquels/lesquelles III 2
welcher/welche/welches *(Fragebegleiter)* quel/quels/quelle/quelles II 3B
die **Welt** le monde III 2
wenden, umdrehen faire demi-tour II 7A, 6
wenig peu I 7
ein wenig un peu de I 7
weniger moins III 1E
wenn doch nur … si seulement … ⟨III M1⟩
Wer ist das? Qui est-ce? I 1
eine **Werbung, ein Werbespot** une publicité *(fam.: une pub)* I 6A
jd./etw. **werden** devenir qn/qc III 4
etw. **tun werden** aller faire qc I 6E
etw. **werfen** jeter qc ⟨III M1⟩
der **Westen** l'ouest *(m.)* III 2E
ein **Wettbewerb** un concours ⟨III M3⟩
das **Wetter** le temps II 1
die **Wettervorhersage** une météorologie II 1, 9
ein **Wettkampf, ein Spiel** un match II 3E
wichtig important/importante II 3B
wie comment I 1
wie *(beim Vergleich)* comme I 8E
Wie alt bist du? Tu as quel âge? I 4
wieder encore I 4, 11
etw. **wieder erkennen** reconnaître qc II 3A
etw. **wieder finden** retrouver qc II 2
jdn. **wieder finden;** *(hier)* jdn. **treffen** retrouver qn III 1
etw. **wiederholen** répéter qc II 5, 2
jdn./etw. **wieder sehen** revoir qn/qc II 3A
wie viel combien (de) I 8
der **Wind** le vent II 7A
der **Winter** l'hiver *(m.)* I 7, 6
wirklich vraiment III 3
wissen savoir I 6B
eine **Wissenschaft** une science II 4
wo où I 2
Wo … ? Où est-ce que … ? I 5
eine **Woche** une semaine I 8
ein **Wochenende** un week-end I 7; une fin de semaine ⟨III M3⟩
wöchentlich, pro Woche par semaine II 4, 2
wohnen habiter I 3E
ein **Wohnmobil** un camping-car II 1
eine **Wohnung** un appartement I 3E

eine **Wolke** un nuage II 1, 9
ein **Wort** un mot I 1, 4
ein **Wörterbuch** un dictionnaire II 7E
etw. **wünschen** désirer qc I 8
eine **Wut, ein Zorn** une colère I 3B

Z

eine **Zahl** un nombre II 2, 11
etw. **zählen** compter qc I 4, 2
zauberhaft magique/magique III 5
etw. **zeichnen** dessiner qc I 2
ein **Zeichner** un dessinateur I 6E
eine **Zeichnung** un dessin I 2
jdm. etw. **zeigen** montrer qc à qn II 4E
die **Zeit** le temps I 7
eine **Zeitung/Zeitungen** un journal/des
    journaux I 7
zerbrochen cassé/cassée II 7B
etw. **zerstören** détruire qc ⟨III M1⟩
eine **Zigarette** une cigarette III 1, 12
ein **Zimmer** une pièce I 3E
    ein **(Schlaf)Zimmer** une chambre
    I 3E
ein **Zirkus** un cirque III 3E
der **Zucker, das Zuckerstück** le sucre
    II 5E
zuerst d'abord I 3E
zufrieden, glücklich content/contente
    I 7
ein **Zug** un train I 7
etw. **zugeben, etw. gestehen** avouer qc
    III 1
jdm. **zuhören** écouter qn I 3B
die **Zukunft** l'avenir *(m.)* II 3B
zurückkehren retourner ⟨III M3⟩
etw. **zurücklassen** laisser qc III 5
zusammen ensemble I 1
etw. **zusammenfassen** résumer qc
    III 1, 1
eine **Zusammenfassung** un résumé
    II 1
zusätzlich en plus I 4
zu viel trop I 7
zwischen entre II 3A, 9
zwölf Uhr mittags midi I 5E

Pour faire les exercices du livre

	Lektion	Übung	
A votre avis, …	II/1	1	Eurer Meinung nach …
à haute voix	III/4	9a	laut
Accordez …	I/7	2	Gleicht … an.
Ajoutez …	I/1	4	Fügt … hinzu.
un antonyme	III/5	4b	ein Gegenteil
Après la première écoute, …	II/1	10	Nach dem ersten Hören …
à tour de rôle	III/5	4a	abwechselnd
Avant la lecture, …	I/4	Texte	Vor dem Lesen …
Avant la première écoute, …	II/5	8	Vor dem ersten Hören …
une bulle	III/1	Album	eine Sprechblase
un centre d'intérêt	I/3B	7	ein Sachfeld
Changez de rôle.	I/5	12	Tauscht die Rollen.
Cherchez l'intrus.	I/1	6	Sucht den Eindringling.
Choisissez …	I/1	3	Wählt … aus.
une citation	III/5	Entrée	ein Zitat
Classez … d'après …	II/1	6	Ordnet … nach …
Comparez …	I/5	5	Vergleicht …
Complétez.	I/1	8	Ergänzt.
Conjuguez les verbes.	I/6A	3	Konjugiert die Verben.
Continuez.	I/3	Entrée	Macht weiter.
Contrôlez votre prononciation.	I/8	7	Überprüft eure Aussprache.
Copiez le tableau dans votre cahier.	I/3B	6	Übertragt die Tabelle in euer Heft.
Corrigez.	I/6B	2	Verbessert.
d'après le modèle	II/2	4	nach dem Muster
d'après vous	III/5	Texte	eurer Meinung nach
Décris …	I/5	12	Beschreibe …
Décrivez …	I/3A	5	Beschreibt …
un dépliant	III/2	Album	ein Faltblatt
Discutez en classe.	II/1	6	Diskutiert in der Klasse.
Dites si …	II/1	10	Sagt, ob …
Dites le pour et le contre.	III/M1	3	Nennt das Für und Wider.
Donnez votre avis sur …	III/1	8	Gebt eure Meinung ab zu …
Ecoutez et répétez.	I/4	2	Hört zu und sprecht nach.
Ecoutez le texte.	I/4	11	Hört den Text.

	Lektion	Übung	
Ecoutez les scènes.	II/1	6	Hört die Szenen.
Ecrivez … dans votre cahier.	I/2	12	Schreibt … in euer Heft.
entre parenthèses (f.)	I/4	12	in Klammern
Epelez …	III/M2	5	Buchstabiert …
Essayez …	III/5	9d	Versucht …
Expliquez …	II/1	Entrée	Erklärt …
Faites attention aux temps.	II/3	3	Passt auf die Verben auf.
Faites des dialogues.	I/2	9	Erstellt Dialoge.
Faites des phrases qui riment.	I/2	10	Bildet Sätze, die sich reimen.
Faites des phrases.	I/4	1	Bildet Sätze.
Faites l'interprète.	II/7B	4	Spielt den Dolmetscher.
Faites un dessin.	II/7A	5	Macht eine Zeichnung.
Faites un sondage.	II/4	Album	Führt eine Umfrage durch.
Faites un tableau.	II/1	6	Erstellt eine Tabelle.
un filet à mots	I/3B	7	ein Vokabelnetz
une fonction	I/9	Entrée	eine Funktion
Formez des groupes.	II/7	Album	Bildet Gruppen.
Formez des impératifs.	I/5	10	Bildet Imperative.
Imaginez …	II/2	Entrée	Stellt euch vor …
Indiquez …	II/4	5	Gebt … an.
Inventez …	I/1	3	Erfindet …
Jouez à …	II/4	Album	Spielt …
Jouez la scène en classe.	I/3A	3	Spielt die Szene in der Klasse.
un lecteur/une lectrice	III/4	Album	ein Leser/eine Leserin
Lisez encore une fois le texte.	II/1	Album	Lest den Text noch einmal.
Lisez le texte à haute voix.	I/3B	6	Lest den Text laut vor.
Lisez les annotations.	II/5	11	Lest die Annotationen.
Lisez les phrases.	I/5	13	Lest die Sätze.
un mémory	III/2	4b	ein Memory-Spiel
Mettez … à la bonne forme.	I/3A	3	Setzt … in die richtige Form.
Mettez … dans le bon ordre.	II/2	8	Bringt … in die richtige Reihenfolge.
Mettez en relief …	II/7A	4	Hebt … hervor.
les mots suivants	I/9B	4	die folgenden Wörter
Notez …	II/1	Album	Schreibt … auf.
On dit …	I/1	3	Man sagt …
Pensez à …	II/4	8	Denkt an …
plusieurs fois	III/M3	5a	mehrmals

	Lektion	Übung	
Posez des questions et répondez.	I/1	1	Stellt Fragen und antwortet.
Prenez des notes.	I/9B	5	Macht Notizen.
Présentez …	II/1	Album	Präsentiert …
Que signifie … en allemand?	III/P1	4	Was bedeutet … auf Deutsch?
Quelle image va avec quelle scène?	III/2	Entrée	Welches Bild passt zu welcher Szene?
Racontez …	I/3	1	Erzählt …
Regardez les images.	II/1	7	Schaut euch die Bilder an.
Reliez les phrases.	II/3	6	Verbindet die Sätze.
Remplacez … par …	I/4	2	Ersetzt … durch …
Répétez.	I/1	6	Wiederholt./Sprecht nach.
Répondez aux questions.	I/4	1	Beantwortet die Fragen.
Répondez par …	I/5	6	Antwortet mit …
Résumez …	II/2	1	Fasst … zusammen.
un sens	III/5	7b	ein Sinn
une séquence	III/M1	11	eine Sequenz
un site Internet	III/2	Album	eine Internetseite
Soulignez …	II/2	Entrée	Unterstreicht …
Structurez …	II/4	8	Strukturiert …
un thème	III/M1	1a	ein Thema
Tournez la page, s'il vous plaît.	II/9	Entrée	Bitte dreht die Seite um.
Traduisez …	I/5	5	Übersetzt …
Transformez les phrases.	II/6	5	Wandelt die Sätze um.
Travaillez à deux.	I/4	6	Arbeitet zu zweit.
Travaillez en groupes.	I/9	Album	Arbeitet in Gruppen.
Trouvez les phrases correctes.	I/4	11	Findet die richtigen / passenden Sätze.
Trouvez des mots qui vont ensemble.	I/2	7	Findet Wörter, die zusammenpassen.
Trouvez des titres …	I/8	1	Findet Titel …
Trouvez les mots qui riment.	I/1	6	Findet die Wörter, die sich reimen.
Utilisez …	I/3B	3	Benutzt …
Utilisez le maximum de …	II/1	4	Benutzt so viel wie möglich …
Vous connaissez déjà …	I/9	Entrée	Ihr kennt schon …
Vrai ou faux?	I/2	1	Richtig oder falsch?

Material: 1 Spielplan, auf dem notiert wird, wenn ein Spieler den entsprechenden Raum besucht und welche Punktezahl er dort erreicht hat.
1 Spielstein für jeden Spieler.

Spielplan:

	(1) La cantine	salle de p.	(2) Le bureau du principal	salle de p.	(3) La salle des élèves	salle de p.	(4) La salle des profs	salle de p.	(5) La salle Edith Piaf	salle de p.
Spieler A	• • •		• • •		• • •		• • •		• • •	
Spieler B	• • •		• • •		• • •		• • •		• • •	

	(6) Le CDI	salle de p.	(7) La salle Ch. Baudelaire	salle de p.	(8) La salle d'allemand	salle de p.	(9) La salle de géographie	salle de p.	(10) La salle de théâtre	salle de p.
Spieler A	• • •		• • •		• • •		• • •		• • •	
Spieler B	• • •		• • •		• • •		• • •		• • •	

Symbole: • = Grammatik
• = Wortschatz und Kommunikation
• = Landeskunde

Spielregeln:

1. Ihr spielt zu zweit. Zu Beginn des Spiels setzt ihr euren Spielstein in den Hof.
   Dann wird mit einem Würfel ausgelost, wer von euch beiden beginnt.

2. Wer anfängt (Spieler A), begibt sich in den Raum (1) und setzt seinen Spielstein
   in diesen Raum und löst die Aufgaben. Er enthält jeweils eine Aufgabe zur Grammatik,
   zum Wortschatz, zur Kommunikation und zur Landeskunde. Löst er die Aufgaben richtig,
   darf er sich die Punkte notieren.

3. Spieler B kontrolliert die Antworten von Spieler A anhand der Lösungen. Wenn Spieler A
   die Aufgabe nicht lösen kann, muss er in die *salle de permanence* gehen und dort eines
   der Verben konjugieren (1. Pers. Sg. bis 3. Pers. Pl.). Schafft er es, bekommt er insgesamt
   10 Punkte zusätzlich. Die *salle de permanence* ist ein Joker-Raum.

4. Dann ist Spieler B an der Reihe. Er begibt sich in den Raum (2), um die Aufgaben zu lösen.
   Gelingt es ihm, darf er sich die Punkte notieren, wenn nicht, muss auch er in die *salle de
   permanence* gehen und ein Verb seiner Wahl konjugieren (1. Pers. Sg. bis 3. Pers. Pl.).
   Schafft er es, bekommt er insgesamt 10 Punkte zusätzlich.

5. Spieler A kontrolliert die Antworten von Spieler B anhand der Lösungen.

6. Danach ist Spieler A an der Reihe. Er begibt sich in den Raum (3) und versucht die Aufgaben zu lösen, usw.

7. In jedem Raum befindet sich ein in der Zeichnung versteckter Buchstabe. Die Buchstaben müsst ihr sammeln und später ordnen, um den Namen der unbekannten Lehrerin herauszufinden. Wer als erster den Namen der unbekannten Lehrerin herausfindet, bekommt 10 Punkte zusätzlich.

8. Das Ende des Spiels ist erreicht, wenn alle Räume besucht wurden und ihr den Namen der unbekannten Lehrerin erraten habt.

9. Gewonnen hat, wer die höchste Punktzahl erreichen konnte.

Auto-évaluation

Im Anschluss an das Spiel kannst du deine Kenntnisse wieder selbst überprüfen, indem du feststellst, auf welchen Gebieten du nicht so sicher warst. Zähle einfach die Anzahl der Punkte, die du für Grammatik, Wortschatz, Kommunikation und Landeskunde erreicht hast. Überlege gemeinsam mit deinem Lehrer, wie du die Pensen, die dir noch Schwierigkeiten machen, wiederholen und üben kannst.

220 – 181	Génial!
180 – 111	Pas mal!
110 – 91	Ça va!
90 – 0	Regarde encore un peu *Déc. 2*!

Erreichbare Punktzahlen:

	●	●	●	Gesamtpunktzahl
1. La cantine	10	15	15	**40**
2. Le bureau du principal	20	15	5	**40**
3. La salle des élèves	15	15	10	**40**
4. La salle des profs	20	15	5	**40**
5. La salle E. Piaf	15	20	5	**40**
6. Le CDI	20	15	5	**40**
7. La salle Ch. Baudelaire	20	15	5	**40**
8. La salle d'allemand	15	10	15	**40**
9. La salle de géographie	15	15	10	**40**
10. La salle de théâtre	25	10	5	**40**
La salle de permanence				**mind. 10**
Le nom de la prof				**10**
Spieler A Gesamt	**75**	**80**	**45**	**220**
Spieler B Gesamt	**100**	**65**	**35**	**220**

Plateau Rentrée, p. 8–9

1. **La cantine:** • Emma et Cécile sont entrées à la cantine./Elles ont accompagné Grégory. • le coca/le jus d'orange/le champagne … • une entrée – un plat principal – un dessert (M)

2. **Le bureau du principal:** • La fille raconte que cette année, ils ont M. Davot en allemand et qu'il est cool. Le garçon dit qu'il y a une nouvelle prof au collège et demande à la fille si elle la connaît. • tout droit, à gauche, à droite • Ils vont en permanence. (O)

3. **La salle des élèves:** • Emma est une fille que tout le monde aime. Elle a quitté Paris où elle a beaucoup d'amis. Son père qui a trouvé du travail à Toulouse part déjà. • Le petit Prince, Zazie dans le métro, Le petit Nicolas, Le gone du chaâba, etc. • La ville rose (N)

4. **La salle des profs:** • huit cent quatre-vingt-quatre/mille/cent quatre-vingt-seize/cinquante-cinq mille cinq cent cinquante-cinq • vieux/là-bas/après • mercredi après-midi (T)

5. **La salle Edith Piaf:** • Qu'est-ce qui t'intéresse?/Qui est-ce que tu rencontres souvent?/Qu'est-ce que vous faites aussi? • Il fait beau/du soleil. – Il y a des nuages. – Il pleut. – Il fait chaud/trente degrés. • C'est un parc près d'Argelès-Gazost. (O)

6. **Le CDI:** • Magalie aime chanter. Elle rêve d'être chanteuse. Quand elle commence à faire ses devoirs, elle pense à la musique. Mais elle réussit à être bonne élève. • Il est en colère./Il a mal./Il est amoureux. • Airbus (Z)

7. **La salle Charles Baudelaire:** • Oui, elle l'aide./Non, elle ne leur écrit pas. • Il a mal à la gorge./Il a mal au ventre./Il a un bras cassé. • C'est la fête de la musique. (A)

8. **La salle d'allemand:** • cet hôtel/cette église/ces filles/ce garçon/ces chats • Bon anniversaire!/Bienvenue! • l'Airbus/la Garonne/le Capitole/le canal du Midi/Odyssud/etc. (R)

9. **La salle de géographie:** • le beau français = la belle langue française/ le beau Français = le bel homme français • Mayence, Francfort, Munich, Cologne, Coblence, Trèves, Aix-la-Chapelle, Hambourg, etc. • La Garonne traverse Toulouse. (B)

10. **La salle de théâtre:** • Pour faire une tarte, il faut de la farine, du beurre, des œufs, de l'eau et des pommes. • Salutations cordiales • La Géode est dans le Parc de la Villette à Paris. (R)

La salle de permanence: *dormir:* je dors, tu dors, il/elle dort, nous dormons, vous dormez, ils/elles dorment; *savoir:* je sais, tu sais, il/elle sait, nous savons, vous savez, ils/elles savent; *connaître:* je connais, tu connais, il/elle connaît, nous connaissons, vous connaissez, ils/elles connaissent; *venir:* je viens, tu viens, il/elle vient, nous venons, vous venez, ils/elles viennent; *commencer:* je commence, tu commences, il/elle commence, nous commençons, vous commencez, ils/elles commencent; *recevoir:* je reçois, tu reçois, il/elle reçoit, nous recevons, vous recevez, ils/elles reçoivent; *prendre:* je prends, tu prends, il/elle prend, nous prenons, vous prenez, ils/elles prennent; *vivre:* je vis, tu vis, il/elle vit, nous vivons, vous vivez, ils/elles vivent; *faire:* je fais, tu fais, il/elle fait, nous faisons, vous faites, ils/elles font; *aller:* je vais, tu vas, il/elle va, nous allons, vous allez, ils/elles vont; *devoir:* je dois, tu dois, il/elle doit, nous devons, vous devez, ils/elles doivent; *plaire:* je plais, tu plais, il/elle plaît, nous plaisons, vous plaisez, ils/elles plaisent; *préférer:* je préfère, tu préfères, il/elle préfère, nous préférons, vous préférez, ils/elles préfèrent; *conduire:* je conduis, tu conduis, il/elle conduit, nous conduisons, vous conduisez, ils/elles conduisent; *finir:* je finis, tu finis, il/elle finit, nous finissons, vous finissez, ils/elles finissent; *courir:* je cours, tu cours, il/elle court, nous courons, vous courez, ils/elles courent; *envoyer:* j'envoie, tu envoies, il/elle envoie, nous envoyons, vous envoyez, ils/elles envoient; *construire:* je construis, tu construis, il/elle construit, nous construisons, vous construisez, ils/elles construisent (E)

Leçon 2, p. 27, ex. 7a:
a) 1. → b) Marie. 2. → c) Chalon-sur-Saône.
3. → a) la photo. 4. → b) 1833.

Leçon 3, p. 37, ex. 9a:
1. Nathan et sa famille vivent dans un camping-car. 2. Le camping-car a deux pièces.
3. Nathan fait son spectacle de clown avec son père. 4. Nathan s'entraîne avec des assiettes, des animaux, des ballons, des vélos. 5. Son spectacle, c'est tous les jours sauf le mercredi.

Leçon 4, p. 52, ex. 9a:
Où est-ce que tu es?/Tu es où?/Où es-tu?
Carrère est d'accord. Il a aimé la vidéo et il veut nous voir! Qu'est-ce que tu crois? C'est super, non? Je le savais! Mais maintenant, j'ai un problème avec mes parents et avec l'école! :-(
Réponds vite, s'il te plaît. A plus!
Bises   Jérémie

Leçon 5, p. 59, ex. 4a:
1. la campagne ≠ la ville 2. rire ≠ pleurer
3. riche ≠ pauvre 4. Il fait beau. ≠ Il fait mauvais.
5. l'hiver ≠ l'été 6. midi ≠ minuit 7. froid(e) ≠ chaud(e) 8. se réveiller ≠ s'endormir

Module 1, p. 72, ex. 6a:
téléphone, heure, cherche, après, anglais, allemand, dans, mercredi, week-end, samedi, voiture, restaurant, italien, département, région

---

Annotations de «**J'suis pas un imbécile!**»

1 un imbécile ein Depp – **2 un étranger, une étrangère** ein Ausländer, eine Ausländerin –
3 un douanier ein Zöllner – **4 fier, fière** stolz –
5 Fous le camp! (fam.) Hau ab! –
6 il m'a pris à part er nahm mich zur Seite –
7 trinquer anstoßen – **8 un être humain** ein menschliches Wesen, ein Mensch –
9 évidemment klar, logisch – **10 le corps** der Körper – **11 une âme** eine Seele –
12 J'en ai ras le bol! (fam.) Ich habe die Nase voll!

Plateau 1, p. 42, ex. 3:

J'suis pas un imbécile [1]!
Moi, j'aime pas les étrangers [2]! Non! Parce qu'ils viennent manger le pain des Français! Oui! J'aime pas les étrangers! Et pourtant, c'est curieux parce que, comme profession, je suis douanier [3]! Alors, on devrait être gentil avec les étrangers qui arrivent! Mais moi, j'aime pas les étrangers! Ils viennent manger le pain des Français! J'suis pas un imbécile! Je suis Français! Et je suis fier [4] d'être Français! Mon nom, c'est Koulakerstersky du côté de ma mère et Piazanobenditti, du côté d'un copain à mon père!
Dans le village où j'habite, on a un étranger. On l'appelle pas par son nom! On dit: «Tiens, v'là l'étranger qui arrive!» Sa femme: «Tiens, v'là l'étrangère!». Souvent, j'lui dis: «Fous le camp! [5] Pourquoi qu'tu viens manger le pain des Français?»
Une fois, au café, il m'a pris à part [6]. J'ai pas voulu trinquer [7] avec lui, un étranger, dites donc! Parce que moi, j'suis pas un imbécile: je suis douanier!
Il m'a dit: «Et pourtant, je suis un être humain [8] comme tous les autres humains et …».
Evidemment [9]! Qu'est-ce qu'il est bête alors, celui-ci! «J'ai un corps [10], une âme [11] comme tout le monde …».
Evidemment! Comment se fait-il qu'il puisse dire des bêtises pareilles! Enfin, je l'ai quand même écouté, cette espèce d'idiot! Et là, j'ai rien compris à ce qu'il a voulu dire … Et pourtant, j'suis pas un imbécile puisque je suis douanier! «Fous le camp! Tu viens manger le pain des Français!»
Alors un jour, il nous a dit: «J'en ai ras le bol! [12] Vous, vous Français, votre pain et pas votre pain … Je m'en vais!»
Alors, il est parti avec sa femme et ses enfants. Il est monté dans un bateau, il est allé loin au-delà des mers. Et depuis ce jour-là, on ne mange plus de pain … Il était boulanger!

Extrait de: *5 sketches à lire et à jouer de Fernand Raynaud*, © Editions de La Table Ronde (texte abrégé)

Leçon 4, p. 52, ex. 9b: Le «DICO» SMS

$	argent	**JTM**	Je t'aime.
a2m1	à demain	**je le sa V**	Je le savais.
a+	à plus (tard)	**K7**	cassette
a b1to	à bientôt	**keskia**	Qu'est ce qu'il y a?
ama	à mon avis	**keske C**	Qu'est ce que c'est?
asap	au plus vite (as soon as possible)	**kestudi**	Qu'est ce que tu dis?
ayÈ	ça y est	**kestu X**	Qu'est ce que tu crois?
Biz/BZoo	Bises / Bisous	**kestufÈ**	Qu'est-ce que tu fais?
B1sur	bien sûr	**koi29/R29**	Quoi de neuf?/Rien de neuf!
bap	bon après-midi	**lS tom B**	Laisse tomber.
bcp	beaucoup	**pq**	pourquoi
bjr/bsr	bonjour/bonsoir	**raf**	rien à faire
cad	c'est à dire	**rdv**	rendez-vous
C b1	C'est bien!	**r1**	rien
C pa 5pa	C'est pas sympa!	**RVSTP**	Réponds vite, s'il te plaît.
CU	see you	**savapa**	Ça va pas?
C 2L8	C'est trop tard (c'est too late)!	**slt**	Salut!
dak	d'accord	**stp**	s'il te plaît
D 100	Descends.	**t le + bo**	Tu es le plus beau.
fo	il faut	**t oqp**	Tu es occupé?
G 1	J'ai (une question).	**t nrv**	Tu es énervé?
G1 pb	J'ai un problème.	**thx**	merci (thanks)
GspR b1	J'espère bien.	**T où?**	Tu es où?
GT o 6nÉ	J'étais au ciné(ma).	**V1**	Viens.
ID	idée	**vazi**	Vas-y!
j	je	**VrMan**	vraiment

Leçon 4, p. 52, ex. 11:
Fehlerprotokoll (Stratégie L4)

Du wirst dich sicher schon einmal über einen Fehler geärgert haben.
Vielleicht warst du unkonzentriert oder du hattest keine Zeit mehr zum Kontrolllesen?
Fehler machen ist menschlich, aber du kannst die Zahl doch erheblich verringern,
wenn du nach einem gewissen Schema vorgehst und häufige Fehler genauer unter die Lupe
nimmst. Dieses Fehlerprotokoll soll dir dabei helfen: Auch zur Vorbereitung von Klassen-
arbeiten kann es nützlich sein!

1. Rechtschreibung	
• Habe ich alle Wörter, auch die „schwierigen" Wörter richtig geschrieben? (Spricht man das Wort auch so, wie ich es geschrieben habe?)	*z. B. août / sœur / feuille / accueil / vieille*
	z. B. espérer, aber: *j'espère / problème / métier*
• Habe ich fehlerträchtige Stellen im Hinblick auf andere Sprachen (E, D, It, Sp, etc.) kontrolliert?	*z. B. touriste / succès / plaisir*

2. Grammatik Habe ich • die unregelmäßigen Verben richtig konjugiert bzw. die Zeiten richtig gebildet (Endungen, PP + accord, Hilfsverb)? • das Verb an das Subjekt und die Adjektive und Begleiter an das Nomen/Subjektpronomen (Genus) angeglichen und dabei auch den Plural konsequent markiert? • die richtigen Pronomen verwendet (und an die richtige Stelle gesetzt)? • die richtigen Artikel verwendet (*de* nach Verneinung und Mengenangaben; Teilungsartikel etc.)? • zwischen Adjektiv und Adverb unterschieden? • Stimmen die Verbanschlüsse?	*tu **reçois**/il **meurt**/j'**ai** couru/ils ont **pris**/il s'**est** réveillé/**elle était** rentrée* *j'**attends**/ils av**aient** mangé/**nous** ir**ons**/ des bon**nes** nouvelles/tous les jours/ d'autres concerts/**cette** musique/ elle cherche **ses** livres* *on **leur** a demandé/l'histoire **qui** me plaît/ l'histoire **que** je raconte* *beaucoup **d'**amis/je déteste **le** hip-hop/ je prends **des** fruits* *nous jouons **bien**/ce jeu est **bon**/ C'est un **bon** jeu* *aider **qn**/apprendre **à faire qc**/ avoir besoin **de** qc/qn*
3. Wortstellung • Habe ich an SPO (Subjekt-Prädikat-Objekt) gedacht? • Stehen die Pronomen (s. o.) und die Verneinung an der richtigen Stelle?	*Quand est-ce que **tu viens**?* *Je peux **te** parler?/Il **n'**a **jamais** travaillé./ Il **n'**avait vu **personne**.*
4. Tempus Habe ich die Zeiten richtig verwendet (p. c. ⟷ imp.; présent; futur; indirekte Rede)?	*Quand je **suis sorti**, il **pleuvait**./Demain, je **prendrai** des photos./Je lui ai demandé s'il n'**avait** pas faim.*
5. Vokabular und Ausdruck Habe ich • das richtige Sprachniveau gewählt (Standardfranzösisch ⟷ Jugend-/ Umgangssprache, etc.)? • feste Redewendungen und falsche Freunde berücksichtigt?	*z. B. **Quel garçon!** ⟷ Quel mec! (ugs.)/ **C'est génial/super!** ⟷ C'est canon! (ugs.)/ **Il ne** faut **pas** rêver! ⟷ Faut pas rêver! (ugs.)* *z. B. **avoir un chat dans la gorge**; die Atmosphäre = **l'ambiance** (f); der Plan/das Vorhaben = **le projet***
6. Flüchtigkeitsfehler Habe ich Buchstaben oder sogar Wörter ausgelassen bzw. Akzente vergessen?	

Solltest du dir in einigen Bereichen (Genus der Nomen, Konjugation der Verben, etc.) einfach nicht mehr sicher sein, so kannst du deine Lücken schließen, indem du Lernkärtchen anfertigst und die Wörter, die dir Schwierigkeiten bereiten, gezielt übst und regelmäßig wiederholst!

Femme like U

(Refrain:)
Donne-moi ton cœur baby,
Ton corps baby hey
Donne-moi ton bon vieux funk,
Ton rock baby,
Ta soul baby hey
Chante avec moi, je veux une femme like you
Pour m'emmener au bout du monde, une
femme like you
Hey
Donne-moi ton cœur baby,
Ton corps baby hey
Donne-moi ton bon vieux funk,
Ton rock baby, ta soul baby hey
Chante avec moi, je veux un homme like you
Bad boy tu sais qu' tu m' plais, un homme like
you
Hey

Quand tu chantes, j'oublie
J'ai plus le moindre soucis
J'ai le mal qui fuit,
Tu donnes un son à ma vie
Et puis j' sais pas qu'est-ce qui s' passe,
T'as ce regard dans la face
Qui me ramène à la case départ, là où j'suis
parti,
Nous ramène à la soirée du bar quand on est
sortis
Et c'est cette même complicité qui s'installe,
Ou quand on est sur la scène
Et qu'on brille sous la même étoile
Quand ta voix croise la mienne, que j'ai ta soul
dans mes veines
Que mon vibe coule dans les tiennes
Femme t'es belle mais quand tu chantes t'es
sexy,
Flash sur elle, rock, soul baby

(au Refrain)

Complice on leur donne un bon son, like …
A la tv, Mary J. Blige glamourous, ton style et
ton charme t'es fabulous
Un délice pour un macadam
Mhhm baby baby, si tu savais comme j' te
mhhm baby baby
Crois-moi que l'atmosphère est parfaite,
Et plus tu chantes, plus j'glisse sur la pente et
j'perds la tête
Deux vies, deux voix qui s' rencontrent
Deux histoires qui se racontent
Une chanson pour le dire,
Y a les mots, les images pour le décrire
Une belle rencontre à l'ancienne,
Prends un flash! Y a d' la magie sur scène,
Le rideau tombe et c'est terminé
Une belle collabo, des mots sur une feuille,
pour se rappeler

(au Refrain)

Donne-moi ton cœur,
Donne-moi ton corps,
Donne-moi ta soul,
Ton rock'n'roll
Je veux une femme like you
Un homme like you

(au Refrain, 2 x)

K-Maro

Musik und Text: Louis Cote / Cyril Kamar
© 2004 Warner Chappell Music France SA,
SVL: Neue Welt Musikverlag GmbH & CO KG
c/o Warner Chappell Music Germany
GmbH & CO KG

29 **Les maudits Français**

Y parlent avec des mots précis
Puis y prononcent toutes leurs syllabes
A tout bout d'champ, y s'donnent des bis
Y passent leurs grandes journées à table

Y ont des menus qu'on comprend pas
Y boivent du vin comme si c'était d'l'eau
Y mangent du pain pis du foie gras
En trouvant l'moyen d'pas être gros

Y font des manifs au quart d'heure
A tous les maudits coins d'rue
Tous les taxis ont des chauffeurs
Qui roulent en fous, qui collent au cul

Et quand y parlent de venir chez nous
C'est pour l'hiver ou les indiens
Les longues promenades en Ski-doo
Ou encore en traîneau à chiens

Ils ont des tasses minuscules
Et des immenses cendriers
Y font du vrai café d'adulte
Ils avalent ça en deux gorgées

On trouve leurs gros bergers allemands
Et leurs petits caniches chéris
Sur les planchers des restaurants
Des épiceries, des pharmacies

Y disent qu'y dînent quand y soupent
Et y est deux heures quand y déjeunent
Au petit matin, ça sent l'yaourt
Y connaissent pas les œufs-bacon

En fin d'soirée, c'est plus choucroute
Magret d'canard ou escargots
Tout s'déroule bien jusqu'à c'qu'on goûte
A leur putain de tête de veau

Un bout d'paupière, un bout d'gencive
Un bout d'oreille, un bout d'museau
Pour des papilles gustatives
De québécois, c'est un peu trop

Puis, y nous prennent pour un martien
Quand on commande un verre de lait
Ou quand on demande: La salle de bains
Est à quelle place, S.V.P. ?

Et quand ils arrivent chez nous
Y s'prennent une tuque et un Kanuk
Se mettent à chercher des igloos
Finissent dans une cabane à sucre

Y tombent en amour sur le coup
Avec nos forêts et nos lacs
Et y s'mettent à parler comme nous
Apprennent à dire: Tabarnak

Et bien saoulés au caribou
A la Molson et au gros gin
Y s'extasient sur nos ragoûts
D'pattes de cochon et nos plats d'binnes

Vu qu'on n'a pas d'fromages qui puent
Y s'accommodent d'un vieux cheddar
Et y se plaignent pas trop non plus
De notre petit café bâtard

Quand leur séjour tire à sa fin
Ils ont compris qu'ils ont plus l'droit
De nous appeler les Canadiens
Alors que l'on est Québécois

Y disent au revoir, les yeux tout trempés
L'sirop d'érable plein les bagages
On réalise qu'on leur ressemble
On leur souhaite bon voyage

On est rendu qu'on donne des becs
Comme si on l'avait toujours fait
Y a comme un trou dans le Québec
Quand partent les maudits Français

Paroles et Musique de
Lynda Lemay

© Editions Raoul Breton et Hallynda

Die vermaledeiten Franzosen

Sie drücken sich gewählt aus
und sprechen alle ihre Silben aus.
Auf jedem Flecken Erde geben sie sich Küsschen
und verbringen ihre großen Festtage zu Tisch.

Sie haben Menüs, die man nicht versteht,
sie trinken Wein, als ob es Wasser wäre,
sie essen Brot und fette Leberpastete,
wobei sie es irgendwie schaffen, dabei nicht
    fett zu werden.

Sie veranstalten Demos zu jeder Viertelstunde
an allen verfluchten Straßenecken.
Alle Taxis haben Chauffeure,
die wie Verrückte rasen und dicht auffahren.

Und wenn sie davon sprechen, zu uns zu kommen,
dann ist es für den Winter oder den
    „Indian Summer“,
die langen Ausflüge mit dem Motorschlitten
oder mit den Hundeschlitten.

Sie haben Minitassen
und riesige Aschenbecher.
Sie machen echten Kaffee für Erwachsene
und kippen ihn in zwei Schlucken runter.

Man sieht ihre dicken deutschen Schäferhunde
und ihre kleinen süßen Pudel
auf den Böden der Restaurants,
der Lebensmittelläden und der Apotheken.

Sie sagen, sie „dinieren“, wenn sie „soupieren“,
und es ist zwei Uhr, wenn sie zu Mittag essen.
Beim Frühstück riecht es nach Joghurt,
sie kennen keine Eier mit Speck.

Am späteren Abend gibt es eher Sauerkraut,
Entenbrust oder Schnecken.
Alles verläuft gut, bis man
ihre verdammte Sülze probiert.

Ein Stückchen vom Augenlid, ein Stückchen
    vom Zahnfleisch,
ein Stückchen vom Ohr, ein Stückchen vom Maul,
für die Geschmacksnerven von Québecern ist es
    ein bisschen zu viel.

Und außerdem halten sie uns für einen
    Marsmenschen,
wenn man ein Glas Milch bestellt,
oder wenn man fragt: „An welchem Platz ist das
    Badezimmer, bitte?“

Und wenn sie bei uns ankommen,
nehmen sie sich eine Wollmütze und einen Anorak,
machen sich auf die Suche nach Iglus
und landen schließlich in einer Zuckerhütte.

Sie verlieben sich auf der Stelle
in unsere Wälder und Seen.
Und sie fangen an, wie wir zu sprechen,
sie lernen zu sagen: „Tabarnak!“, „Verdammt!“.

Und schön berauscht vom Caribou-Schnaps,
vom Molson-Bier und vom dickflüssigen Gin,
geraten sie in Verzückung über unsere Ragouts
von Schweinepfoten und über unsere
    Bohnengerichte.

Wenn man bedenkt, dass wir keinen Käse haben,
    der stinkt,
begnügen sie sich mit einem alten Cheddar.
Und sie beklagen sich auch nicht allzu sehr
über unseren nachgemachten „petit café“.

Wenn ihr Aufenthalt dem Ende entgegen geht,
haben sie verstanden, dass sie kein Recht mehr
    dazu haben,
uns Kanadier zu nennen,
wo wir doch Québecer sind.

Sie sagen auf Wiedersehen mit feuchten Augen
und die Taschen voller Ahornsirup.
Wir merken, dass wir ihnen ähnlich sind,
und wünschen ihnen gute Reise.

Man ist darüber eingekommen, dass man sich
    Küsschen gibt,
als ob man es schon immer getan hätte.
Es ist so, als ob ein Loch zurückbliebe im Québec,
wenn sie abreisen, die vermaledeiten Franzosen.

Übersetzung von *Lynda Lemay*,
„Les maudits Français“:

Friederike Maria Keck

Poèmes

J'en ai peur

J'ai peur
Peur de rentrer chez moi
Et de retrouver une ambiance tendue
Je crois parfois
Qu'il ferait bon de s'enfuir,
De partir loin
Et de ne jamais revenir.
J'aimerais tourner la page,
Ne penser à rien,
Être comme on dit «bien».
J'ai peur
Quand je les vois désespérés.
Ils ne se regardent plus,
Ils s'ignorent.
Combien de temps ça peut durer ? (…)

Marie-Céline

On n'a que notre voix
Pour parler
On n'a que notre voix
Pour chanter
On n'a que notre voix
Une voix balancée comme un pavé
On n'a que notre cœur
Pour aimer
On n'a que notre cœur
Pour pleurer
On n'a que notre cœur
Un cœur déchiré comme la société
On n'a que notre poing
Pour travailler
On n'a que notre poing
Pour protester
On n'a que notre poing
Un poing rouge comme la liberté.

Patrice

Partir,
Partir loin d'ici,
Partir agressive,
Partir déchirée, avide de vengeance,
Partir pour trouver enfin la paix
Et revenir prête à tout recommencer.
Partir pour tout oublier
Et revenir pour les aimer.

Partir,
Partir loin d'ici …

Agnès

L'enfant j'ai été l'enfant
Joue sans jamais réfléchir
Aux sombres détours du temps

Éternel il joue pour rire
Il conserve son printemps
Son ruisseau est un torrent

Moi mon plaisir fut délire
Mais je suis mort à neuf ans.

Paul Eluard

Présenté par C. Poslaniec et D. Verdier,
adolescence en poésie © Editions Gallimard

Présenté par A. Rich,
L'enfance en poésie © Editions Gallimard

1 Quel départ! (§ 36)   → Leçon 2

Reliez les phrases et utilisez «après avoir» + participe passé et «avant de, pour, sans» + infinitif.

avant	après
1. Mme Fritz boit son café.	Mme Fritz réveille[1] les élèves.
2. Mme Fritz compte les élèves.	Mme Fritz voit que Marco manque.

1 réveiller qn [ʀeveje] jdn wecken

	pour	sans
3. Elle envoie Andreas à l'étage.	Il doit aller chercher Marco.	
4. Marco arrive dans la cour.		Il n'a pas pris son petit-déjeuner.
5. Le car attend déjà devant l'auberge.	Il conduit les élèves à Beaune.	

2 Lire et comprendre: Les «si» d'un pompier …   → Module 1

Si les gens avaient fait plus attention, ils auraient appelé tout de suite les pompiers. Et si les touristes n'avaient pas fait du feu dans la nature, les vacances se seraient passées plus calmement. Si l'homme en question n'avait pas jeté sa cigarette dans la forêt, on n'aurait pas eu cet incendie à Brignoles.

Si l'été avait été moins sec, on aurait arrêté plus facilement les flammes et on n'aurait pas dû appeler les Canadairs. Si le vent n'avait pas été si fort, l'incendie n'aurait pas détruit le terrain de camping de Brignoles. Et si on n'avait pas eu cet incendie, il n'y aurait pas eu ce chaos avec tous ces blessés, ces voitures et ces maisons en flammes.

Bien sûr, s'il ? plu ici au printemps, tout le Midi ? eu moins de problèmes. Si le vent s'? calmé, il y ? eu moins d'incendies. Si le jeune homme n'? pas eu ce courage, il (ne pas sauver) la vie des deux enfants sur le terrain de camping. Bref, si les gens (respecter) nos conseils, nous (sauver) plus de personnes.   *Delphine M.*

Lisez le texte et répondez aux questions:

1. *Quand est-ce que Delphine a écrit cette lettre au journal: avant, pendant ou après l'incendie? Pourquoi?*
2. *D'après vous, est-ce que les gens ont vraiment fait attention pour éviter l'incendie ou pas?*
3. *Traduisez la première phrase en allemand. Qu'est-ce qui est différent dans la phrase française?*
4. *Remplacez les ? par «avoir» ou «être» et trouvez la forme correcte des verbes entre parenthèses.*

3 Lequel de ces pays? (§ 37)   → Module 3

Complétez les questions avec une forme de «lequel» et une préposition si nécessaire.
Demandez à un camarade de classe de donner la réponse. Puis, c'est lui qui continue.

1. Au Québec, il y a des animaux sur la côte et dans la forêt. ~ ?
2. Les Québécois utilisent d'autres expressions que les Français. ~ est-ce que vous connaissez?
3. Le Canada a d'autres régions que le Québec. ~ rêvez-vous?
4. Au Québec, on joue au hockey et on fait du ski. ~ de ces activités vous intéressez-vous*?
5. Aminata, Bastien et Daniel t'invitent. ~ de ces jeunes aimerais-tu passer tes vacances?
6. Aminata s'intéresse aux Indiens. A Montréal, elle en a rencontrés deux. ~ ?

La Francophonie

Le Canada

L´AMÉRIQUE DU NORD

Le Québec

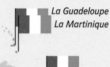
Le Québec

St-Pierre-et-Miquelon

La France

Les États-Unis

La Louisiane

L´OCÉAN

Le Maroc

L´A

Les États-Unis
La Nouvelle-Orléans

L´OCÉAN

PACIFIQUE

L´île Clipperton

Centre spatial de Kourou
La Guyane française

Haïti

La Guadeloupe
La Martinique

La Mauritanie

Le Ma

Le Sénégal

La Guinée

*La Guyane
française*

La Côte d´Ivoire
Le Burkina-Faso
Le Togo
Le Bénin
Le Cameroun
Le Gabon
Le

L´AMÉRIQUE
DU SUD

Les îles Marquises

La Polynésie française

Tahiti

ATLANTIQUE

Paul Gauguin:
Femmes de Tahiti

Madagaskar

Les pays francophones

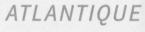 Pays ou régions où le français est langue maternelle et officielle

Pays ou régions où le français est langue officielle

Pays ou régions où le français est langue d´enseignement

Minorités francophones

Départements et territoires d´outre-mer (DOM-TOM)